The Reality Game

How the Next Wave of Technology Will Break the Truth

Samuel Woolley

操作される現実

VR・合成音声・ディープフェイクが生む虚構のプロパガンダ

サミュエル・ウーリー　小林啓倫 訳

白揚社

◉——★は訳者による注で、各章ごとに番号を振り脚注として記した。

私の師、フィリップ・N・ハワードに。
彼は学問とは何かを教えてくれたが、それと同時に、
いつも私が私でいられる余地を残しておいてくれた。

どんな世代の人々であろうと、自分たちの時代が来た時には、民主主義を再構築しなければなりません。民主主義は決して固まらないものだからです。そのように意図されていませんでした。民主主義とは参加型の統治形態で、私たちはみな、より完璧な団結を実現する責任があるのです。

——ベティー・リード・ソスキン
米国立公園パークレンジャー

操作される現実　目次

3 批判的思考から陰謀論へ 93

4 人工知能——救いか破滅か? 140

8

結論——人権に基づいたテクノロジーの設計　318

謝辞

本を書くというのは、誰が何と言おうと労働だ。幸か不幸か、本書を書き始めたとき、私は論文を書き終えたばかりだった。そのプロジェクトの最中、私は書くことから逃げるためなら、あらゆる言い訳を考えた。自分に、「今日は木曜日じゃないか」とか、「出張中なのだから、ちょっと休んで一杯やってもいいはずだ。今日は書かなくてもいいだろう」とか言い聞かせたのである。しかし結局は、毎日午前8時から10時までの2時間を執筆にあてることとなった。毎日必ずというわけではないが、ほとんどの日はそうせざるを得なかった。私はあくまで人間であり、これから本書で紹介するような、コンテンツを際限なく生み出すことのできる疲れ知らずのAIボットではない。私はその論文を書き上げた際に実行していた、毎日2時間パソコンに向き合うという習慣を本書の執筆プロジェクトにも応用した。それでも丸何週間もの期間、場所を問わずに取り組まなければならないこともあり、長期にわたって執筆時間の捻出に腐心した。そうしたことを念頭に、私が最初に謝辞を捧げたい人物は、妻であり親友でもあるサマンサと、私の家族――父さん、母さん、オリバー、ジャスティン、モリス、マチルダ、バスケット、そしてウーリー家、ドナルドソン家、ショーリー家、ヨエンス家、ボッセンジャー家、ロール家、ウェストランド家のみんなだ。親友のジョー、アイク、アンジュリ、ピーター、ニック、バスケット、ジョシュ、リック、ザック、ダグ、メル、カーリー、パトリック、トレントにも感謝したい。デスクに縛りつけられてパソコンと長い時間向き合っている私に、我慢してくれてありがとう。バーチャルリアリティーのさまざまな用途やソーシャルメディアの使い方について、何度も考えを聞かせてくれてありがとう。そして特に、私を支え、愛し、成長するのを助けてくれてありがとう。私の同僚と共同研究者の皆さんには、彼らの忍耐とハードワーク、団結に感謝したい。一緒に研究し、学んだ彼らがいなかったら、今の私はなかった。ある意味で、私は彼らと共に過ごすことで、きちんと行動できる大人へと成長できたのだ。確かに時間はかかったが。特に感謝したい方々を、順不同で挙げよう。ニック・モナコ、フィル・ハワード、リサ・マリア・ノイデルト、サマンサ・ブラッドショー、ロブ・ゴルワ、ケイティー・ジョセフ、マリナ・ゴルビス、アシュレー・ヘムストリート、マシュー・アデイザ、ティム・ファン、ダグ・ギルボー、ジーナ・ネフ、キルステン・フット、ベンジャミン・マコ・ヒル、クリスティーン・ハロルド、ライアン・カロ、ダン・ニューマン、アン・ラベル、ハムシニ・スリダラン、ダナ・ボイド、ケイト・クロフォード、カミーユ・フランソワ、ベン・ニモ、ロリ・マグリンチィ、チャンセラー・ウィリアムズ、ケリー・ボーン、アナミトラ・デブ、ジョアン・ドノバン、アダム・エリック、クレイグ・シルバーマン、カレン・コロンブル、ネイト・テブラントヌイス、ベッカ・ルイス、ブリッタン・ヘラー、ダニエル・ケリー、タイラ・ストラウド、マイク・アナニー、マイケル・マクフォール、ネイト・パーシリー、ブランディー・ノネク、スティーブン・リース、ジェイ・バーンハート、キャスリーン・マッケロイ、そしてここで名前が浮かんでこなかった誰かにも。皆さんの導き、協力、信頼、アドバイスがあったからこそ、私は仕事を進めることができた。皆さんがいなかったら、この本は生まれなかっただろう。また初期の研究を支援してくれた、欧州研究会議とアメリカ国立科学財団にも感謝を申し上げる。最後に、編集者のベン・アダムス、出版社のパブリック・アフェアーズ、そしてエージェントのクリス・パリスラムにも感謝したい。私たちが「現実」と呼ぶこのゲームにおいて、私に賭けてくれてありがとう。

はじめに

「フェイクニュース」という概念が世界中に広まったのは、２０１６年の米大統領選挙期間中、明らかに間違ったニュースが大量に出回り、デジタル世界がゴミのようなコンテンツであふれた後のことである。リオ五輪の期間中には、ロシア選手団に対する中傷キャンペーンの噂が広がり、またジカ熱に関する誤報がブラジルやその他の地域に拡散して、「フェイクニュース」の影はさらに拡大した。「フェイクニュース」という言葉は、あろうことか時の権力者たちに取り込まれてしまった。すると、フェイクニュースと呼ばれるジャンクコンテンツを制作している人々自身が、この言葉を取り戻し、正統なジャーナリズムを弱体化させる手段、あるいは都合の悪い科学的発見を攻撃するとっかかり、あるいは自分たちの悪事に関する事実をひっくり返す手段として使うようになったのである。「フェイクニュース」という言葉自体が、フェイクニュースを広める道具となってしまったのだ。

この点を念頭に置いた上で、本書の議論にとって重要となる、いくつかの用語や定義について、それを私がどう使っているかを説明しておこう。第一に、私は「フェイクニュース」という言葉を使わないようにしており、代わりに「誤報（誤情報）」もしくは「虚偽」を使っている。「誤報」は間違ったコンテンツが偶発的に拡散すること、「虚偽」は間違ったコンテンツを意図的に拡散させることを意味する。また「間違ったニュース」や「ジャンクニュース」という言葉を使うこともあるが、それはニュース記事のように見えるものの、実際には事実や検証可能性を欠いているために、真実ではないニュースという意味だ。こうしたニュースは、２０１６年の米大統領選挙でデンバーガーディアン紙が捏造した悪名高い記事のように、誤解や混乱を与えること、あるいは金儲けすることを目的として作られている。私が「フェイクニュース」という言葉を使わないのは、この言葉自体が本物のジャーナリストが書いた記事やレポートを攻撃するためのツールとして悪用されているからだ。気難しい政治家や、訴訟好きの企業経営者、扇動された人々が否定する事実についてのちゃんとした報道を、「フェイクニュース」として封殺するのだ。

また本書ではしばしば、「コンピューター・プロパガンダ」という表現も使っている。これは私が同僚たちと考え出したものだが、当初この言葉は、ソーシャルメディア上で自動化されたツール（ツイッターのボットなど）やアルゴリズムを使用して、世論を操作することを意図していた。本書ではより広い意味で使っており、フェイスブックからＡＲ（拡張現実）デバイスに至るまで、さまざまなデジタルツールを駆使して政治的な動機に基づいた情報拡散を行うことを指している。またコンピューター・プロパガンダには、何らかの報道を止めさせるために、ソーシャルメディアを使って匿名でジャーナリストを攻撃することや、人間が話しているかのような音声を合成できるデジタル音声システムを利用して、有権者に電話をかけて反対派に関する嘘を伝えることも含まれる。さらにAI（人工知能）やソーシャルボット（オンライン上で人間であるかのように振る舞う自律型プログラム）を使って、人間が行っているかのようなコミュニケーションをつくり出し、オンライン上で人気のニュースを判定するアルゴリズムを騙して、特定のニュースを上位に表示させるという例もある。

最後に、本書では民主主義と人権についても頻繁に触れている。私が「民主主義」という言葉を使うとき、私は民主主義が持つ価値（自由、平等、正義など）について語っている。米国型の民主的統治や、民主党と共和党という二大政党が議会と大統領を担うハイブリッド型のシステムを支持せよという意味で使っているのではない。また「人権」について語る際には、国連による次のような「人権」の定義を念頭に置いている。

人種、性別、国籍、民族、言語、宗教その他のいかなる地位とも関係なく、すべての人間に固有の権利。人権には生存権、自由権、奴隷制と拷問からの自由、言論と表現の自由、労働権、教育を受ける権利などが含まれる。これらの権利は、すべての人に分け隔てなく与えられている。(1)

テクノロジーは民主主義と人権の価値を踏まえているべきだと、私は考えている。これから登場するさまざまなデバイスが、真実をさらに損なうことのないよう、私たちが作るツールの中で平等と自由が最優先されなければならない。

1 曖昧な真実

あなたの現実、私にはフェイク

「オックスフォード大学？　そんなのバカの学校だ」と、フィリピンのロドリゴ・ドゥテルテ大統領は述べた。２０１７年7月24日、ドゥテルテが一般教書演説を行った直後のことである。演説に続いて行われた記者会見の席上で、ある記者が彼に、オックスフォード大学が発表した研究論文について尋ねた[1]。その論文は世界各国の政府がソーシャルメディア上での宣伝活動にどのくらいの費用をかけているかを詳しく調べたもので、それによると、ドゥテルテ大統領は批判者の攻撃から自身を守るために、「ソーシャルメディア軍」に約20万ドルを投じたという[2]。聴衆への説明でドゥテルテは、大統領選挙期間中、この目的のために論文で指摘された以上の資金を投入したことを認めたが、もう中止していると訴えた。彼はそう述べたものの、オックスフォード大学の論文で引用されていた、受賞歴もあるフィリピンのニュースサイト、ラップラーが示した証拠は、それとは反していた。(3)同サイトの創設者で編集者のマリア・レッサは、ドゥテルテ政権が悪意のあるデジタル・プロパガンダに資金を提供し続けており、反対派に対抗するための中傷キャンペーンを行っていると訴えた。世界中の多くの政治指導者と同様、ドゥテルテはソーシャルメディアを大衆操作のツールに変えたのだ。

私はドゥテルテの怒りを買ったオックスフォード大学の研究チームにおいて、リサーチディレクターを務めていた。私たちのグループ「コンピューター・プロパガンダ・プロジェクト」は、同大学内にあるオックスフォード・インターネット研究所を拠点としていた。私たちの研究は、世論を形成し、真実をハッキングし、抗議を黙らせるツールとして、ソーシャルメディアを利用するという現象を詳らか(つまび)にすることに焦点を当てていた。政治に関わる重要なイベントの最中に、自動で動くツイッターの「ボット」★1とトレンド・アルゴリズム★2が、人々に影響を与えるためにどう利用されているかを詳しく解説したのである。私たちのチームは、こうした不誠実なキャンペーンの背後に誰がいるのかを明らかにし、彼らがどのように情報を拡散しているのかを突き止めたいと考えた。何よりも、私たち

★1　決められた作業を自動で繰り返すプログラム。

★2　いまどのようなトピックに注目が集まっているかを把握するプログラム。

は彼らがそうする理由を知りたかった。彼らはそれで何が得られると考えているのか？　私たちの研究が権力者の神経を逆なでしたのは初めてではなかったが、一国の指導者が私たちを名指しするということはそれまでなかった。

ドゥテルテがオックスフォード大学を攻撃した後すぐ、ラップラーは短い動画を作成し、その中で、いかにドゥテルテ政権のような権力者たちが、世界各国でツイッターやユーチューブ、フェイスブックといったサイトを悪用し、反対派に嫌がらせ（不快もしくは扇動的なコメントを故意に投稿するなど）をして世論を捻じ曲げるようなキャンペーンを展開しているかを説明した。[4] 動画によると、そうした権力者たちはボットや偽のアカウントを使って、「人々が信じてしまうような『オルタナティブ・リアリティ（もう一つの現実）』を創造しようとしている」。ドゥテルテがオックスフォード大学を攻撃し、大学とその研究を誹謗（ひぼう）したのは、真実を捻じ曲げる戦略の一環だった。インドのナレンドラ・モディ、米国のドナルド・トランプ、ブラジルのジャイル・ボルソナロと同様に、彼は人格攻撃やロジックの歪曲、ソーシャルメディアの利用を組み合わせ、本当の現実とは違うもう一つの現実、すなわちフェイクの現実を生み出していたのである。

テクノロジーと虚偽の新しい波

これから何が起きるかを考える際、過去を振り返るのは非常に役に立つ。しかしいま、社会は過去に起きたデジタル版の「情報操作」に注目するよりも、未来に目を向けなければならない。確かに近年、世界中の国々で、ソーシャルメディアに対してこれまでなかった規模での操作が行われるようになっている。私たちのコミュニケーション方法に関するこうした変化は、民主主義を弱体化させ、独裁政権を強化することとなった。しかし私たちは、地平線に見えている新しい何かに注意を払う必要がある。現実や真実に襲いかかる困難は、ＡＩ（人工知能）やＶＲ（仮想現実）などの次世代テクノロジーの波によって、その目新しさや強度を増していくだろう。

ＡＩの進歩により、ソーシャルメディア上のデータを分析し、あるユーザーの好みに応じてコンテンツの優先順位を付けるためのより効果的な手法が生まれてきたが、それは同時に（より懸念すべきことに）、人々が情報を拡散する方法と、拡散を行う人間を根本的に変えてしまった。そうした手法によって生まれたオンラインの世界では、人間と機械の境界線がますます曖昧なものになっている。

選挙期間中に現われる世論を操作するソーシャルメディア広告は確かに心配だ

が、仮想空間を使ったソーシャルメディアの中で行われる、政治的な啓蒙活動はどうだろうか？　この可能性から目を背けてはいけない。というのもデジタルツールの進歩は、コミュニケーション技術と社会全体に大きな変化をもたらそうとしているからだ。テクノロジーの次の波によって、現実を攻撃する手法はこれまで以上に強力になる。バックマン・ターナー・オーヴァードライヴの控えめな言葉を借りれば、「こんなのは序の口」なのである。

過去10年間、私はプロパガンダがテクノロジーやメディアをどのように利用しているかを研究してきた。それを通じて、人々のソーシャルメディアに対する捉え方が急速に変化するのを見てきた。かつてソーシャルメディアは、他人とつながり、コミュニケーションを取り、連帯するための刺激的なツールとして見られていたが、現在では間違ったニュースや政治に関する誤報、あるいは特定の人物を狙った嫌がらせを拡散する悪意のあるプラットフォームと捉えられることが多い。私は現在でも、オンライン上のメッセージを操作しようとするいくつかの集団の行動を監視している。だが一方で、こうした状況に反撃し、ゴミのような情報ではなく、質の高いジャーナリズムや事実、科学を推進することを第一の目的とした取り組みやテクノロジーが生まれていることも毎日のように目にしている。

本書で私は自分が知っていることをすべてお話しするつもりだ。デジタルツールを使った最近の政治的な世論操作の例を紹介し、現在の状況を議論して、これから何が起きるかを推測してみたい。また、どうすれば私たちが現状に対処し、デジタル空間を再生できるかについても概観する。少し骨のある読書になるだろう。

現実と真実への「攻撃」

国務省に十分な資金を投入しないのであれば、結局は弾薬の購入量を増やさざるを得なくなる。

——ジェームズ・マティス前米国防長官

数年にわたってコンピューター・プロパガンダを研究した後ようやく私は、次の単純だが重要な発見にたどり着いた——人々がテクノロジーだと思っているものが、テクノロジーなのだ。２０１６年の春、私はテキサス州オースティンで開かれたイベント「サウス・バイ・サウスウエスト（ＳＸＳＷ）」に参加し、ソーシャルメディアを使って選挙を操る方法について講演した。そしてプレゼンテーションを終えた後で、友人や同僚たちと、会場近くのダウンタウンのバーに出かけた。ＳＸＳＷでは、普通ではありえないような人々の交流が起きる。技術者、政治家、ミュージシャン、映画制作者、学生、ビジネスパーソンといった人々が一堂に会するのである。何杯かの酒を飲んですっかり夜も更けたころ、私の講演を聞いていた一人の男が近づいてきた。ピンストライプのスリーピースのスーツ、ジェルを塗りたくった髪、そしていくつもの金や宝石を身にまとった彼は、ウォール街の銀行員とギャングを合わせたような風貌だった。

男は私の話を興味深いと言い、政治的なコンテンツを広めるためにソーシャルメディア上でチャットボット（本物の人間を真似て自動で動くことのできるソフトウェア）が使われているという話など、聞いたことがないと続けた。そして、「とある政府」のためにコミュニケーションに関わる仕事をしていて、ちょうどソーシャルメディアの活動を引き継いだところだと説明した。彼はこの件の詳細を意図的にあやふやにしていたため、この男がどこから来たのかわからずじまいだったが、インド洋地域のどこかであるのは確かなようだった。そして男はある提案をしてきた。「私が働いている政府のソーシャルメディア上のイメージを改善するための、『ボット軍団』を設立するのに手を貸すつもりはないか？」それを聞いた私は、大声で噴き出した。まさにその種の活動が抱える危険性についてプレゼンテーションしたばかりだというのに、目の前の男は悪びれる様子もなく、その逆のことを私にさせようとしていたのだ。当然ながら、私はきっぱり「ノー」と答えた。私たちはそこで別れ、それきり交わることはなかった。

まったく別の機会に、私はロンドンにあるヴィクトリア&アルバート博物館のキュレーターをしているという男性から声を掛けられたことがある。彼はデザインの未来に関する展覧会を企画していて、その一環としてツイッターのボットを制作できないかと私に依頼してきた。私が他の協力者と一緒に思いついたアイデアは、人々と交流するボットを作り、それに「自らと同類のボットがオンライン上での政治や他の社会問題についての議論にどのように利用され得るのか」という問いに関連するコンテンツを自動でシェアさせるというものだった。そのボットはまた、政治や生活について、人々とある程度まで会話することもできた。ただしこのツイッターのボット「@futurepolitica1」は、テクノロジーを政治的に悪用することについて人々に知らしめるという目的があったため、その「ボット性」について透明性を保つように設計されることになった。

これら二つの話からわかるのは、ボット（あるいはVRプログラムや、人間が話しているように感じられる「デジタルアシスタント」、物理的なロボットなど）はコミュニケーションのチャンネルを操るという目的のためにも、それを解放するという目的のためにも作ることができるという点だ。すでに存在しているツール、あるいはこれからやって来るツールを、戦争のためにも平和のためにも、あるいはプロパガンダのためにもアートのためにも使うことができるのである。どう使われるかを決めるのは、その手綱を握っている人間だ。大部分の民主主義国家では、絶対に侵害してはならない人権については一致を見ているが、テクノロジーをどう使うべきかという点についてはなかなか意見が一致しない。それは私たちが直面している問題が、単なる技術的なものではなく、社会的なものであるからだ。

ソーシャルメディア・ボットがどのように使われているか（たとえば中東で活動家を中傷するなど）について調査を始めた当初、私は賢そうに見えるこうしたマシンが大量の嫌がらせや捏造を自動的に生成しているのだろうと安易に解釈してしまった。しかし深掘りしてみると、こうした取り組みの大部分がじつは技術的には初歩的なものであることに気づいた。使用されているボットは簡単に構築し起動できるもので、行われるコミュニケーションも単純なものだった。同じ攻撃を何度も繰り返し、使用するハッシュタグ[★3]も変わらなかった。本当の問題は、ボットを開発した人々と、それにお金を払った人々だった。彼らは狡猾にも、ボットを使うことで、オンライン上に大規模な運動が起きているかのような錯覚を起こさせるというアイデアを思いついたのである。大量のボットを使ってハッシュ

★3　ソーシャルメディアにおいて、頭に「#」を付けて投稿されるキーワードで、投稿全体がどのようなトピックなのかを示すほか、同じキーワードを含む投稿を検索できることが多い。

タグの使用回数を急上昇させれば、ツイッターのハッシュタグのトレンド（それは同サイトのサイドバー上に表示され、皆が見たりクリックしたりする）を捏造できることを発見したのは、人間だった。

テクノロジーの変化、社会の変化

1991年、バーチュアリティ・グループが「バーチュアリティ1000」シリーズを発表した。これは一般向けのネットワーク接続型マルチプレイヤーVRシステムとして、世界初となる製品だった。ユーザーは巨大な立体視用ヘルメットとハンドヘルド型のジョイスティックを通じてこのプラットフォームを体験することができ、設置された少数のゲームセンターでプレイすることができた。家庭向けシステムもあり、その価格は最大7万3000ドルで、これは現在の14万ドル弱に相当する。(5) それから数十年が経過しようとしているいま、VRははるかに手軽に利用できるようになった。現在ではサムスンのスマートフォンに接続するヘッドセット「サムスンギアVR」を約50ドルで手に入れることができる。これまでのVRでは、「ダクティル・ナイトメア」★4のように映像の解像度が低く、まるでブロックを積み重ねたような映像表現しかできなかった（このゲームはオ

★4 バーチュアリティ社が1991年に発表した、初期のVRアーケードゲームの一つ。

リジナル版の「ドンキーコング」と大して変わらない、いくつかのフロアを移動するという内容だった）。しかし現在のVRは、フェイスブック・スペーシーズ★5のように、はるかに優れた没入感と現実感を味わうことができる上、ソーシャルネットワークにも接続されている。そしてVRは現在、政治や思想教育といった目的にも使われるようになっている。世界のさまざまな政府が、こうしたシステムを使って、理想的な市民を「育成」しようとしているのである。(6)

物事が技術的に、そして社会的に変化しているというのは控え目な表現だ。2016年の米大統領選挙の際に、プロパガンダや政治的キャンペーンによって現実を破壊した「政治ボット」やソーシャルメディア広告は、ますます洗練されてきている。それが効果を発揮するためには人間による補助が依然として必要だが、その自律性と影響力は増大する一方である。私たちがこうした変化に対応できなければ、世界中の人々が、オンライン上のあらゆる情報に対する信頼を失ってしまう危険がある。

一部の研究者や専門家は、ソーシャルメディアとインターネットが戦争の最新の手段となり、権力を持つ人々がフェイスブック、ユーチューブ、ツイッターを兵器として使っていると訴えている。(7) いまや各国がこうしたデジタル兵器を利用し、「いいね」やリツイート、コメントを使ってお互いを攻撃していて、「バイラ

★5　フェイスブック社が2017年に発表したVRサービスで、仮想空間内でフェイスブック上の友人とコミュニケーションできるというアプリ。

ル[★6]の最前線」で勝つものが勝利を収めるというのだ。権力者層（その中には軍や政府も含まれる）がオンラインのコミュニケーション・プラットフォームを活用し、プロパガンダを広めて反対派を攻撃しているのは間違いない。そうした攻撃の事例は、２０１６年の米国の選挙にロシアが影響力を行使したのをはじめ、数多く存在している。しかし話はこれで終わりではない。

本からバーチャルシミュレーションに至るまで、それ自体が、ひとりでに武器になるようなメディアはない。ソーシャルメディアは本物の武器ではないし、情報戦争の単なる道具というわけでもない。二極化とナショナリズムが国内でも世界でも高まったことで蔓延したさまざまな社会問題は、何よりもまず社会的である。人々を騙して詐欺師に金を寄付させようとするようなオンライン上の行為や、間違ったニュースを流布して、クリックやページビューを稼いで金を儲けようとするような行為の動機は、経済的なものだ。また、ツイッターを利用して特定の政治家や思想に対する偽の人気を生み出し、選挙において票を集めようとするような行為は、政治的なものだ。

コンピューター・プロパガンダや、その他のソーシャルメディアやテクノロジーの悪用を単純に戦争であると捉えてしまうと、他の複雑で根本的な問題に効果的に対処することができなくなってしまう。そもそも人々の操作を目的としたソ

★6　本来は「ウイルス性の」という意味だが、転じてウイルスのように、人づてに急速に拡散する話題やニュース等を指す。

ーシャルメディアの使用に拍車を掛けているのは、社会的、経済的、政治的な問題の組み合わせだ。そこには、戦いへの願望だけに留まらない、もっと多くの要因が絡んでいる。それは単に、軍隊や戦車を動かすことのできる人々の間の戦いではないのだ。ここで言う根本的な問題を解決するためには、攻撃や防御ではなく、外交や人権の視点から考えなければならない。私たちが直面しているのは、新しい技術によって引き起こされた問題であると同時に、広く深い社会問題であることを認識しなければならないのである。

レディット、ギャブ、ペリスコープ、ワッツアップ、ウィーチャット、カカオトーク、インスタグラム——これらはいずれもソーシャルネットワークサービス、もしくはソーシャルメディアのほんの一例で、同様のサイトやアプリケーションは無数に存在する。仮想現実と拡張現実はいずれも、没入型メディアツールだ。これらはすべて、コミュニケーションのためのテクノロジーとして機能する。情報を広めるための乗り物となるのだ。こうした技術、あるいはそれらを支える人工知能や機械学習（ML）[★7]の力のいずれかが兵器化される可能性があるという考え方は、ソフトウエアに対する恐怖を過剰に煽る一方で、善い目的、悪い目的、そのどちらでもない目的へテクノロジーを利用する上で人間が果たす役割を見落としている。

★7　Machine Learningの訳語で、機械にデータを与えて自ら学習させ、何らかの判断を自動で行えるようにさせる手法を指す。

道具は意識を持たない――それがひとりでに動くことはないのだ。ツイッターのボットの背後には常に人間が存在しているし、VRゲームの背後にはデザイナーがいる。ボットは人間がオンライン上でできることを自動化し、スケールアップさせるための手段に過ぎない。マーク・ザッカーバーグやジャック・ドージー[★8]のような人々によって生み出されたソーシャルメディア・サイトは、人々をつなぎ、それを通じて金を儲けるために設計されている。その創設者だけでなく多くの人々が、この新しいプラットフォームは民主主義を発展させるための素晴らしいツールになるだろうと考えた。それによって、エジプトの活動家たちが独裁政権を打倒する革命について話し合うことができるだろう。世界中の腐敗した集団に関する記事を書くジャーナリストたちの組織化を促すだろう。しかしそれは、人々を操り、嫌がらせをし、黙らせるためにも使うことができる（そこで起きているのは、そうしたプラットフォーム、ならびにそれを規制するはずの人々の失敗だ）。

　こうした手法を見出したのは、政府だけではない、豊富な資金や資源を持つ組織や個人（政治家や企業、利益団体、富裕層の人々など）もソーシャルメディアを使って、私たちがオンライン上で読むもの・見るもの・聞くものだけでなく、私たちの感情や信念をコントロールしようとしている。ソーシャルメディアを利

★8　ツイッターの共同創業者。

用して、政治や社会生活に影響を与えることに最も成功しているのは、資金や時間やノウハウをふんだんに利用できる人々であることは間違いない。また彼らは、ディープラーニング（DL）[★9]からディープフェイク・ビデオに至るまで、さまざまな先端技術を自分たちの利己的な手段と目的のために巧みに操ることができる人々だ。しかし一般の人々や、小さな極右・極左政治団体も、ツイッターでトレンドを操作し、フェイスブック上で行われる会話をコントロールして自分たちの目標を達成する方法を編み出している。誰が、どうすれば世論を動かすことができるのかという問いについて、いまやさまざまな答えが存在するようになった。

近未来のテクノロジーが悪用されることを防ぐために、いますぐ行動しなければならない。本書では、コンピューターやインターネットを活用したツールは現実と真実を捻じ曲げるためにどのように使われるのか、その過去、現在、そして未来を見ていく。どうして今こんな状況になってしまったのか、その経緯はいろいろと言われてるが、まだニュースになっていない話や、議会の公聴会で取り上げられていない話が無数に存在する。また、未来の新しいツールの使用によってどのような潜在的問題が生まれ得るか、そうした問題をどのように解決すべきかについても、真剣に議論が交わされている。

本書は私たちの周囲にあるテクノロジーが、破滅的な状況をもたらしていると

★9　機械学習の一種で、脳神経細胞の動きをプログラムで模した「ディープニューラルネット」を活用するからことからこの名が付いた。

語るためのものではない。またテクノロジー企業がどのようにして失敗したのか、あるいは傲慢な政治家のソーシャルメディア中毒がどのように歴史を変えたのかについて書いたものでもない。これらの点についても言及するが、本書で焦点を当てているのは、多種多様な新しいメディアテクノロジーと、それらを利用して民主主義を弱体化させるのではなく強化するために私たちに何ができるかということだ。本書は、いま目の前にある問題に対処するために、十分な情報に基づく、慎重かつ楽観的なアプローチを取っている。真実はまだ壊れていない。しかし私たちが行動しなければ、次のテクノロジーの波によって破壊されてしまうだろう。

私たちは、現実をコントロールしようとする試みがゲームのように行われている時代に生きており、特定の意見が重視されるように、次々と最新のコミュニケーション技術が利用されるという泥沼に陥っている。このゲームに参加している主なプレイヤーは、政治的エリートと声の大きな過激派たちだ。しかし私たちは、彼らのルールに従ってプレイする必要はない。

プロパガンダからコンピューター・プロパガンダへ

2018年末にイスタンブールのサウジアラビア大使館において、きわめて疑わしい状況下で殺害されたジャーナリストのジャマル・カショギは、古いプロパガンダから、社会的現実を捻じ曲げる新しいテクノロジーの時代へと様変わりする世界を生きた。彼は世界中の記者と同様に、ツイッターなどのソーシャルメディアが最新のニュースや情報を広める場所となるのを目にした。やがてカショギと彼の同僚たちは、そうした状況が生まれると同時に、これらのツールが各国の政府（それにはサウジアラビア政府も含まれていた）によって、マキャベリ的[★10]な目的のために使われていることにも気づいた。

サウジ政府の政策を公に批判していたカショギは、オンラインでもオフラインでも激しい嫌がらせを受けて、母国を離れていた。出国前、彼はサウジ王室から、文章を書いて公に発表したり、メディアに登場したりすることを禁じられた(8)。サウジアラビア政府は、世界中の多くの政府と同様に、依然としてあらゆる形態のメディアを統制しようとしていたが、同時にプロパガンダ活動も拡大させていた。カショギはツイッターも使わないように言われていた。ところが彼は亡命中、ワシントンポスト紙のコラムニストの職に就き、王室に反抗した。すると彼は、オ

★10　ルネサンス期の政治思想家ニコロ・マキャベリに由来する表現で、彼は国家の利益のためであれば、どのような手段を取ることも許されると論じた。

ンラインにおける仕事や私的な活動にとどまらず、オフラインにおけるあらゆる生活までをも続けられなくなってしまった。ニューヨークタイムズ紙によれば、カショギは殺害されるまでの数か月間、組織化され一向に止むことのない「荒らし（トロール）」行為を受けていた。(9) サウジ政府の「イメージ・メーカー」チームは、いたるところで彼を中傷し、攻撃していたのである。

ニューヨークタイムズ紙によると、「トロール」★11たちはサウジアラビアのムハンマド・ビン・サルマン皇太子の命令で行動していたという。カショギと彼にもっとも近い同僚たちをターゲットにした数千件ものツイートが、彼らに辛辣な言葉や脅しを投げかけ、その一方でサウジアラビア政府を擁護した。殴打され、絞殺される直前、カショギのオンライン上での生活は、誰が見ても生き地獄だった。ツイッターにログインすれば、デマや嫌がらせ、ヘイトをこれでもかと浴びせかけられるのである。カショギの死後、同じように計画されたプロパガンダ作戦が、「皇太子が殺害を命じた」という主張を否定するために展開された。ボットによって自動的に動くアカウントと、人間が更新するアカウント両方を多数活用し、友人や同僚たちから「不屈で公正なジャーナリスト」と評されるほどの人物を徹底的に中傷したのである。

勢いを増す虚偽のデジタル情報やオンライン上での政治的嫌がらせ——私が

★11　ネット上で粘着的な嫌がらせをする人々を指す言葉で、日本語の「荒らし」や「煽り」の意味も含まれる。

「コンピューター・プロパガンダ」、フェイスブックが「情報操作」、そして多くの人々が「フェイクニュース」と呼ぶもの——は、自動化されたオンラインツールや戦術を使うという点で、人々を操作するための新しい方法となっている。[10] それはカショギのようなジャーナリストに対して使われているが、政治家や公人、一般人もターゲットにしている。２０１６年に米国で行われた選挙では、ロシアと米国内の両方から発信された無数のこうしたオンライン攻撃が、米国民を操ろうとする企みの下に行われた。同様の活動が世界中で行われており、フィリピンにおけるドゥテルテのトロール軍や、ビン・サルマンの世論操作チームのように、それを指揮しているのは各国のリーダーや非主流の過激な政治組織である。

政府や軍といった強力な政治的組織が、活動に注ぐ資源やその浸透力という点で群を抜いているのは確かだが、一方でその他の人々や組織もコンピューター・プロパガンダを導入し、世論操作をするようになっている。ツイッターやインスタグラム、フェイスブックなどのプラットフォーム上で過激な主張を行う、有名なあの人物にしろ、ファイバーといったウェブサービスを通じて違法なボット開発者にお金を払えば、現状への不満を増幅させるための自動更新アカウントを千だろうと万だろうと、手に入れることができる。しかし既にソーシャルメディア上の政治的な雑音が耐えられないほど大きくなっていることにくわえて、状況も変化している。コンピューター・プロパガンダの戦術は進化しており、新しいツールも登場している。トロールを使った作戦やボットネット（統制されたボットの一群）はますます巧妙になり、追跡が難しくなっている。政治家たちは人工知能の進化を活用して、広がりつつある社会の亀裂を政治的利益のために利用するようになっている。彼らは汚れ仕事を任せるために、さまざまな「スマート」技術を導入している――AIが生成した映像、高度になる一方のパーソナライズされたオンライン政治広告、顔認識技術などは、その一部に過ぎない。

プロパガンダ自体は、昔からあった話だ。人々が何を、どう考えるかを操作するという発想は、少なくとも古代ギリシャから存在している。[11] ギリシャ神話や神々のイメージ（オリンポスの山頂に座って天候を支配し、不届きな人間に雷を落とすゼウスなど）が、壮大な政治的主張をしたり、王朝に正統性を与えたりするために利用された。[12] 最近の紛争や現代史における多くの選挙では、プロパガンダが人々の行動や信念の形成に重要な役割を果たしている。冷戦時代には、米国とロシアの間で記憶に残るプロパガンダの応酬が行われた。[13] 航空機とチラシを使ったプロパガンダ（敵国で政府を疑わずに生活している市民をターゲットに、彼らを説得するような情報を載せたチラシを作り、それを航空機からばら撒くというもの）は、第一次世界大戦にまで遡る心理的プロパガンダの一つであり、戦争で荒廃した地域において今日も採用されている（たとえばシリアなど）[14]。

ある意味で、私たちは今日、冷戦時代のプロパガンダ戦略が強力なテクノロジーによって増幅されたものを経験している。しかしコンピューター・プロパガンダが持つ、過去のプロパガンダとははっきり異なる側面を明確にしておくことが重要だ。それは、戦争の戦術として始まったものが、隣の家に住んでいてもおかしくないような一般人までが使う、政治的なコミュニケーションの手段になったこと。そして、何より明らかなのは、この情報操作の新しい手段は自動化でき、また完全に匿名で行える場合も多いということだ。

政治活動を行うボットの一群は、10年以上前から、虚偽の情報や政治的な嫌がらせを広めるために利用されてきた。そうしたボットはソーシャルメディア各社のトレンド分析アルゴリズムを騙し、どのニュースが優先して表示されるかをコントロールする。アルゴリズムは数千のボットが行う主張を、数千の人々が行う主張だと勘違いし、そこに含まれるハッシュタグ、映像、トピックへのリンクを自社のプラットフォーム上に掲載してしまう。またこうしたボットは有力な政治的プレイヤー（政府、サイバー部隊、選挙の候補者など）にとって、自らに反対する陣営の不和を拡大し、いつ・どこで・どう投票するかに関する人々の考えを混乱させ、既に党派間での分裂に直面しているコミュニティーをさらに分断するための重要なツールとなっている。そして現在では、一般の人々もボットを使っている。政治的ボットは、政治的な情報操作がデジタル化された世界で何が起きるかをさまざまな点で予告しているテクノロジーと言えるだろう。

2013年のボストンマラソン爆弾テロ事件の際には、人間のように振る舞うボットと、それが拡散した噂によって、混乱が引き起こされた。[15] それは依然として、シリアの民主化運動を阻止するための重要な手段であり続け、またジャマル・カショギに対してオンライン上で展開された、偽情報キャンペーンに不可欠な存在になっていた。[16] 世界中からカショギの死について厳しい質問が投げかけられたが、ツイッター上に数千もの自動フェイクアカウントが現れ、「王国」の美徳を称えてサウジ政府は関与していないとの主張を行った。この種の活動の目的は、政治に対する人々の考えや感情を変えることであり、単に特定の候補者に投票させたり、ニュースに対する見方を変えたりするだけでなく、混乱や両極化、不信を招こうとする。

未来のテクノロジーの役割

十代の若者が、一人でコンピューターの前に座っている。彼女は16歳だ。VR

ヘッドセットとハプティック・グローブ（触覚をシミュレーションすることのできる装置だ）を装着し、最新のVRソーシャルメディア・プラットフォームにログインしている。そこには完全に没入できる環境が用意されていて、さまざまな人々に会い、さまざまな行動を取ることができる。この仮想世界ではツイッターとフェイスブックを掛け合わせてシミュレーションしたような場所だが、より冒険的で、ユーザーはより没頭することができ、コスチュームも素晴らしい。またこうした従来型のソーシャルメディアの場合と同様に、このティーンエイジャーの少女は、VRプラットフォームのさまざまな機能を使ってあらゆる種類の情報にアクセスできる。彼女は芸能界の最新の話題に触れ、まるで有名人と一緒にいたり、テレビ番組に出演したりしているような体験ができる。また教育コンテンツやニュースにアクセスして、地元や世界中で起きていることを、夢中にさせる臨場感をもって知ることもできる。

ただ彼女には、学校やソーシャルメディアの場合と同様、このプラットフォーム上でもいじめや嫌がらせを受ける可能性がある。加えてそれは、制限するものが何もない仮想世界の中で起きる。これから有権者になろうとしている彼女は、選挙など政治関連の出来事に関する虚偽の報道や、偽の情報の標的にされる可能性がある。いまや彼女のような人たちは、単にイベントの記事を読んだり、映像を見たりするだけでは済まされない。何しろ、複数の感覚を魅了する環境に没入しているため、知らず知らずのうちに仮想世界での偽情報の犠牲者になる可能性がある。白人至上主義者や政治的過激主義者、その他ありとあらゆる攻撃者は、このソーシャルVRシステムの中に別の世界を構築し、その中でこの少女や彼女のような人々を教化することができる。彼らはこうした子供たちだけでなく、さらにはその両親や祖父母たちに対しても、狡猾な政治広告や出所の怪しいフェイクの情報（ワクチンによって自閉症やその他の病気が引き起こされるなど）をひっきりなしに浴びせ続ける。

こうした世界や状況はまだ到来していないが、最先端のソーシャルVRプラットフォームは既に利用可能になっている。規制がなく、軽率な言動が蔓延するデジタル空間は、VRやその他の新しいメディアツールによって、威力をさらに増していく。そうしたツールはこれから現れる。私たちが行動を起こさなければ、先ほどのようなシナリオが現実のものになる可能性が高い。デジタル・プロパガンダとは、単に自動化されたシステムやボットによって大量に投稿されるようになった、フェイスブックのグループページやユーチューブのコメント欄などに書き込まれる偏向した情報を指すのではない。それはテクノロジーによって強化されたプロパガンダで、人々が見たり、聞いたり、感じたりすることができるものだ。そう遠くない未来、政治的な意図が込められた情報が、味やにおいを持つようになるかもしれない。偽情報を広めるこの新しい方法は、ツイッターの偽アカウントをはるかに超えた働きをするだろう。

既に多くの「ディープフェイク」（人間の目ではフェイクだと判別できないほど巧妙に加工された映像）が、政治家や著名人がしていないことや言っていないことを捏造するために作られている。嘘をついている政治家は、こうした加工映像が出回っていることを利用して、自分たちは捏造の被害を受けているのだと主張することができてしまう。彼らは本物のビデオに記録された不正行為を否定し、そのような失言をしたことや賄賂を受け取ったことはないと主張できるだろう。つまりそのビデオこそがディープフェイクだと訴えるのだ。既にグーグルは、本物の人間そっくりの声（間や相槌に至るまで完璧だ）で電話がかけられる自動音声通話システムを完成させ、そのツール「デュプレックス」をAIパーソナルアシスタント[12]と謳っている。このシステムが祖母に電話して政治の話をしたり、ジャーナリストを電話で脅したりするために使われたらどうなるだろうか？　このようなシステムを、政治的なロボコール[13]やプッシュポーリング（政治活動で使われることの多いテクニックで、世論調査を装って有権者に接触し、意識を変えようとするもの）に使われる可能性を想像してほしい。仮想現実と拡張現実は、現

★12　AI技術を活用し、まるで人間のアシスタントのように、命じるだけでさまざまな作業を実行してくれるアプリケーション。

★13　宣伝や売り込み等の目的で不特定多数の人々に架電し、録音や合成された音声を流すマーケティング手法。

実世界とデジタル世界の境界を曖昧にする没入型のテクノロジーであり、単なるエンターテインメントや教育以外の用途にも利用できる。何らかの組織が操作の手段としてVRを使い始めたら、何が起きるのだろうか？

より洗練されたチャットボットが、初歩的なソーシャルボットに取って代わる可能性が高い。2016年のアメリカ大統領選挙と2018年のメキシコ大統領選挙で使われたボットはいわば「鈍器」のようなもので、「いいね！」や「シェア」、フォローを増やすために使われたが、AIを利用したチャットボットは、会話を通じて本物の人間を説得することができる。ボットを受動的に使い、ワクチン接種に関する偏ったニュース記事を人々とシェアするというのは、他者の考え方を変える方法としてはさほど洗練されたものではない。人間と区別がつかず、リアルな議論ができ、感情をより豊かに真似することのできるAIチャットボットを配備する方が、はるかに効果的だろう。だとすれば、VRを使ったソーシャルボットはどのようなものになるだろうか？　政治家やその他のグループが、仮想世界で「賢い」アバターの一群を使って、自分たちのメッセージを広めたり、敵を攻撃したりできるようになるのだろうか？

テクノロジーによって強化された虚偽がどこに向かっているのかを理解するためには、過去に目を向ける必要がある。次の章では、ソーシャルメディアのウェブサイトやアプリケーションが、どのように世論操作に使われてきたかについて簡単に説明する。多くの人々にとって、２０１６年の米国選挙は偽のニュースの影響を初めて経験する機会となったが、ソーシャルメディアが政治目的で利用されたのは初めてではなかった。フェイスブック、ユーチューブ、ツイッターおよびその他の主要なウェブ２・０系サイト（ソーシャルメディアのインターネット）の登場から２０１６年までの間、こうしたメディアツールは、世界中の多くの国々において、さまざまな形で強制や支配のために利用されてきた。ソーシャルメディア企業はこうした状況を認識していた。しかし彼らは、コンピューター・プロパガンダが手に負えなくなるまで、それを制御しようとはしなかったのである。

私が本書を書こうと思った主な理由の一つは、人々に力を与えることだ。問題を理解している人は多ければ多いほど良いと私は信じている。最新のガジェットは、世界を救う道具だったはずが、民主主義を破壊する道具へと変化してしまうことが多いという歴史を知れば、より大きな文脈の中でプロパガンダの現在の波を理解できる。コンピューター・プロパガンダとその要素（フェイクニュースから政治的トロール行為に至るまで）を理解している人が増えれば増えるほど、それが世界に根付いてしまうのを防ぐことは容易になる。今日のプロパガンダ行為者、犯罪者、詐欺師がターゲットにしているのは、テクノロジーとプロパガンダ活動がどのように自分たちを騙しているのかを理解していない人々だ。そうした戦術を知っている人が増えるごとに、その効果は落ちる。そしてジャンクニュースや不正なデータ収集行為の拡散を防ぐための賢明な解決策を支持する人が増えていけば、私たち全員にとって良い結果となるだろう。

2 真実の破壊——過去・現在・未来

事の起こり

「君はＣＩＡなのか？」と、自称アナーキストのソフトウェアエンジニア、ヤッシャが言った。「いや」と私は答えた。「僕は大学院生だ。ＣＩＡに間違えられることが多いんだけどね」

それは２０１４年のことだった。私はハンガリーのブダペストにある、コンピューターなど雑多なＩＴ製品であふれた、暗く散らかった地下室を訪れていた。私の他にも５、６人の共同研究者が同行していて、そのなかの一人は、私がモトコと呼ぶ人物だった。私たちはハッカー集団とメールのやり取りをして、ついに彼らを訪問することが許可されたのだ。当時モトコと私、その他の研究者たちは、ブダペストの中央ヨーロッパ大学内にある「メディア・データ・社会センター」でリサーチフェローをしていた。私たちは小さなチームのメンバーで、ソーシャルメディア上のボットが、政治的なイベントの最中にオンラインで人々を標的にするためにどのように使われているかを研究していた。ハッカーであれば、そのためにどこに目を向ければいいか、一つや二つ知っているのではないか——そう私たちは考えたのである。

ラッキーだな、ちょうどウクライナのユーロマイダンでの抗議行動から戻ったばかりなんだ、とヤッシャは言った。オンラインとオフラインの両方で、いかに狂ったような事態が発生しているのか、彼は語ってくれた。彼の真価に私たちはなかなか気づけなかったが、ヤッシャは情報の宝庫だった。私は最初、彼が強いアナーキスト的な傾向を持つ、ただの口が悪いプログラマーだと思っていた。彼の言葉は話半分に聞いておく方がいいだろう、と。その印象については部分的に正しかったのだが、時間が経つにつれ、彼の主張や予測には信じられないほど的を射ている場合があることがわかったのである。

ヤッシャは2013年の後半、ウクライナに向かい、ロシアに抗議する人々がテクノロジーを介して団結することを支援した。彼は暗号化とサイバーセキュリティについて即席の講義を行い、若いウクライナ人にパイソン[★1]を使ったコーディ

★1　プログラミング言語の一種。

ングの仕方を教え、そしてこの知識を基本的なハッキングに活用する方法を伝えた。ヤッシャは2台のラップトップと、さまざまなハイテク機器を抗議活動の武器にして、彼らの拠点から拠点へと渡り歩いた。ヤッシャが目撃したのは、ウクライナ国内の一般人をターゲットに、ソーシャルメディア上で人々の意識を（通常は質の悪い情報を使って）操作する新しい手法の数々だった。後に、ウクライナがコンピューター・プロパガンダの最前線であることが明らかになった。いまや、フェイクニュースと政治的ボットの未来がどこに向かっているのかを理解するとき、私たちはウクライナの事例をケーススタディにする。

ヤッシャは私を横目で見ながら、彼が旅の間に出会った人々のなかには、ウクライナのハッキング集団に潜入しようとする米国のスパイもいたと語った。私たちは彼が、ハンガリーで何が起きているのか、オルバーン・ヴィクトル[★2]と政府がどのようにメディアやオンラインの領域に制限をかけ、一般の人々の言論の自由を抑圧しているのかについて話してくれると考えていた。確かにヤッシャと彼の仲間たちはハンガリーについて簡単に説明してくれた。しかし私たちにとってさらに重要だったのは、この国でソーシャルメディアがプロパガンダを組織的に広めるために使われていることにヤッシャたちも気づいていなかったという言葉の方だった。ヤッシャらは、私たちは東欧とその向こうの国々における出来事を見

★2 ハンガリー首相。

るべきだと強調した。そしてウクライナとポーランドは、ソーシャルメディアとコンピューター技術のプラス面・マイナス面の両方が見られる場所だと説明してくれた。さらにはトルコ、中東、メキシコでも同様の情報操作が行われていたという。言い換えれば、当時でさえ「デジタル政治工作」が私たちの周りにあふれていたのである。

デジタル偽情報はどこから来るのか？

専門家に「いつ頃からネット上に偽情報が広がっていることに気づき始めたのか」と尋ねると、多くがウクライナの話題を出す。ロシアによるマレーシア航空17便撃墜事件[1]以後に現れた、数々の偽情報を指摘するのだ。またトルコやメキシコ、シリアにおいて、選挙やさまざまな危機が起きた際に、偽の政治的なコンテンツを広めるためにツイッターボットの一群が使われたことを話題にする専門家もいる。多くの人々は、オンライン上の偽情報はＩＳＩＳなどの国際テロ組織が流しているのだと思い込んでいるが、ソーシャルメディアを利用して構成員を調達したり、メッセージを発信したりしている過激派の多くが、そのオンラインスキルをより主流の組織から学んでいるようだ。それがロシアで始まったと確信している人もいるが、その考えは半分正解、半分不正解だ。偽情報の裏にある策略の多くはクレムリンに端を発し、冷戦時代の古いメディア操作にまでさかのぼる。しかしコンピューター・プロパガンダは、国境のないインターネットの上で進化してきたため、そのルーツは世界各国に存在しているのである。

あまり知られていないが、コンピューター・プロパガンダについて最初に十分な裏付けのある形で存在が確認された事例の一つが、米国で生じたある出来事の中で生まれている。それは２０１０年のマサチューセッツ州上院特別選挙の最中に起きた。[2] この選挙はスコット・ブラウンとマーサ・コークリーの間で争われたのだが、長いあいだ米民主党の牙城だったマサチューセッツ州としては、物議を醸すものとなった。その議席は、あの有名な民主党一族の子弟、テッド・ケネディによって半世紀近くも占められていた。選挙期間中、ウェズリアン大学の二人のコンピューター科学者が、不審なツイッターユーザーの集団がコークリーを組織的に攻撃しているように見えることに気づいた。[3] 攻撃者たちは、民主党の候補者コークリーが反カトリック的であると主張していたのだが、これは人口のほぼ半数がカトリック教会のメンバーであると自認している州においては重大な主張である。[4]

綿密な調査の結果、研究者たちは、コークリーを中傷するために使用されているアカウントにおかしな点があることに気づいた。そのアカウントのほとんどに、プロフィール写真が掲載されておらず、掲載されていたとしてもそれは販売されている写真素材だった。また大部分に自己紹介が書き込まれておらず、フォロワーがほとんどいなかった。実際のところ、そうしたアカウントはお互いにフォローし合っているか、フォローしても反応しないような捨てられたアカウントをランダムにフォローしていた。そしてそれらは平均的なツイッターユーザーよりもはるかに頻繁に反コークリー発言をツイートし、しかもその文章はきわめて型にはまったものだったのである。数秒ごとにツイートしており、タイマー設定で投稿しているように見えるアカウントもあった。結局、この中傷キャンペーンはボットによって引き起こされていたことが判明した。マサチューセッツ州の住民に見せかけて構築された自動アカウントが、コークリーに対する「アストロターフ（草の根運動のように見せかけた宣伝工作）」に使われていたのである。ウェズリアン大学の研究者たちは、その背後にいるのがアイオワ州のティーパーティー活動家[3]たちの小さなグループであることを突き止めた。デジタル技術に精通したこの活動家たちは、自動アカウントを使用して、自らが支援する候補者を応援すると同時に反対派を攻撃していたのだった。

自動アカウントを設置したグループは、多くの点で成功していた。カトリック

★3　ティーパーティー運動（茶会運動）は2000年代終わりから始まった保守派の政治活動で、しばしば人種差別的な言動をすることで非難されている。

系新聞であるナショナル・カトリック・レジスターから、雑誌ナショナル・レビューに至るまで、さまざまなメディアがコークリーの「反カトリック傾向」とされるものを取り上げていたのである。[5] そうした記事（なかには大量のツイートを反コークリー感情の高まりの証拠として引用するものもあった）は、コークリーが教会員を差別している疑いがあることについて、マサチューセッツ州の人々がいかに怒っているかを報じていた。民主党は突如として、この意図的に生み出された論争という問題を抱えることになった。[6] ボットはコークリーに対する攻撃は正当で、人々から支持されているという幻想を生み出していた。最終的に共和党が選挙戦を制し、ほとんどの評論家が確実に民主党のものになるだろうと考えていた上院の議席を獲得した。

コンピューター・プロパガンダの登場

コークリーがボットネットに攻撃されてから数年後の2013年に、私はワシントン大学の博士課程に進んだ。2012年にオバマとロムニーの間で争われた米大統領選挙の際に、私はテクノロジーと政治的コミュニケーションを研究することを決めたのである。私は選挙キャンペーンにおいて、有権者とつながるためにデジタルツールがどのように使われているかを知りたかった。オバマのデジタルチームと、そのデータ指向の支持獲得手法の進化について学んだ後、私は政治の未来を見ているように感じた。キャンペーンでは、態度を決めていない有権者に関する膨大なデータを利用して、彼らにコンタクトし、支持を得ようとしていた。これはビッグデータ分析ツールを駆使し、個々の有権者に狙いを定める政治的なキャンペーンの初期の例であり、２０１６年にケンブリッジ・アナリティカ[★4]のようなグループがテッド・クルーズやドナルド・トランプに売り込んだような、個人を欺く不正なオンライン広告とはかなり違うものだった。

将来、国政レベルの政治的キャンペーンで成果を挙げようとするなら、同様のデータおよびテクノロジー中心の戦略を利用する必要があることは明らかだった。そうしたツールと戦術がなければ、政治的なマーケティングにおけるパーソナライゼーション[★5]に追い付くことはできない。オバマとロムニーの選挙戦では、これまでは利用できなかったほどのコンピューターの処理能力を駆使して、人々の行動や人口統計データに関する詳細情報を含む、さまざまなビッグデータが解析された。当時は多くの人々が、この驚くべき技術の民主的な利用の可能性に期待していた。オンライン上での政治的動員活動を批判した人々は、「スラックティビズム[★6]」、つまり彼らがネット活動家たちの生ぬるい社会運動と見なしていたもの

★4　データ分析を得意としていた選挙コンサルティング会社で、２０１６年の米大統領選挙にも影響を及ぼしたと言われている。２０１８年に破産手続きを申請。

★5　個人の属性や性格等に合わせて提供するもの（メッセージやコンテンツ等）の内容を調整し、最適化すること。

★6　「怠け者」と「社会運動」を意味する英単語を合わせた造語で、被災地支援を呼び掛けるツイートをリツイートするなど、簡単にできる動作をしただけで社会に貢献したような気になることを意味する。

に焦点を当てていた。(7) 一方で、彼らは技術インフラ、反民主的なデジタル宣伝、ソーシャルメディア企業、およびそれらを規制すべき政府に関する根本的な問題には、あまり注意を向けていなかった。(8)

私がシアトルに越してきたとき、政治マニアとテクノロジーオタクは、二つの重要な出来事に衝撃を受けていた。それは２０１０年から11年にかけてのアラブの春と★7、２０１１年秋に始まったオキュパイ運動★8である。その焦点と参加者は異なるものの、どちらの運動でも、デジタル技術を使ってコミュニケーションと動員を行い、それぞれが「支配の象徴」と見なしたものに対して大規模な草の根運動を展開した。研究者のアレクサンドラ・セガーバーグとランス・ベネットは、オキュパイ運動の戦略を「コネクティブ・アクション（連帯行動）」と呼んだ。(9) オキュパイ運動は、高度に組織化され、十分な資源が用意された集団行動として考えられたのではなく、「パーソナライズされ、さまざまなメディアネットワークを越えて行われるコンテンツ共有に基づいた」、インターネットが促した別の種類の現象を利用したものだと彼らは解説している。これはスラックティビズムなどではなく、オキュパイ運動は新しく、刺激的で、ユニークな活動であると彼らは主張した。

オックスフォード・インターネット研究所の所長で、オックスフォード大学の

★7 この時期にアラブ世界の国々で発生した、大規模なデモを伴う一連の民主化運動の総称。

★8 ２０１１年9月17日に始まった「ウォール街を占拠せよ（Occupy Wall Street）」運動に端を発した一連の抗議活動の総称で、貧富の格差や地球温暖化など、さまざまな社会問題を争点に掲げた。

教授でもあるフィリップ・ハワードは、アラブの春の前後におけるウェブの活用について、同様の考察を行っている。彼は幅広い種類のＩＣＴによって、一部の国々では新しい形の民主主義的活動が促された一方で、権威主義な考え方と行動が強化された国々も存在していると主張した。[10] 私が「ソーシャルメディア・ボット」という概念に始めて触れたのは、フィリップを通してだった。

フィリップはアラブの春の期間に北アフリカと中東でフィールドワークを行っていた際、本物のユーザーのように見えるように作成された偽の自動ソーシャルメディア・アカウントのことを耳にし、その後オンライン調査で実際に遭遇した。ボットネットが民主的なグループの使用するツイッターのハッシュタグに対し、スパムや悪意のあるコンテンツをばら撒いたため、そうしたグループはツイッターを使用して集会への参加を広く募ったり、自らが関心を寄せるトピックについてコミュニケーションしたりすることができなくなった。プロパガンダ行為者はボットを利用して、フェイクニュース記事へのリンクを大量に拡散したり、追い詰められた各国のリーダーたちのフォロワー数を、突如として爆発的に増加させたりした。フォロワー数を人為的に増やしても、権力の座を維持できなかったリーダーもいたが、その数は実際よりもはるかに大きな支持をオンライン上で得ているという、誤った印象を与えることとなった。

フィリップと私は、こうしたボットを開発した人々に関する初期の研究において協力し、それが私の論文のテーマとなった。ソーシャルボット技術の開発者たちからは、学ぶことが多かった。ツイッターのようなプラットフォーム上のボットは、政治についての偽情報を広めるためだけでなく、市民の社会参加や文芸批評のための足場としても使用されていた。より一般的に言うと、これらの「政治的」ボット（私たちはそう呼び始めていた）は独自の形で自動化技術を活用し、実在の人々や他のボットたちとコミュニケーションしていた。こうしたボットとその開発者たちは、ソーシャルメディアと自動化、そして人工知能の活用とイノベーションにおいて最先端だったのである。私たちが調べた初期のボットの多くはかなり単純なものだったが、私たちはこれらの「デジタル自動人形」がより自律的に動作するように訓練される未来を垣間見た。

私と同僚たちは、新たな研究分野である「コンピューター・プロパガンダ」に出くわしたのである。当時はソーシャルメディアとプロパガンダに関する研究はほとんどなかったため、私たちは研究を進めながらこの問題について理解を深めていく必要があった。目標は、問題の全体像を把握し、世論を操作するためにボットやその他のツールが世界中でどのように使用されているかを記録することだった。知り得たことを整理し（そのなかには革新的なコンピューター科学者のグループによって調査された、自動化された政治活動の技術的側面に関する研究も含まれていた）、それをより大きな社会学的文脈に結び付けた。そしてコンピューター・プロパガンダの供給側（誰が、なぜそれを構築したのか）と需要側（誰が、なぜそれを消費したのか）の両方に関する知識のデータベースを構築した。

研究を始めて最初の数か月で私たちは、さまざまな国々でソーシャルメディア・ボットが政治的な対話に介入したり、その内容を変えたりするために使われているケースを次々に発見した。これが世界規模の現象であることに気づいた私たちは、世論操作を目的とした、ソーシャルメディア上での自動化技術とアルゴリズムの使用は、民主主義が直面しているもっとも差し迫った問題の一つであると主張するようになった。試行錯誤を繰り返し、研究は一進一退だったため、調査には多くの時間を要した。それは刺激的な経験だったが、屈辱的でもあった。ソーシャルボットはオンラインで政治的議論を操作するために活用できると言ったとき、一部の専門家から嘲笑を受けたのである。フィリップと私がかつてそうだったように、ほとんどの人々や企業が、ボットはグローバルなコミュニケーションに対する危機ではなく、「検出して管理すべき迷惑行為」程度に考えていた。[11]

私が研究のことを話すと、ほとんど人は、皮肉や率直さの程度に差はあれど、きまって同じことを尋ねてきた――ボットって何？　私はこの単純な質問を自問し続けている。「ボット」という用語には、さまざまな種類の自動化されたオンライン・ソフトウェア・プログラムが含まれている。そのなかで私は、大規模なボットではなく、インターネット上での政治的議論を対象としたソーシャルメディア・ボット（実際のユーザーを模倣するために構築されたボット）の利用に焦点を当てることにした。そして私は最終的に、政治ボットは新しいメディアであり、オンライン上での議論の生まれ方と、人々の公的な生活の重要な場面における情報の流れ方を変えているという大胆な主張を行うまでに至った。[12]

私が最初に研究テーマにしたのは、一国の政府などの豊富な資源を持つ強大な存在が、いかにこうした政治ボットを使って、非主流の政治方針を強力に後押しし、政治的な反対派やマイノリティーを攻撃し、記者や大衆を欺いて虚偽を信じ込ませているかということだった。たった20人からなるグループであっても、常に活動し、1日に何百件ものコメントをツイートすれば、ツイッター上での政治的な議論に大きな影響を与えることができる。協調して活動する5000体の政治ボットは、表現に人間らしさがない代わりに膨大な数を武器にすることで、そうした取り組みを増強できる。このように大規模で自動化されたボットの一群は、情報の流れをその指揮官が望む方向に誘導することができる。政治の未来は草の根コミュニティーの組織化ではなく、人工芝（アストロターフ）の組織化にあることに私は気づいた

——それは企業やその他の強力なスポンサーから出資を受けた、不誠実な政治的勧誘活動で、コミュニティーが生み出した本物の（草の根の）運動に見えるように偽装されたものなのである。私はこのボットを通して、さまざまな人々が新しいテクノロジーを利用し、自分たちの「真実」を優先させようとする「デジタル詐欺の世界」へ足を踏み入れた。

コンピューター・プロパガンダの台頭を示す証拠は、ニュース記事、ブログ、ソーシャルメディア上の投稿に散らばっており、それらはさまざまな国々のさまざまな集団がそれに関与していることを指し示していた。私はそうした集団にコンタクトを取ることから始めた。当初はボットの開発者や偽情報の発信者に話を聞くことはできなかった。そこでブタペストの友人のようなハッカーたちへ取材を重ねたたところ、さまざまな政治関連の組織や民間団体と契約を結び、彼らのために政治ボットを開発した企業について聞いたことがあると彼らは語った。その話によれば、そうした請負業者は、ボットの開発以外にも、トロールによる攻撃や、ジャーナリストに対するドキシング（誰かを攻撃するために、オンライン上でその個人情報をさらすこと）、さらには偽のオンライン抗議活動を演出するといった不正なサービスを販売しているという。

その後、私は小規模だがきわめて有能なプログラマー集団に出会ったことで突破口を開いた。彼らは民主主義の観点から見て肯定的、あるいは中立な目的のためにツイッターやタンブラー[★9]、レディット[★10]上で動くボットを開発していた。[13] 彼らは、自分たちの創作物がどのように動くかについてじっくり教えてくれた上に、ボットを軽率に使う人々が見つかりそうな場所についてもアドバイスをくれた。また、ボット開発者は必ずしも深いプログラミングスキルを持っている必要がないことも教えてくれた。個人のプログラマーであれ、ロシア政府のような国家が支援するプロパガンダ行為者であれ、IFTTT（If This Then That の略語。ユーザーが簡単な英語で小さなプログラムを書くことができるサイト）など無料のオンライン・プラットフォームを使用して、ソーシャルメディア上で使用する多種多様なソフトウェア（そのなかには政治ボットも含まれる）を作成しているのである。[14]

　ボットの関係者たちは、フェイスブックやツイッターといったサイトは自動プログラムの使用に関するポリシーを設けているものの、そのルールは自分たちにとって御しやすいものだと語っている。必要があれば、こうしたガイドラインは単純な実験を行って簡単に回避することができた。たとえばあるプラットフォーム上で、1分間に2回以上メッセージを投稿してはならないという制限があった場合、1分1秒後にメッセージを投稿する行為を繰り返すアカウントを作成でき

★9　マイクロブログサービスの一つで、テキストや画像の投稿や、他人の投稿の再投稿などが行える。

★10　ソーシャルニュースサイトの一つで、ニュース記事や画像のリンクを投稿したり、それにコメントしたりすることができる。

る。政治ボットを構築し、偽情報を拡散する活動を開始した人々もこれを知っていた。彼らはそうした行為を止めるために苦心している企業の、一歩先を行っていたし、いまもそれは変わらないのである。

私は政治ボットが「グレーハット」★11の領域にあると理解するようになった。つまり犯罪者であるかどうかにかかわらず、あらゆる種類の人々、さらにはプログラミングスキルがほとんどない人々でも、政治ボットを作成できるのだ。彼らがそうする理由はさまざまであり、多くは倫理的な側面を考慮しない。私が会話した人物のなかには、社会に良いことをしようとしている人もいる。しかし、デジタル技術の脆弱性を悪意のある目的で利用する「ブラックハット」であることを認めている人もいる。私が知っているなかで、ボットと人間による最悪の政治プロパガンダキャンペーン（それはほんとうに恐ろしく攻撃的なものだ）を実施したグループのほとんどは、職業としてのプログラマーの集団ではない。彼らは、政治的なコンサルティングやキャンペーンを行う企業に雇われていたり、過激な政治団体のメンバーであったりして、その多くは選挙や市民を操作しようとする国外で活動する傭兵だ。

２０１６年の米大統領選挙の数か月後まで、フェイスブックとツイッターは、私と同僚たちが発見したことを否定していた。彼らは忙しすぎたのかもしれない

★11　中立的なハッカーを意味する言葉で、ハッカーを分類する際に悪意を持つ人物を「ブラックハット」、逆に攻撃から守る人物を「ホワイトハット」と呼ぶことがあり、そのどちらでもないという意味からグレー（灰色）と呼ばれる。

し、人手が足りなかったのかもしれないし、研究成果を共有しようとする私たちの試みを故意に無視したのかもしれない。私の研究チームや他の世界中の人々は、テクノロジー企業に対して、彼らのプラットフォームを使ったプロパガンダキャンペーンに関する詳細な論文を渡してみたが、何も変わらなかった。この件に関して、グーグルやフェイスブック、ツイッターの関係者が参加したカンファレンスやワークショップに同席した時に気づいたのは、彼らがポリシーチームのメンバーか弁護士だったことだ。その際、彼らは決まって、私のチームの研究方法にケチをつけるか、問題を否定するか、あるいはその両方を行った。

それから3年後。舞台は静まり返った議会の講堂だ。サリー・イエーツ元司法長官代理とジェームズ・R・クラッパー・ジュニア元国家情報長官が、ロシアによる2016年の米国大統領選挙への干渉に関する上院情報委員会の公聴会で証言している。彼らはイーゼルの両側に座り、大きなポスターとインフォグラフィック★12を手にしている。そこには「2016年の選挙におけるロシアのツールボックス」と書かれている。(15) 最初の項目は「プロパガンダ、フェイクニュース、トロール、ボット」だ。この頃、主要なソーシャルメディア企業は、私と同僚に仕事を依頼するようになっていた(別に驚くことではない)。彼らはこの「新しい」問題について、私たちに相談を持ち掛けていたわけだが、その頃には、この問題

★12　さまざまな情報を図式化して示したもの。

の深刻さは度を越していた。もし私がこうした会社の人間として、その解決にあたっていたとしたら、成果を挙げる前にノイローゼ間違いなしというほど、ひどいありさまだった。

人間の要素

２０１９年４月、ドナルド・トランプ大統領はホワイトハウスで、ツイッターのＣＥＯであるジャック・ドージーと非公式の会談を行った。ワシントンポスト紙によれば、トランプはこの会談において、ドージーに対して自身のツイッター・アカウントのフォロワー数が最近大幅に減少していることについて不満を述べた[16]。これについてドージーは、ツイッター社が何十万ものボットおよびスパムアカウントを削除したため、突然フォロワーが大幅に減ったのだということを穏やかに説明しようとした。加えてワシントンポスト紙は、こう伝えた。「トランプ氏は以前、ツイッター社が『シャドウ・バン』として知られる秘密裏に保守派の勢力を制限する戦術を実行しているという共和党の主張に加わったことがある（この主張を同社は否定している）」。そして「大統領は常にフォロワー数の変化に気を揉んでいる」と続けた。

政治家たちがソーシャルメディアのプラットフォームに対し、オンラインでなされる支援活動や、デジタルにおける自らの影響力を制限していると文句を言うのは珍しくなくなった。しかし事実はと言うと、多くの人々、特に有名な政治家は、ツイッターのようなサイトでフォロワー数を増やし、それによってむしろ恩恵を受けている。デジタル・プラットフォームは新しいルールを採用し、それがフォロワー数を変化させるようになっているが、とはいえ依然として、もっとも活発なソーシャルメディア・アカウントの多くが自動化されている。これらのアカウントは、システムを不正に利用しようとしているユーザーによって管理されており、そのために特定のアカウントが一定期間内に投稿できるコンテンツの量に制限が設けられていることも事実だ。

私はよく、「ボットの研究をしていると、多くのボットが話しかけてくる」と言っていた。しかしもっと正確に言えば、「ボットの研究をしていると、ボットを作っている人々が話しかけてくる」となるだろう。米国のものであれ、トルコのものであれ、メキシコのものであれ、政治ボットの利用について論文を書き始めたばかりの頃、特定のアカウントがボットであるという結論に反論するツイートや電子メールが送られてきた。そうしたアカウントを作った人々は、自分たちはボットではなく人間だと、義憤を込めて主張してくる。しかし彼らのプロフィールをざっと見ただけでも、平均的なユーザーであれば何かおかしいと気づくだろう。なにしろ、彼らは何十万、何百万というメッセージを投稿している上に、ほとんどの場合、メッセージは一つか二つの政治的な話題に集中していたり、同じ人々に何度も絡んだりしている。あるいは毎分、毎時間、毎日きまって10件のメッセージを投稿していたりするのである。

そう、そのアカウントを作ったのは人間かもしれないが、それはソフトウェアに接続され、自動でメッセージを投稿している。ソーシャルボットとそれを作る人間は最初から絡み合っていたし、いまも絡み続けているのだ。

いまや世界中の国々の政治家たちは、自分たちを支援してくれている生身の人間までも、人々の対立を悪化させようとするボットネットや人間が主導するグループを追う研究者たちによって、消し去られていると主張している。しかし私がコンピューター・プロパガンダを研究し始めたとき、こうした手段や戦術を使う集団が存在することを知っている人はほとんどいなかった。世界は依然として、ソーシャルメディアを楽観視していた。多くの人々が、グーグルのスローガンである「邪悪になるな」を信じ、フェイスブックは「素早く行動し破壊せよ」を追及していると考えていた。そしていまでも、そう考えている人々はいる。オンラインの「悪人」に注目していた研究者たちでさえ、電子投票機や政府ウェブサイトなどの技術的なシステムをハッキングする人々に焦点を当てていた。しかし私たちの研究グループは、人々がオンラインツールを使って、世論をハッキングする方法を研究する方に関心があった。そうした研究対象について教えてくれる参考書は存在していなかったし、現在もまだない。

私も多くの人々と同じで、いまでもインターネットとテクノロジーの政治的利用について未知のものにぶつかっている。新しい刺激的なアプリやデジタルツールについては毎週のように耳にするが、まだ知らないことがたくさんある。私が決して知り得ないことも山のようにあるのだろう。実在するユーザーに届かない偽情報や誤報も大量に存在している。そうしたプロパガンダの多くは、ツイッター上のハッシュタグが付いた投稿など特定の意見に人気があるかのような幻想を作り上げるために設計され、実行されている。プロパガンダ行為者たちは、偽のトレンドをつくり出すために、複数のソーシャルメディア・サイトを横断する形でボットの一群を立ち上げ続けていて、そうした偽のトレンドがメディアや主流派の人々によって取り上げられる。くだらないニュースや政治的陰謀論をオンラインで拡散するための戦略の多くは、プログラムのコードの背後に隠されている。それはソーシャルメディア企業が、ある記事や投稿を他の記事より優先させるために使用するアルゴリズムでも同じだ。そうした戦略は、少数のエリート（そのほとんどはソーシャルメディア企業で働いている）にしか理解できないデータによって何重にもくるまれて、非常にわかりにくくなっている。

とはいえ、公開されているソーシャルメディアのコンテンツを分析するだけでも、多くのことを学べる。少し訓練すれば、多くのソーシャルメディア上のトレンドが、疑わしい出所から生まれたものであることがすぐにわかる。それは高度なデータサイエンスとは程遠いが、十分役に立つのだ。実際、ツイッターやユーチューブのようなサイトに投稿されるコンテンツについて、そのタイミングに規則性があるかどうかや、繰り返し投稿されているかどうかを見る程度で十分なこともある。投稿のスピードが異様に速いといったヒントに注意していると、特定の主張や記事へのリンクが繰り返されている、あるいは他人をフォローして彼らのコンテンツを繰り返すだけというアカウントの一群が存在しているなどの事実から、ソーシャルボットのネットワークを特定することができる。するとあなたも、こうした自動化ツールやデジタル操作戦術が政治的なイベントの際に、特に頻繁に使われていることに気づくかもしれない。

アクセスの問題

研究の初期段階で、私たちのチームはすぐに壁に突き当たってしまった。ツイッターが私たちのような研究者に許可したのは、API[★13]を通じて、特定のトピックに関するツイート、もしくは特定の期間に投稿されたツイートをダウンロードすることだけで、しかもそうしたデータはボリュームがきわめて小さかった上、手が加えられている可能性があった。料金を払えば、ツイッターが「デカホース・ストリーム」と呼ぶサービス（特定のトピックに関するツイートの10パーセントのデータへのアクセスを可能にする）、あるいは「ファイヤーホース・ストリーム」と呼ぶサービス（１００パーセントのアクセスを可能にする）を使うことができるが、それには莫大なコストがかかり、しかも収集したデータの使用や共有に大きな制約があった。フェイスブックやユーチューブといった他のサイトも、研究者とほとんど何も共有していなかった。彼らがデータにアクセス可能な人物とその手段を厳しく制限しているのはいまも変わらない。こうした企業がデータへのアクセスを許可するようになった２０１６年以前は、アクセスの許可が下りるかどうかに何の一貫性もなかった。

定量的なデータにアクセスできても、それが示してくれるものはそれほど多く

★13　アプリケーション・プログラミング・インターフェース。ソフトウェアから別のソフトウェアの機能を使うことを可能にする仕組みで、ツイッターは外部から直接データにアクセスすることを可能にするＡＰＩを提供している。

ない。数字だけでは、新たに現れた社会的・技術的現象を、社会政治的な側面から深く掘り下げることはできない。そのため、私はデータサイエンティストと共同で、ソーシャルメディアのデータ分析と民族誌学（エスノグラフィー）（慣習や文化を科学的に記述する学問）を組み合わせる研究を定期的に行ってきた。現在でも、ソーシャルメディア・ボットなどの政治的な操作に使われる新しいテクノロジーに関わりのあるさまざまな人々との関係を続けている。そうすることで、今後、同僚たちと共に大規模なデータ分析に取り掛かる上での、適切な質問と適切な調査手段を見つけようとしているのだ。

コンピューター・プロパガンダとデジタル詐欺の世界は複雑で、混沌としている。そこは多種多様な集団が、政治的なマーケティング活動のために、ソーシャルメディアを無秩序に利用している世界だ。私が研究を始めて間もないころ、多くのデジタル・コンサルタントは、オンライン上での政治的なコミュニケーションの無法状態に対して「ワイルド・ウェスト（開拓時代の米西部）」という使い古された文句を使っていた。つまり、何でも許され、誰も責任を問われない場所だというわけだ。選挙活動から選挙活動へと、さまざまなキャンペーンを渡り歩くソーシャルメディア「専門家」たちに向かって私が、反対派に関する虚偽の情報をオンラインで流したり、政治ボットを使ったりするのは戦術なのかと尋ねると、彼らはそれを一笑に付した。「もちろん」と、ある米国の選挙活動スタッフは私に語った。「あらゆる方法を試してみて、何が上手くいくかを判断します」

彼とその同僚たちは、フェイスブックやツイッターのようなサイトが登場して以来、選挙中に交わされる議論に影響を与える目的で、米国内においてボットや偽情報、政治的スパムを使ったキャンペーンにたびたび取り組んできたと語った。彼らは反対派を中傷するプロパガンダを作成し、4chan[★14]のような、比較的小規模なプラットフォームを使ってテストしていた。そうした話題やミーム[★15]では通常、攻撃対象となった候補者が不正やばかげたことをしている場面が取り上げられる。たとえば2016年に広まったあるミームでは、炎を背景にヒラリー・クリントンとキリストがボクシングしている画像が使われた。こうした活動は後に、ロシア政府に雇われたプロパガンダ行為者によっても試された。そこで使われた話題やミームが匂わせていたのは、特定の候補者が何らかの陰謀に関与しているといった類いのものであることが多く、人々はこの突拍子もない話をソーシャルメディア上で誰かに教えたくなる。こうした情報のジャンクフードは、4chanのようなプラットフォームから、サブレディット[★16]へと伝播した。たとえば2016年には、「/r/The_Donald（ドナルド・トランプ）」や「/r/conservative（保守）」、「/r/altright（オルトライト[★17]）」などが、極右の偽情報と陰謀論が流れる場所とし

★14 掲示板と画像掲示板から成るウェブサービスで、さまざまなインターネット上の流行を生み出す震源地となっている。

★15 ネット上の流行語のように、人から人へと遺伝子のように受け継がれ、拡散していく概念やコンテンツ、行動。

★16 レディット上で日本の掲示板サイトの「板」に相当する概念で、特定のテーマを対象にコミュニケーションする場所であり、「/r/（テーマ名）」と表記される。

★17 オルタナティブ・ライト（オルタナ右翼）の略で、保守主流派と異なる存在としてこの名が与えられており、特定の民族の至上主義や、排外

て人気となった。そうした場所からユーザーは、裏で誰が糸を引いているのかも知らず、せっせとミームを拾い上げ、フェイスブックやツイッター、ユーチューブ、インスタグラムなどに拡散する。そして、情報はそこで雪だるま式に拡大してゆく。それはまさに「アストロターフ政治」だ。

このカスケード効果★18はボットを使わなくても実現できると、プロパガンダ行為者たちは私に語った。たとえば「/r/pikabu」のような適当なサブレディットでユーザーを集め、彼らがツイッター上でお互いをフォローし合うようにする。そしてツイッターのプライベートチャット機能を使って、何千人もの人々とチャット上で会話を開始し、「オーガニックな（自然発生的で意図されたものではない）」ハッシュタグの突発的流行が起きるようにタイミングを図る。しかも、このハッシュタグの「爆弾」は、陰謀論や虚偽がツイッター上で拡散されるように設計してある。ここでは、プロパガンダ行為者は自動化技術を必要としない。ツイッターのキュレーションシステムを騙すために十分なユーザー数を確保するだけでいいのだ。あとは大衆がその話題や記事、ミームをシェアし、口コミとなって広がるのである。

ソーシャルメディア上の政治的プロパガンダは、電子メールのスパムと同じ戦略を数多く活用する。違いは、フェイスブックのような企業が全クライアントに

主義、反グローバリズム等を特徴とする。

★18 カスケードとは小さな滝が段々と連なっている地形を指し、そのようにある場所から別の場所へと影響が波及していく効果。

対して完璧なアクセスを販売するようになったことで、スパム行為が１００倍簡単になったという点だ。バイアグラを販売している業者は、すぐに後期高齢者にアクセスできる。ソーシャルメディアを利用した政治的なマーケティングの場合も同様だ。私がインタビューしたあるデジタルマーケティングの専門家は、政治的なコミュニケーションは瞬く間に、ツイッターやユーチューブのような企業にとって大きな収入源になったと語った。「選挙は毎年行われます」。彼は早口でまくしたてた。「もちろんこうした企業は、世界中の選挙において、あらゆる政党のあらゆる候補者、そしてあらゆる立場に人々と協力関係を結んでいます。誰が勝つのかには興味ないのです。彼らが売るのは、特定の社会集団や、共通の関心を持つ人々へのアクセスです」

私は、ソーシャルメディアを使って世論を操作しようとしているグループを見つけてきたが、そのなかのいくつかは目立った動きをしていた。彼らが有権者にリーチするために練り上げたという戦略は、フェイスブックのようなサイトに有料で広告を出稿するという単純なものから、偽の政治キャンペーンを組織的に行って偽情報を拡散するという、まったくの詐欺行為にまで及んでいた。例を一つ挙げよう。２０１６年の春、私は初めてケンブリッジ・アナリティカのことを知ったのだが、それは別の薄汚い地下室（ニューヨーク市のコンピューターショップだった）にいた時のことだった。私はミートアップ[★19]で見つけたイベントに参加していたのだが、そこにケンブリッジ・アナリティカの経営陣が数名登場し、政治広告における「サイコグラフィックス（心理学的属性）」を活用した手法についてプレゼンテーションを行ったのである。彼らはほとんど誰もいない部屋でプレゼンを行い、この手法がテッド・クルーズの大統領選キャンペーンに実際に使われ、フェイスブックやクレジット会社を利用して2億3000万人の米国人のデータを集めたと公然と自慢した。その当時、ソーシャルメディアとサイコグラフィックスによる手法を用いて、特定の個人に狙いを定めるという彼らの主張は、大風呂敷であるように感じられた。しかしソーシャルメディアに大きな変化が生じなければ、今後彼らが広げた風呂敷は現実のものとなるだろう。

過去——何が起きたのか

オーストラリア、アゼルバイジャン、バーレーン、コロンビア、エクアドル、エジプト、イラン、メキシコ、モロッコ、ロシア、韓国、シリア、ウクライナ、米国、英国、ベネズエラ——これらの国々の共通点は何か？　答えは「これらの国々の市民は、2013年よりも前に、ソーシャルメディア上で、悪意のある政

★19　オフラインで開催される集会やイベントの情報が集められたサイトで、ユーザーは自分の興味のあるイベントを探して参加することができる。

治的攻撃や自動プロパガンダキャンペーンを経験していた」である。政治ボットと、人間が運営するサイバー軍が、重要な政治的イベントにおいてプロパガンダを推進し、特定の意見を広め、反対派がソーシャルメディアを介して団結する力を弱めた。選挙期間中、オンライン上のコミュニケーションを大幅に歪めた者が、僅差で勝利した。また、政治が危機に瀕しているという偽情報が、驚異的な速度で拡散された。

こうした事態は、北アフリカと中東でもっとも明白に見られた。2011年4月にガーディアン紙に掲載された記事において、表現の自由の活動家であるジリアン・ヨークは、「モロッコ、シリア、バーレーン、イランでは、広く支持されている主張に対抗するために、政府寄りのメッセージを投稿するツイッター・アカウントが急速に作成されているため、革命派のユーザーたちはハッシュタグをめぐる戦いに巻き込まれている」と記している。研究者や専門家によると、シリア電子軍（SEA）のようなハッキング組織であろうと、いかがわしいデジタルPR会社であろうと、苦境に立たされた政権側についた人間が、ソーシャルメディアを使って、オンライン上のコミュニケーションと蜂起を意図した団結を抑圧していた。[17]

2013年までに、世界の他の国々は、「アラブの春」が示した民主主義への熱狂を忘れてしまった。フェイスブックのＩＰＯ、ロンドンオリンピック、そしてオバマの再選など、人々の関心は他のものへと移ったのである。しかしシリアでは、民主的な蜂起として始まったことが、政府の未来をめぐる激しい内紛へと発展した。世界中がウサイン・ボルトの世界記録更新を見守る中、シリアの市民は自国が残忍な革命に見舞われるのを目の当たりにしていた。しかもこの内戦は、複数の前線で繰り広げられた。さまざまな地理的、社会政治的関心を持つ複数のグループが関与していただけでなく、オフラインとオンラインの両方で活動が行われていたためである。

フェイスブックやユーチューブといったサイトは、分断されたシリアにとって戦場となった。ツイッターボットの一群が反体制活動家に嫌がらせをし、反対派のハッシュタグにスパムを浴びせかけてオンライン上の反対意見を抑圧し、バッシャール・アル＝アサド大統領の主張を拡散した。シリア電子軍は、こうした活動の最前線にいた。このハッキング組織は、ソーシャルメディア、政治ボット、ミーム、標的を絞ったスパム、動画を組み合わせて利用することで、世界の人々の目を逸らし、シリア国内の世論を変えた。ＦＢＩによれば、この「シリアのハッカー集団が……米国の有力メディアのウェブサイトやソーシャルメディア・プラットフォームをハイジャックした[18]」。

シリアでのオンライン政治工作が拡大していたその時期、同様のオンライン戦術を用いた弾圧や統制が世界的に急増した。メキシコの反ＰＲＩ（制度的革命党）活動家は、フェイスブック上での活動を妨害され、トルコのクルド人ジャーナリストは政府の支持者からツイッター上で嫌がらせをされ、米国の選挙立候補者たちはユーチューブ上で偽情報による中傷を受けた。[19]これらの国々の人々だろうと、大手テクノロジー企業の社員（および元社員）だろうと、誰の目にもソーシャルメディア企業がこうした悪用を防ぐためにほとんど何もしていなかったのは明らかだった。事実、これらの国々で市民に対して行われた攻撃の多くは、ソーシャルメディア企業が提供する合法的なツールやサービスを通じて行われていた。誰でもサイト上でターゲット広告を購入でき、初期段階では広告主の発言や行動が制限されることはほとんどなかった。金さえあれば誰でも、たとえば人種や民族といった条件でユーザーを絞り、ターゲットにすることができた。ソーシャルメディア企業は、２０１８年の米中間選挙の時期になっても方針を変えていなかった――悲惨な結果に終わった、２０１６年の米国「偽ニュース」選挙にロシアが干渉するという出来事から、２年が経過していたにもかかわらず。[20]

とはいえ、キャンペーンによる合法的な政治的マーケティングと、デジタル・プロパガンダの境界線はほとんど存在しなかったし、その状況はいまも変わらない。２０１３年当時、あらゆる種類の集団が、ソーシャルメディアやオンライン検索、電子メール、その他のオンラインメディアを実験場として、人々の注意をスクリーンに、ひいては特定の政治的メッセージに釘付けにする新しい戦略を試していた。彼らは個人や集団に的を絞った政治的ターゲティング広告というアイデアを試していたのである。個人にとってもっとも重要な問題について人々に影響を与えられれば、人々の投票行動をより巧みに操作できるだろうというわけだ。こうした戦術はいまでも使われている。研究者のダニエル・クライスとシャノン・マックグレガーは、次のように記している。

テクノロジー企業はマーケティング、広告収入、ロビー活動における関係構築のために、政治の分野で仕事をしようとする。そしてそれを促進するために、彼らは米国政治の党派的性質に合致した組織構造と人員配置を発展させた。さらにフェイスブック、ツイッター、グーグルは、自社サービスの宣伝やデジタル広告の販売促進に留まらず、政治の世界で働く人々との緊密な連携を通じて、政治的キャンペーンにおけるコミュニケーションを積極的に担っている。私たちはこれらの企業の担当者が、いかにしてキャンペーンのデジタルコンサルタントのように働き、デジタル戦略とコンテンツ、およびその実行を担っているかを示した。このことを考慮すると、政治コミュニケーション学者はソーシャルメディア企業を、政治プロセスにおいてこれまで研究で考えられていた以上に積極的な役割を果たすエージェントと見なす必要がある、というのが私たちの主張だ。[21]

伝統的な選挙活動における広告費のほとんどは、いまでも伝統的なメディア（テレビ、ラジオ、印刷広告）に使われているが、さまざまな理由から、ウェブに向けられる金額が増加の一途をたどっている。選挙活動のマネージャーは、インターネットやソーシャルメディアのようなツールを使う人々がかつてないほど増えていることを理解している。また人々は、現在の出来事を知り、公共の話題について会話を交わすのにもオンラインを活用している。たとえばピュー・リサーチ・センターが２０１８年に発表したレポートによると、米国人の３分の２以上が、ソーシャルメディアを通してニュースに触れている。[22] ユーチューブやフェイスブックなどの大手オンライン・プラットフォームは、政治的キャンペーンを展開する人々に対して、かつては考えられなかったほどの精度で有権者をターゲットにできる機能を提供している。これらの企業は、人々が何を好み、何を支持しているか、何について話しているか、何を憎んでいるかといった行動データだけでなく、物理的にどこにいるか、どのような外見をしているか、どの社会文化的集団に属しているかといったことについても、過去のどの組織よりも多くの情報を持っている。そして有料でこのデータを、住民集団の中の特定の人々にリーチしようとする政治的キャンペーン用に提供することができる。

他にも政治的キャンペーンの担当者が知っていることがある。伝統的なメディアは規制の下にあり、特に政治広告に関しては厳しいルールがある。民主的な政府が何十年もかけて、政治家がテレビやラジオを使って何を、どのように言うかを管理する方法を工夫してきたからだ。しかしインターネットでは対照的に、それは誰が勝つかわからないゲームとなっている。「ワイルド・ウエスト」という比喩は、まったく適切なものだ。組織犯罪と汚職報道プロジェクト（OCCRP）によると、あらゆる形態のメディア（これまで規制されてきたものも含めて）において、「プロパガンダ、虚偽、そして単に間違った情報が世界中のメディアチャンネルにあふれている[23]」。

ほんの少し検索してみるだけで、普通の人々でも、ソーシャルメディアのフォロワーが販売されているのを見つけることができる。それはボットであるのが普通で、どんな言語でもコミュニケーションできる。実際に私は、同僚と一緒に受けたNBCの番組取材の中でソーシャルメディア・ボットの購入がいかに簡単かを語ったことがある。(24) そうしたボットは安く手に入るだけでなく(数千のフォロワーや「いいね!」、リツイートをたった25ドル以下で買うことができた)、複数のソーシャルメディア・プラットフォーム、そして複数の言語で利用できた。ウェブはそのコミュニケーション形態ならではの性質である「バイラル性」を備えている。つまりオンライン上では、人気のあるものは急速に拡散するのだ——それがたとえ、ボットを使ってつくられた幻想だったとしても。実際、MIT[★20]の研究者たちがサイエンス誌に発表した論文によれば、虚偽のニュースや嘘は、真実の情報よりもはるかに速くオンライン上で広がる。(25) さらにバイラルなトレンドは、しばしば報道機関によって取り上げられ、それを世間一般に再び報じる。そのためフェイスブックやツイッターを使っていない人でも、他のメディアを通じて、オンラインのプラットフォームで起きていることを知る機会は多い。デジタル・プロパガンダの専門家はこうしたことを理解し、利用しているのだ。

★20 マサチューセッツ工科大学。

現在——何が変化しているのか

今日、ソーシャルメディア企業、政策立案者、学者、市民団体は、コンピューター・プロパガンダが提示する問題に慌てて取り組んでいる。特に熱心なのが、政府やテクノロジー企業だ。言論を統制し、社会の治安を維持する立場に立つ人々や、いまや民主主義に対抗するために利用されているテクノロジーを開発した人々は、偽情報の増加によって他の誰よりも不意を突かれた。民主主義国家の政治家たちは、アイデンティティー政治[★21]やナショナリズムの高まり、そして増え続ける一方の政治資金といった問題に巻き込まれ、インターネットやソーシャルメディアの持つ政治的な力が革命的に増大していくことに対して、策を練ったり、それを認識したり、対処したりすることができなくなっている。

シリコンバレーのテクノロジー企業、特にフェイスブックやグーグルのような大企業は、彼らのイノベーションが市場を席巻する比較的短い期間、テクノロジーがすべてを解決する、あるいはすべてを決定するという考え方に陥ってしまう。彼らの「テクノロジー・ユートピア」的な考え方は、新しいコンピューターツールを社会問題に対する万能薬として重視してきた。この哲学によって、エンジニアたちは、高度なソフトウェアとハードウェアは問題の解決策になるだけでなく、洗練された文化の証であると思い込んでいる。こうした風潮に伴う難点（それはデジタル・プロパガンダの根底にもある）は、エンジニア・コミュニティーに深く根付いているリバタリアニズム[★22]によってさらに悪化している。歴史的に見て、テクノロジーリーダーたちはリバタリアニズムのおかげで、自らが生み出した技

★21　社会において抑圧されている人種や民族、マイノリティーといった特定の「アイデンティティー」が政治集団を形成し、その利益のために活動を行う傾向。

★22　個人的な自由および経済的な自由を重視する政治思想で、日本では自由至上主義などと訳されている。

術と自分たちの住む社会とが交わることで生まれる問題に対して、責任を回避し続けてきたのだ。

コンピューター・プロパガンダを前にすると、ソーシャルメディア企業の最近の自己弁護的なモットーである「私たちは真実の裁定者ではない」は幼稚なものに聞こえる。要するに、彼らはこう言っているのだ。「私たちはこれを開発しましたが、それが引き起こす問題に対して責任はありません」。グーグルの「邪悪になるな」というスローガンはこの姿勢とは相容れず、ザッカーバーグの「素早く行動し破壊せよ」というスローガンはそれに沿っているように見えるが、この二つは表裏一体である。一方では、企業は自らが社会の救世主であると謳い、他方では、自らの仕事が必然的に変革をもたらすものだと考えているのだ。

テクノロジー企業が解決策としてツールに期待し過ぎている一方、政治家たちはテクノロジーに大した注意を払わず、社会的・政治的問題に没頭し過ぎている。コンピューター・プロパガンダへの対応を始めようとしたちょうどそのとき、世界各国の政治家たちが、民主主義や他の政体を分裂させかねない問題として、アイデンティティー政治とナショナリズムに固執していたことは間違いではなかった。しかし彼らは、こうした問題に意識を集中させる際に、ソーシャルメディアの台頭によってもたらされた多くの新しい情報問題からどのような影響を受けるのかを検証していなかった。一方で、技術者たちがこうした問題に直面したとき、コンピューターに助けを求めるのもうなずける。しかし社会的問題と技術的問題の両方が、コンピューター・プロパガンダの台頭の背景にあり、その影響に対抗するには両方の領域のメカニズムを理解する必要がある。

コンピューターを使ったツールを開発している人々が、ソフトウエアとハードウエアを最重要課題と考えたり、政治家たちが自分たちの管轄内にあるのは政策決定と再選だけであると考えたりするのも無理はない。しかしこうした態度からわかるのは、政治家であろうと経営者であろうと、私たちのリーダーの視点に欠陥があるということだ。もはや立法者が法律学の学位を持っているだけでも、ソフトウエアエンジニアがコンピューター科学を学ぶだけでも十分ではない。社会問題を理解する科学者や、テクノロジーを理解する政策立案者など、学際的なリーダーシップと教育が必要だ。公益を考える技術者と、テクノロジーに精通した政治家が求められているのである。

未来——何が起きるのか

いまや多くの人々が、「フェイクニュース」という言葉を知っている。米国で新聞を開けば、必ずこの言葉を目にすると言っても過言ではない。２０１６年の米大統領選において、ロシアがソーシャルメディアを利用して有権者を操っていたことは、現在でもよく耳にする。この出来事があったことで、米国人はオンライン上での虚情報の増加と、その影響についてほとんど疑いを持たなくなった。

しかし問題は悪化する一方だ。コンピューター・プロパガンダは勢いが弱まるどころか、トランプの勝利で、世界中に急速に広がり続けている。フェイクニュース、より正確に言えば「嘘のニュース」の未来はどうなるのだろうか？ その拡散には、どのような技術が使われるのだろうか？ ソーシャルメディアだけではない。ＶＲ（仮想現実）、ＡＲ（拡張現実）、本物の人間が話しているように聞こえる自動音声プログラム、加工されたビデオ（ディープフェイク）、ビデオゲーム、そしてますますインタラクティブになっているオンライン・ミームなどは、政治的嫌がらせを深刻化させ、コミュニティーをさらに分極化させるためにどのように利用されるのだろうか？

新たな形のコンピューター・プロパガンダを生み出す上で、テクノロジーはどのように利用されるのか。それを示すシグナルは数多く存在している。一般の人々も新しい技術を使って、自分に反対する人々を標的にすることができるだろう。しかし、オンライン上できわめて的確に標的を絞り、大損害を与えるような情報漏洩や嫌がらせを実行できる資源を持っているのは、軍や政府などの強力な政治的アクターであり続ける。さらにソーシャルメディアや新しい没入型ツールを利用して世論を操作することによって、引き続き現実世界に暴力が引き起こされるだろう。

たとえばミャンマーでは、少数派イスラム教徒のロヒンギャ族に関する噂がフェイスブック上で始まり、それが同国の軍のメンバーによって煽られた結果、現在までに数万人が殺害され、数十万人が避難民となっている。[26] インドでは、モバイル用インスタントメッセージ・アプリ「ワッツアップ」上で流れた偽情報が、殺人や女性への暴行、ジャーナリストへの襲撃につながった。[27] 欧州全土において、極右政党がツイッターを利用し、女性に対して難民が暴力をふるっているという虚偽のネット記事を広め、孤立主義と恐怖を助長している。[28] 2018年にフロリダ州パークランドの学校で銃乱射事件が発生した際には、24時間経たないうちに、積極的に発言していたある生存者を「クライシス・アクター」（被害者を演じる訓練を受けた役者）だとする陰謀論を主張するビデオが、ユーチューブ上で「急上昇」コーナーにランクインする一本となった。[29] そして2020年の米大統領選挙や、その他の重要な政治的イベントに関するプロパガンダは、既にオンライン上で拡散されている。

しかしこの数年間で得られた最大の教訓は、オンライン・プロパガンダの実行者が採用した戦術ではなく、その変化の速さにある。先に述べたように、２０１６年後半まで、多くのＩＴ企業がコンピューター・プロパガンダの研究を無視してきた。彼らが行動を起こしていたら、16年の選挙結果が変わったかについては何とも言えないが、不作為という間違いを繰り返してほしくないことだけは確かだ。だからこそ、ＶＲやディープフェイクのような新しいテクノロジーがもたらす影響に備えて、今すぐ準備を始めなければならないのである。ＶＲのようなテクノロジーが名誉毀損や虚偽を広めるためのツールになっていくと、私たちはさまざまな新しい問題に直面することになるだろう。ある同僚が私に語ったように、目や耳と異なり、体にはフェイクかどうかを判断するすべが存在していないのだ。

研究によって次々と明らかになったように、問題はグローバルであり、テクノロジーもグローバルである。私は日本とシンガポールに滞在中、中国のプロパガンダの台頭について技術者たちと議論した。剝製でいっぱいのスロバキアの城の地下室では、欧州の政治家たちとソーシャルメディアの規制について話し合った。ボット開発者やハッカーたちは、ブラジルにある彼らの自宅で、ツイッターのトレンド・アルゴリズムを自在に操っていることを話してくれた。ロシアが２０１６年の米国の選挙のときにソーシャルメディアを使ってどのように介入したかをまとめた、米特別検察官の調査報告書を読めば、それだけで、国境を越えたデジタル・プロパガンダが過去数年どのようなものだったかを大づかみに理解し、将来どのようになるかを推測することができる。クレムリンはコンピューター・プロパガンダの分野では最先端のイノベーターだが、もし中国共産党が、人力でプロパガンダを行う「五毛党」[★23]をAIと自動化技術で動くツールに置き換えたら、予想以上の地政学的影響が生じるかもしれない。

私たちはみな、コンピューター・プロパガンダの行く末を真剣に考えなければならない。この問題の解決策は、政府やテクノロジー企業からだけではなく、ユーザーや現実の人々から提案されてしかるべきだ。なにしろ、未来の世代を、現実と虚構、真実と嘘が区別できない世界に住まわせないようにすることに、関わり合いのない人間など、一人としていないのだ。それには第一に、デジタル・プロパガンダの未来と、それを広めるために使われる次世代技術について、じっくりと真剣に考える必要がある。同じ技術を使って、どのように虚偽に対抗できるだろうか？　どのような社会的解決策が考えられるか？　この巨大な問題を解決するために、どこまでテクノロジー、特にAIを信頼すべきか？　そしてオンライン上の虚偽とヘイトの流れを追跡し、阻止する上で、どこまで生身の人間を頼るべきか？　この新しい情報戦争において、もっとも危険で洗練された行為者と

★23　中国共産党の指示によって、ネット上の掲示板等に、一般人を装って世論操作のための意見を書き込む人々の俗称で、書き込み1件あたり5毛が支払われているとされていることからこの名が付いた。

して台頭してきているのは、どの政府や組織、政党、利益団体なのか？

メディアの崩壊

2016年、私は多くの時間をニューヨークで過ごした。そこはクリントンとトランプ両陣営の本拠地だったので、私も活動拠点としたかったのである。私はオックスフォードでの仕事と並行して、ジグソーでパートタイムの研究員として働いた。ジグソーは賑やかなチェルシーマーケットの近くにある、グーグルの人権志向テクノロジー・インキュベーターである。この研究所を選んだ理由は、グローバルな視野で政治ボットおよび機械的な情報操作活動（特に選挙や重要な政治的イベントの期間に行われる、特定のコンテンツの拡散を目的とした、ボットあるいは人間が主導するオンライン活動）の調査を行うためだった。私は1〜2か月に一度の頻度でニューヨークを訪れ、数日間滞在するという生活を送った。そして毎回、選挙スタッフやデジタルマーケティングのコンサルタント、ジャーナリスト、法執行官といった専門家たちにインタビューをしたり、彼らとミーティングを持ったりした。

あるとき幸運なことに、ニューヨーク市内に拠点を置く米国の大手新聞社に招待され、同社の上級社員と話をすることができた（ここで名前を挙げてないのは、この人物と、その間にインタビューを行った他のすべての人々に秘密を守ると約束しているためだ。その当時起きていた政治的イベントが、デリケートな性質を持っていたのである）。同社のオフィスに着くと、私はカフェテリアに連れられて、彼らとコーヒーを飲みながらプロパガンダやボット、大統領選について話し合った。

その新聞が、報道にソーシャルメディアを取り入れることに何年も懸命に取り組んできたのは明らかだった。ツイッターやフェイスブック、ユーチューブなどのサイトを利用して、ニュースの編集室と読者をより効果的に結びつけることにも取り組んでいたが、その成功の度合いはまちまちだった。私たちは、新しいメディアの時代における情報の優先順位付けという課題について話した。このとき特に念頭に置いていたのは、ソーシャルメディア・ボットの影響力の高まりと、劣悪な報道とゴシップの拡大だった。また、特定のタイプのニュースを他のニュースより優先するという、ソーシャルメディアのアルゴリズムがもたらす課題についても議論した。当時、未知のプログラムによって、特定のユーザーの特定の情報が収集され始めていた。これはエコーチェンバー[★24]が数多く見られるようになっている原因なのか？　ボットによって、嘘の話を実際よりもはるかに人気があ

★24　本来は反響室を意味する言葉だが、ソーシャルメディア等で同じ意見の人々が集まった際に、その意見が繰り返されることで信念が強化される現象を指す。

るように見せかけることで、人工的にトレンドを生み出せるのか？　そういった話題に加えて私たちは、従来のニュースメディアの基盤に対する脅威と、広告販売とユーザー獲得の両方における、ソーシャルメディア・プラットフォームの成功についても話し合った。

この会話や、他のベテラン記者や編集者たちと交わした同様の会話によって、私の中である考えが形をなしていった。フェイスブックやユーチューブといったサイトの急速な台頭は、そのシステムの設計上の欠陥によって、私たちの情報収集のやり方を劣化させていただけでなかった。これらのサイトは、自らのメディア機能を旧式の報道に替わるより良いものとして提示することで、伝統的なニュースメディアの役割を奪っていたのである。そうしたことを、ソーシャルメディア企業は大っぴらに、または人知れず行っているが、それは、新聞や雑誌、テレビ局が生み出した「トレンドな」素材を再投稿したり作成したりするだけで達成されている。その結果テクノロジー企業は、他の組織が制作した正式なニュースや報道コンテンツを使って、広告収入を得るようになっている。

フェイスブックやツイッターは、ヤフーのような組織と異なり、独自のニュースは制作しない。しかし自社サイト上のどこに他社の記事が表示されるのか、いつ表示されるのか、どのように表示されるのかをコントロールしているのは確かだ。彼らはこの仕組みを示して、自分たちはメディア企業ではない（前述の通り「真実の裁定者」ではない）という従来の主張を強調し、自分たちはＡＴ＆Ｔのようなテクノロジー企業やサービスプロバイダーに過ぎないとほのめかしているが、この不誠実な主張は真実ではない。フェイスブックやツイッターはジャーナリストを雇ったり、独自のコンテンツを書いたりしてはいないのは事実である一方で、彼らのアルゴリズムと従業員は、毎日20億人以上が見たり吸収したりするニュースの種類を確実に制限し、コントロールしているのである。彼らは情報を制御し、それによって真実を裁定する。昔のニュースメディア同様、ソーシャルメディア企業は、私たちが「何を見るか」「どう見るか」を決定する。彼らは私たちが触れるニュースを、独自の方法で構築しているのだ。

いまこそ、数十億ドル規模のテクノロジー企業はニュースメディアと提携し、厳しく精査されたプロフェッショナルな報道を支援すべきだ。自由な報道を悪者扱いする、最近の政治家の主張を受け入れてはならない。政治コミュニケーションの研究者である私に言わせると、こういったタイプの攻撃は独裁主義の初期の兆候である――それは専制的で排他的な政権の台頭を示す兆候だ。報道機関は完璧ではない。だが、優れた報道は厳格なガイドラインと倫理に従うものであり、質の高い情報を求める権利と自由を支持する者はみな、そうした報道を認めるべきである。グーグルは最近、報道機関と協力するために数百万ドル規模の取り組みを始めており、これは正しい方向への一歩と言えるだろう。[30] しかし、やるべきことはまだ山積みである上、他の企業も参加する必要がある。

3 批判的思考から陰謀論へ

バイラルな記事のつくり方

　ある時点では、その記事はフェイスブック上で毎分100回以上シェアされていた。[1] タイトルはすべて大文字で書かれたセンセーショナルなもので、すぐにクリックしたくなるような文句だった――「ヒラリーのメール漏洩問題を調査中のFBI捜査官が死体で発見される――殺人後に自殺した可能性」。記事を作成したメディアは、コロラド州でもっとも古い報道機関だと自負するデンバーガーディアン紙である。この記事は、2016年の大統領選の数日前に執筆・公開されたもので、民主党の大統領候補とその仲間たちが、おぞましい政治的隠蔽に関与していたという陰謀を詳細に描いている。

しかしこのデンバーガーディアンは、本物のニュースサイトではなかった。そしてこの記事は、完全な嘘だったのである。その創設者であるジェスティン・コラーは後に、カリフォルニア州に住む米国市民であることが判明した。彼はデンバーガーディアンのほかにも類似サイトをいくつも立ち上げ、２０１６年の選挙期間に偽のニュースを発信することで、広告収入を得ようとしていた。[2] 彼は世間のジャンクニュースに対する欲求をお金に換えることで、月に１万〜３万ドルを稼いでいた。彼は「人々がこういう話を聞きたがったのです」とＮＰＲ[★1]の取材に対して語った。「だから後は、それを書くだけでした。すべてはでっち上げです。町も、登場人物も、警察官も、ＦＢＩも。その後は……ソーシャルメディアの連中が現れて、トランプの支持者たちに伝えて、そしたらしめしめ、山火事のように広がったというわけです」

毎分１００回のシェアが示しているように、この記事はバイラル的に拡散した。そしてインターネット全体に広がる陰謀論の仲間入りを果たした。それは他の偽情報キャンペーンとは違って、米国の民主主義を弱体化させようとする外国政府によって広められたものではなかった。カリフォルニアの郊外に住むごく普通の男性が拡散したのである。しかし２０１６年の大統領選では、それはロシアによるフェイスブック上の偽広告、モルドバのティーンエイジャーが売り歩く偽記事、

★1　ナショナル・パブリック・ラジオ、米国の公共・非営利ラジオのネットワーク。

謎の多いスーパーPAC[★2]によるツイッター上の政治ボットなど、偽情報が生み出すエコシステムの中で展開された、真実に対する大規模なデジタル攻撃の一端を担った。コラーのウェブサイトと偽ニュースは、何かを深読みしたいという人間の欲求を利用していた（一方で、批判的思考にスイッチを入れる認知メカニズムは停止させて）。しかしコラーをはじめとする人々は、嘘をニュースに仕立て上げ、ソーシャルメディアや政治的なゴミを利用して陰謀論を広めていた。

★2　PACとは政治行動委員会の意味で、米国で政治家に献金を行うために設置される政治資金団体のこと。献金には上限額が決められていたが、2010年の米最高裁判決でこの上限が取り払われた後、巨額の献金を行うようになった団体をスーパーPACと呼ぶ。

シリコンバレーから愛をこめて

2016年に起きた米大統領選挙へのロシアの干渉に対する、ロバート・ミュラー特別顧問の捜査がきっかけとなり、コンピューター・プロパガンダは周知されるに至ったが、この選挙で使われたコンピューター・プロパガンダは、実際には国内外のさまざまな情報源から発せられたものだった。とはいえこの捜査報告書は、選挙期間中に行われたデジタル偽情報の拡散や世論操作を常に思い出させたため、記者や一般の人々は、デジタル偽情報という民主主義に向けられた広範な脅威に注意を払い続けることができた。もしこの捜査が行われていなかったら、あるいはトランプ政権によって早期に中止されていたら、偽ニュースやソーシャルメディア企業が抱える深刻な欠点に対する懸念は、世間から簡単に消えてしまっていたかもしれない。ロシア政府の関係者やコンサルタントが後に大論争となった米国の選挙に不正に干渉したのではないかという懸念は、調査で明らかになった事実によって、最終的に裏付けが取られ、現実となった。しかし、そのおかげで私たちは、この深刻で根深い問題に対して見解を一つにすることができた。

しかし2016年にロシアが行った世論操作は、コンピューター・プロパガンダという氷山の一角に過ぎない。選挙中に国境を越えて政治的攻撃を行うことは、米国法と国際法の両方に違反し、特に懸念されているものだが、その一方で、個人がソーシャルメディアやその他の技術を利用して虚偽を広めたり、他人に政治的嫌がらせをしたりすることも起きている（同様のことは、企業から市民団体に至るまで、あらゆる種類のグループの間でも起きている）。個人によるそうした行為は国内にとどまらず、国境を越えてまで行われる。こんなふうにメディア技術を駆使して人々を操作し、特定の視点から世界を見るように仕向けることには、長く複雑な歴史があるが、それはニュースメディアの進化という、さらに長い歴史とも結びついている。

2016年以前、短い期間ではあったが、ソーシャルメディア・プラットフォームは政治的操作のためのツールとして利用された。主要なオンライン・プラットフォーム上で、政治的な攻撃が大規模に行われた例としては、前述したように、ブラウンとコークリーが争った2010年のマサチューセッツ州上院特別選挙が挙げられる。一部の主張によれば、こうした陰謀が始まった時期はそれよりも早く、ツイッターが立ち上げられた頃までさかのぼるとも言われる。[3] おそらく当時のほとんどの人は、偽情報に注意を払っていなかったのだろう。しかし研究者たちが明らかにした事実では、ハッカーやその他のグループは、インターネット・リレー・チャット（IRC）★3などのソーシャルメディアの前身を含むチャット・アプリケーションを使用して、攻撃を計画し、政治的抗議活動に関与していた。[4]

ソーシャルメディア企業や他のテクノロジー企業は、自分たちの製品が誰でも使えるオープンなツールであり、民主主義と自由なコミュニケーションを支援し、広めるものだという誇大広告を容認してしまった。しかし、これを致し方ないと考える人がいるかもしれない。なにしろ、シリコンバレーの比較的浅い歴史はテクノ・ユートピア主義やサイバー・リバタリアニズムを象徴する話であふれており、多くのソーシャルメディア企業がこの風潮に乗じたのだ。[5] しかし、ツイッターとフェイスブックが10年前の選挙で妨害工作に使われていたことを忘れてはならない。

★3　1988年に開発された、インターネット上で複数人が参加するチャットを行うためのシステム。

なぜ当時、ソーシャルメディア企業はそれに注目しようとしなかったのだろうか？　なぜ政治家たちは、政治的な動機に基づくヘイトスピーチや偽情報がネット上で人為的に増幅されることから市民を守るために、法を改正しようとしなかったのか？　なぜ自分の管轄に大手ソーシャルメディア企業が数多く存在している米国の政治家たちは、ソーシャルメディア上の政治広告を規制しなかったのか？　なぜ彼らはいまなお、そうした行動を起こしていないのか？

ジャーナリストたちは2010年以前から、ソーシャルメディアの政治的な悪用について報じてきた。したがって、情報は確かに出回っていたはずだ。コンピューター・プロパガンダの問題が最初に現れたとき、テクノロジー企業や政府が対処しようとしなかったのは、取り返しのつかない失敗である。確かに当時でも、それに対応するにはコストがかかっただろう。しかし何もしなかった結果、いまや数十億ドル規模の大惨事が生まれてしまっている[6]。金がかかるからというのは、民主主義の根幹を揺るがす問題に取り組まない理由にはならない。いったい何が起きているのだろうか？

電子フロンティア財団（ＥＦＦ）の事務所は、サンフランシスコの中心にある多層階の一軒家にある。ＥＦＦは、それ自身の説明によれば、寄付によって運営される非営利団体で、「戦略的訴訟[★4]、政策分析、草の根活動、技術開発を通じて、ユーザーのプライバシー、表現の自由、イノベーションを擁護する」。ＥＦＦは１９９０年に設立され、テクノロジーおよび知的財産のコミュニティーの中では、自由でオープンなインターネットの提唱者として知れ渡っている。また財団のウェブサイトでは、「ＥＦＦはインターネットの黎明期から、開発中の技術へのアクセスを保護することが、すべての人々の自由を推進する上で重要であることを認識していた」と述べられている。ＥＦＦはオープンソース・ソフトウェア（オープンで編集可能、非プロプライエタリな[★5]コードによるプログラム）のサポートに関して、賞賛すべき仕事をしてきた。また個人および中小企業の権利を支持し、デジタル空間を私企業に任せることに反対し続けている。

しかしＥＦＦは、デジタル空間における市民の自由を守ることに関心のある他の組織と同様、ウェブ２・０[★6]の登場以来ずっと厳しい課題に直面してきた。グーグルやフェイスブックのような巨大企業が、いまや世界中のインターネット・トラフィックのほとんどを支配するようになっている。人々がお互いにつながることを可能にする製品を所有しているのがそうした企業であるというだけでなく、

★4　社会的な変化をもたらしたり、何らかの示威的なアピールをしたりするために起こす訴訟。

★5　特定の組織や団体が所有権を所有していたり、関連情報を秘密にしていたりすることのない、という意味。

★6　２０００年代中頃に提唱された概念および実践を指す言葉で、従来はウェブサイトの管理者から利用者へという一方向の情報発信が主だったインターネットが、利用者から管理者へ、あるいは利用者の間でという双方向のコミュニケーションが行われる場になることを意味する。

「誰がどのように話を聞いてもらえるか」を決めるのも、彼らのプロプラエタリな（彼らが開発し自由にすることのできる）コードなのだ。彼らのアルゴリズムは、何がバイラルになり、どんなニュースが読まれるかを決める。さまざまな手段を通じて、こうした企業はオンライン上で自由に発言する権利をコントロールしている。彼らはインターネット上のコミュニケーション空間をより公正で人道的なものにしていると言うかもしれないが、その行動からはそれが事実ではないことがうかがえる。これらの企業は情報エコシステムに革命をもたらし、言論の自由やその他の民主的な規範について新しく複雑な問題を生み出してきた。そしてその変化は、コンピューター・プロパガンダの台頭とともに頂点に達した。

ちょうどEFFの設立の30年前に、インターネットは政府のコミュニケーションツールから官民のハイブリッドな日用品になった。それ以来、私たちの生活は大きく変わった。私たちが情報を共有する方法は、電話のような一対一のツールや、夕方のニュースのような一対多のサービスから、すべての人がニュースの作成者や評論家となる、巨大な多対多のマルチメディア・システムへと変化したのである。1990年後半から2000年前半にかけてメディアの専門家たちが抱いていた、従来型メディア組織の大規模な統合（クリアチャンネル社[★7]のように）に対する懸念は、現在、一般人がソーシャルメディアという「メガホン」を介し

★7　米国の巨大メディア企業で、現在はアイハートメディア傘下に収まっている。

て世論に影響を与える能力を持つことに対する懸念へと変わった。

インターネットは「ニュース」を生み出すことのできる人やその方法の変化を促してきたが、ニュースメディアを取り巻く状況は依然として混乱を極めたままである。巨大で、そのため戦略的に立ち回ることが難しいコングロマリットが、相変わらず放送、ラジオ、活字メディアにまたがる広範な領域を支配している。バズフィード、ハフィントンポスト、ヴァイスなどの新興デジタルニュース企業は、狂乱状態にあるニュース環境の中で競争するための有効なビジネスモデルを考え出すのに苦戦しており、最近は大幅な人員削減を余儀なくされている[7]。彼らやその競合企業は、かつて主流だったメディアのビジネスモデルを完全には脱却できておらず、高い家賃と経費のかかるニューヨーク市のオフィスを必要としている。また、階層的な組織構造を持たない、リモート型のビジネスモデルを実現することもできていない。ジャーナリストたちの多くは、歴史的に技術の変化と格闘してきた先達の経験を活かせず、インターネットの波をうまく乗りこなせないでいる（なかにはそれに成功した者もいるが[8]）。

デジ＝ナショナル・パブリック・レポーター（DPR）からの速報を知った私たちは、仮想現実で遊ぶのを中断した。DPRが超高速で超ローカルな客観的報道をデジタル領域へ広げるために、シカゴサンタイムズ、サンノゼマーキュリーニュース、そしてシアトルタイムズを買収したのである。報道ハブのツイッター（かつてソーシャルメディアの上場企業だったが、現在はニューヨークタイムズが所有している）上では、ユーザーたちがこのニュースを好意的に受け止めている。同サービスの「ボット抜き認証済み™」トレンド・アルゴリズムによれば、現在ツイッター上でもっともシェアされているハッシュタグは「#DPRforDemocracy（#民主主義のためにDPRを）」のようだ。諸君、これは報道の素晴らしい新仮想時代だ。そして忘れてはならない――「デジタル民主主義（デジトクラシー）は闇の中で死ぬ」

＊＊＊

世界的なニュース発信モデルがもっと身軽なものになれたとしても、パキスタンやウォール街のニュースを効果的に伝えるのは、現地にいなければ非常に難しい。一部の組織は、インターネットがこの種の遠隔作業を可能にすると期待しているが、ジャーナリストや研究者、一般市民にとっては依然として、現場の人間が直接体験したことが最良の情報となる場合が多い。報道機関は、現地のスタッフを優先する「サテライト型」組織モデルを導入しようと試みてきた。しかし現実には、こうした動きは記者との契約期間を短くしていこうとする取り組みと一緒に行われることが多く、その結果、彼らに提供される制度的な支援と報道のためのリソースのレベルが低下している。またサテライト型モデルは、組織による健康保険や安定した給与の提供のあり方を根本的に変える（良い方向にではない）ものである。人々はこうした変化が何を示しているのかよくわかっている──報道機関がばたばたと倒れつつあるのだ。しかし多くの人々が知らずにいるのは、ソーシャルメディア企業がその責任の大部分を負っているということである。

フェイスブックとユーチューブは２０００年代からニュースの世界に手を出しているが、それには思慮が欠けていた。彼らは人々に大規模なデータへのアクセスを提供し、広大なソーシャルネットワークへの接続を可能にする刺激的な製品を作った。しかし彼らは、自分たちのシステムが情報にアクセスするための、つまりニュースにアクセスするためのデフォルトの手段になるとは考えていなかった。それから10年後、コンピューター・プロパガンダとジャンクニュースが世界に突如として登場したことで、彼らは自分たちがパンドラの箱を開けてしまったことに気づいた。彼らは自社の不透明なアルゴリズムが、天気予報からニュース速報に至るまであらゆる情報を収集し、整理・統合しているという単純な事実に取り組まなければならなくなった。彼らは他のオンライン情報も独占することで、広告をベースとしたビジネスモデルに革命を起こし（監視資本主義★8を基盤に、ユーザーの行動に関する膨大なデータによって駆動するモデルを確立し）、それを独占することとなった(9)。

昔のニュースメディアが採用していたビジネスモデルは、後れを取ったままだ。そしてイーベイやクレイグズリストのような企業によって、新聞の収益源だったクラシファイド広告★9を人々がまったく利用しなくなったことで、状況はさらに悪化した(10)。メディア環境のあらゆるものが変化したのと同時に（そして多くの点でその変化が原因で）、人々は世界中のほとんど誰とでも、瞬時に話すことができるようになった。ツイッター上では、誰もがジャーナリストなのだ――少なくとも、そんな言い方がされるようになった。いまやインターネットは日常生活の中で私たちを取り巻く雑音になっているが、依然として私たちが考え、感じ、話す方法を変え続けている。それは私たちが生活の舵を取る（ナビゲーションする）方法すら変えようとしているが、GPSやグーグルマップの時代には、それは文字通り道順（ナビゲーション）を理解する能力にまで影響を及ぼしている(11)。

インターネットは私たちのメンタルモデルを変えるおそれがある。つまり私た

★8　ハーバード・ビジネス・スクールのショシャナ・ズボフが提唱した概念で、テクノロジーによって消費者のあらゆる行動がデータとして収集され、それが収益に換えられるような資本主義社会を指す。

★9　日本では三行広告と呼ばれるもので、テキストで数行程度の簡素な広告であり、個人が何らかの募集や宣伝のために利用することが多い。

ちが世界をどう見て、どう理解するかを変える可能性があるのだ。インターネットは真実、信頼、事実に対する私たちの認識にダメージを与える。かつては興味のない情報でも一方的に押し付けられてきた「囚われの聴衆」だった人々も、ローカルな話であれグローバルな話であれ、バーバラ・ウォルターズやウォルター・クロンカイトのような、客観的であろうと常に心掛けてきたジャーナリストたちから情報を得ることはもはやない。いまや人々は、何百万ものウェブサイトやソーシャルネットワークからニュース商品（場合によっては偽情報）を選んでいる。放送ニュースの時代も完璧にはほど遠かったが、現在の状況ははるかに複雑だ。また企業グループと市場シェアという点でも、統合はさらに進んでいる。古いメディアによる独占構造は、ガバナンスと機能に関する透明性がさらに低い、新たなメディア財閥に取って代わられた。

過度につながり合った社会の台頭と、それを支える膨大な技術インフラは、世界中の経済的、政治的、文化的なシステムに革命的な変化をもたらした。ソーシャルメディア、そしてより広く言えばインターネットは、当初は言論の自由を広め、市民の政治参加を後押しするユートピア的なツールとして想定されていたが、すぐに、それを支配しようとする政府やその他の強力な政治団体に取り込まれてしまった。[12] 確かに依然として、人々がそうしたサイトを使ってニュース速報を発信したり、熟練したジャーナリストでさえ気づいていないニュースを見つけたり、さまざまな人々と政治について議論したりできることは事実だ。しかし政治家と市民が、ウェブが大勢の人々によって使われるようになる前から、これらのオンライン・ネットワークの「富」をめぐって争ってきたこともまた事実だ。[13] 実際、ウェブは人々を結びつけて力を与える手段となっただけでなく、人々をコントロールするためのツールにもなったのだ。

あなたが読んだものがあなたをつくる

アンドリュー・ウェイクフィールド・アカデミーが所有・運営する、巨大なバーチャル公会堂の一つに、7万人もの生徒が座っている。紫色の髪をしたアルバート・アインシュタイン風のアバターを使う教授が、ワクチン接種の誤りについて、デジタル授業を行っている。彼は生徒たちに向かい、政府が大規模な優生学の実践の一環として、国民を選択的に病気に感染させているという、よく知られた陰謀論を語る。彼はワクチンの出現と、公に認められた自閉症患者の急増との相関関係を詳細に示した図とグラフを見せる。彼はインフルエンザワクチンがインフルエンザを治すためではなく、人をそれに感染させるために作られたのだと証明する研究を、もったいぶって話す。

もちろんこれは、完全に空想のシナリオだ。しかしそれは、現在の真実からそれほどかけ離れてもない。プラガー・ユニバーシティ[★10]のような組織が、大学のキャンパスにおける「左翼の洗脳」と戦うために、ハイクオリティでアカデミックな内容を装った映像をはじめとするデジタル素材を制作している。[(14)] ２０１９年の時点で、人々（およびおそらくボットも）によってオンライン上で何十億回も閲覧されているコンテンツは、きわめて党派的であると同時に、大部分は虚偽である。その一部は、チャールズ・クラウトハマーやスティーブ・フォーブスのような、極右的な思想を持つが著名なジャーナリストたちの手によるものである。正式な教育機関として認定されていない、この「ユニバーシティ」が制作する映像の大部分は、科学に反する内容だ。そのような虚構は、ソーシャルメディアによって、オンラインおよびオフライン上のグループの規範になってしまう。虚構をつくり、広める人々は、自らの目標を達成するためにソーシャルメディアが必要であることや、そうしたデジタル空間がどのように機能するのかを理解している。

プラガー・ユニバーシティは多くの時間と金を使って、ユーザーを自らのバズフィードは次のように解説する。

★10　米国の非営利団体で、保守系の映像を制作・発信している。

コンテンツへと誘導する方法を見つけ出そうとしている。彼らは年間予算1000万ドルの40パーセント以上を、マーケティングに費やしているのだ。たとえば、フェイスブックやインスタグラム上でのターゲットを絞ったキャンペーン、ユーチューブのプレロール広告[★11]、プラガーフォースと名付けられた1250人の高校生や大学生のボランティアの活動（自らのソーシャルメディアのアカウント上でプラガーのコンテンツを発信している）などが行われている。プラガーフォースのメンバーには報酬は支払われないが、300万人近い購読者を持つプラガー・ユニバーシティのフェイスブック・アカウント上でシェアされるという見返りが与えられる[15]。

デジタル上での虚偽や政治的操作が増加したのは、コンテンツを拡散させたのがプラガー・ユニバーシティのような、客観性を持たない情報発信者であるかどうかというよりも、情報の入手方法に大きな変化が生じているためだ。一部の民主化運動がオンライン技術を利用して勢いを得たが、それと同じように、別の民主化運動は同じ技術の利用によって妨害された。さらに多くの非民主的な運動が、ソーシャルメディアのネットワーク化された力によって、生み出されている。プラガー・ユニバーシティや、空想上のアンドリュー・ウェイクフィールド・

★11　動画が再生される前に流れる広告。

アカデミーの「学生」たちは、遠く離れた場所からそのコンテンツを消費しているが、ソーシャルメディアを使ってウクライナや中東において抗議活動に参加している学生たちはそうではない。彼らが賭けなければならないものははるかに大きく、オンラインであろうとオフラインであろうと、独裁者や独裁政権と戦うために命を危険にさらしているのだ。国家が後押しする、活動家への政治的な攻撃（多くが政府組織によってなされている）は、オフラインの戦術も駆使している。そのような場所でソーシャルメディアを通じて発言する人々は、脅迫されたり、さらに自宅まで追跡されて殺害されたりしている[16]。

世界中の活動家たちは、コミュニケーションと組織化のためにソーシャルメディアを必要としているが、コンピューター・プロパガンダの台頭により、その試みはかつてないほど多くの問題に直面している。世界各地に存在する、プラガー・ユニバーシティ型の組織は、質の低いコンテンツを洪水のように垂れ流して、高等教育を受けられない人々に意図的に誤解を与えようとしている。そうした組織は、独裁的な国家に住む人々の現実を歪めているだけでなく、世界中で既に脆弱な立場に置かれている人々を操作している。

社会集団や「イシュー・パブリック」（銃規制や中絶のような特定の話題に関心があるために政治に携わる集団）についての私の研究でも、これらの集団がかってないほどにコンピューター・プロパガンダの標的にされていることが明らかになっている。[17] オンライン上で行われる政治キャンペーンの最大の標的は、無防備で疎外されている人々、つまり主流の政治では発言権を持たないが、真の民主主義を機能させるのに不可欠な人々であることが多い。特に少数派のグループは、有権者を機能不全に陥らせ、黙らせようとするソーシャルメディア上のデジタル偽情報の標的にされている。

一般の人々は、コンピューター・プロパガンダにおける歩兵として徴兵されやすく、知らず知らずのうちに、政府や軍、その他の資金力のある団体の代理として行動させられていることが多い。人々は調査報道や科学的調査の結果よりも陰謀説を信じようとしてしまうため、自らの利益やより大きな民主主義の利益に反する活動に巻き込まれやすい。民主主義が人民による統治であるなら、私たちはみな、この困難な状況に対して責任がある。しかし私たちは、現在のシステムを変える力も持っている。そのためには、批判的思考と陰謀論を区別することを学ばなければならない。質の高いニュースや情報へのアクセスを要求し、すべてのジャンクコンテンツとノイズを取り除く方法を考え出さなければならないのである。

批判的思考から陰謀論へ

　私が博士課程を終えようとしている頃、ワシントン大学のキャンパスと全国ニュースメディアにおいて注目を集めていたのは「でたらめ」だった。２０１７年初頭、ジェヴィン・ウェスト教授とカール・バーグストロム教授は、学部課程で「ビッグデータのでたらめの見分け方」という授業を行った。オンライン上のシラバスは、その内容を簡潔に要約していた――「世界はデタラメだらけだ。それを検知して排除する方法を学ぶ」[18]。また同じ年、コリンズ英語辞典やニューズウィーク誌、米国方言協会が「今年の言葉」として選んでいたのは、すべて「フェイクニュース」だった[19]。

　こうした状況に直面したウェストとバーグストロムは、学生が情報、特にデジタル情報の出どころや拡散状況、目的について疑問を持てるようにするための授業を提供したのである。学生たちは、マイクロソフトとアマゾンの本拠地であるシアトルで、嘘や虚偽がデータや技術的な専門用語を使ってどのように飾り立てられ、ソーシャルメディアを通じて拡散されるかを学ぶこととなった。

　いまではみな、ケンブリッジ・アナリティカのようにデータサイエンスと政治的コミュニケーションを融合させた企業が、人々に「フェイクニュース」の存在を気づかせる上で重要な役割を果たしたことを知っている。こうした企業は、自分たちは心理的属性に基づくマーケティングを行っているのだと主張し、ビッグデータを使っているとほのめかす疑似科学的なマーケティング資料で飾り立てたが、その主張もほとんどデタラメだった。ケンブリッジ・アナリティカをはじめとする数多くの企業は、悪意のあるプロパガンダ戦術を用いて自分たちが推す候補者への投票を促しただけでなく、データサイエンスのテクニックとソーシャルメディア・アルゴリズムのトリックを使って、世界中で誤った情報を拡散した。民主主義国家（特に米国）に住む人々の多くは、常に行われているネガティブなキャンペーン広告に慣れていると言う向きもあるかもしれないが、騙されたり、あからさまに操られたりすることを好む人などいない。

ワシントン大学の授業は、トランプの勝利のわずか数か月後、ケンブリッジ・アナリティカとフェイスブック、ロシアをめぐるスキャンダルが注目を浴びるただ中で行われた。その前の数年間、「ビッグデータ」と「アルゴリズム」は、多くのテクノロジー企業と一部の学者たちの間で、まるで教養上の言葉のようになっていた。[20] この授業はそうした状況を正すための小さな一歩だった。教授たちが目指していたのは、学生の批判的思考を強化する一方で、データサイエンスに関する神秘主義を払拭することだった。バーグストロムは「データを使えば、きわめて深く印象的な話を語ることができますが、そうした話は高度かつ正確に見えるため、大量のデタラメをうまく隠すことができるのです」とニューヨーカー誌に語っている。[21] 教授であり、データサイエンスの専門家でもあるバーグストロムのこの言葉には、テクノロジーの似非専門家が主導する、現実に対する攻撃の要点が凝縮されている。ケンブリッジ・アナリティカのようなグループは、インターネットを構成する大量のデータを、科学的知識の中心をなすデータと同じものとして扱おうとしてきた。しかし彼らは、科学をなす他の重要な要素、すなわちデータに対する経験主義、反証可能性、および再現性については考慮しようとしなかった。要するに、彼らは「データ」を使って、デタラメの話に信頼性の幻想をまとわせたのである。

多くのデジタル政治コンサルティング会社とソーシャルメディア・マーケティング会社は、テクノロジーやデータやプログラムではなく、コミュニケーションを操っている。その目的は陰謀論を広めることで、批判的思考を促すことではない。彼らは、ソーシャルメディアであれVRであれ、新しいテクノロジーを多くの有権者にリーチする手段としてのみ利用している。

あるソーシャルメディア・コンサルタントは、選挙に勝つためには、真実の存在と同じくらい真実の欠如も重要だと私に語った。人々は混乱したり怒ったりすると、投票をやめてしまうか、自分たちの怒りを代弁する候補者に投票するというのである。彼は、倫理や真実の問題に関しては不可知論者[★12]だと自分を評した。選挙で勝つために有権者に嘘をつくことの倫理性を問うと、彼は笑った。善と悪、真と偽を本当に区別することは不可能だと言う。そして「それが政治ってものですよ」と言葉を濁した。

しかしプラトンの『国家』からデューイの『公衆とその諸問題』に至るまで、民主主義の中心にある教科書は、特に政治、コミュニケーション、法の支配に関して、善悪を区別しようとしている。道徳観に多くの異なる視点があることについては議論の余地はないが、いまの私たちが知っていること、今日の世界で観察できることに関して言えば、科学の教養は私たちに真実と虚偽を区別するための羅針盤を与えてくれる。しかし、科学を現代のソーシャルメディアの世界で実行に移すのは、デューイのアナログの世界でそうするのと同じくらい難しいことのように思える。さらに、かつて私たちが知識と道徳的な試金石として求めた制度のほとんどは、米国では衰退しつつある。

私がコンピューター・プロパガンダについて講演すると、必ず誰かが情報の信頼性について質問する。「フェイクニュース」をめぐる人々の意識の高まりを考えれば、これは驚くことではない。米国内のさまざまな組織に対する信頼度は、

★12　神は存在するかという問いに対して、神の存在も非存在も認識できないという立場を取る人々を指す言葉で、転じて何らかの問題に対して肯定も否定もしない立場を意味する。

これまででもっとも低くなっている。ギャラップ社によれば、２０１８年に調査対象となった米国人のうち、宗教団体を信頼しているのはわずか38パーセントとなっている（ギャラップ社が初めて同じ調査を行った１９７３年には65パーセントだった）。[22] 議会に対する信頼度を見ると、１９７３年には43パーセントだったのに対し、２０１８年は11パーセントであった。医療システムへの信頼度は、１９７３年の80パーセントから36パーセントへ、また銀行への信頼度は、１９７３年の60パーセントから30パーセントへとそれぞれ下落している。もうおわかりだろう。ギャラップ社による米国内の組織への信頼度調査によれば、ごく一部の例外を除いて、ここ50年ほど一貫して信頼度が低下しているのである。

「科学に対する戦い」が近年熱狂的に支持されているものの、科学界に対する信頼は１９７０年以来安定している。しかしピュー・リサーチ・センターが指摘するように、この安定は多くの人々が科学を信頼していることを意味しない。実際、ピュー・リサーチ・センターが前回行った調査では、科学コミュニティーを「大いに信頼している」と答えたのは、米国では10人に４人しかいなかった。さらにピューの他の研究には、次のようにある。

子供用のワクチン、気候変動、遺伝子組み換え食品（ＧＭ）に関する問題において、科学者に対する信頼度にはばらつきがあることが明らかになった。全体的に見ると、多くの人々が気候変動に関わる科学者や、ＧＭに関わる科学者に対して、懐疑的な姿勢を示している。医療系の科学者に対する信頼度はそれより高いものの、しかしここでも多くの人々は、強い肯定ではなく、アナリストが「ソフトな」肯定と呼ぶ姿勢を示している。[23]

米国内で、さまざまな組織に対する信頼度が低下しているのはなぜか？　同様の下落は南アフリカ、イタリア、ブラジルでも見られるが、その理由は？　単に人々が懐疑的になっているだけだろうか？　そうした組織の仕事の質が低下しているのだろうか？　そしてこのことは、私たちが真実を見る姿勢に対してどのような意味を持つのだろうか？

非難されるべき点が多々あるのは間違いない。アトランティック誌のインタビューの中で、世界的マーケティング企業エデルマンのトップは、「この（信頼度の）下落をもたらした根本的な原因は、客観的な事実と合理的な議論の欠如にある」と語っている。[24]これは２０１８年、同社が包括的なレポートを発表した直後のことであった。そのレポートによれば、米国人のうち米国政府を信頼しているのはたった3分の1で、前年から15パーセント近く下落していた。しかしアトランティック誌の記事が指摘しているように、世界のもう一つの重要な国では、信頼度は逆に上昇している。それは中国だ。同国では、84パーセントもの人々が、「米国ではジョンソン政権初期以降に経験したことのないレベルで」政府を信頼している。

それには、中国は独裁政権で、米国は民主主義であることが影響している、と思う人がいるかもしれない。つまり人々は中国共産党を恐れて、信頼していないなどと言えないのだろうというわけだ。この仮説がある程度正しいものであるのは確かだろう。しかしこんな情報もある。国や地域の自由度をランク付けしている国際的なNGOであるフリーダム・ハウスは、米国の政治的自由度を1（最高）から2（依然として自由度は高いが、完璧ではない）に引き下げた[25]。これについてフリーダム・ハウスは「米国の政治的自由度が1から2に下がったのは、2016年の選挙にロシアが介入した証拠の増加、新政権による基本的な倫理基準の違反、政府の透明性の低下が理由だ」と説明している。ファシズムの専門家であるニューヨーク大学のルース・ベン＝ギアットや、イェール大学のジェイソン・スタンリー、南部貧困法律センターのデビッド・ナイワートなどはさらに踏み込んで、米国で権威主義が台頭しつつあると訴えている[26]。

したがって、国の統治のあり方は、政府に対する信頼の増減の主な原因ではない可能性がある。政府への信頼が中国では高まっているのに、米国や他の地域では低下している理由については、まだ十分な議論ができていない。

ソーシャルメディアはメッセージ

政治、インターネット、テクノロジーの研究に集中している者として、私は答えをメディアに求めている。世界の大部分の地域において、メディアの利用方法は1973年と比べて大きく変化している。当時、人々はいくつかの主要なテレビネットワーク、ラジオ、地元の新聞、そしておそらくは全国紙を頼りにして、時事問題や世界に関する情報を得ていた。しかしインターネットによって状況は一変した。突如として、誰もがコンテンツを作成できるようになり、誰もがそのニュースについてブログを書けるようになった。しかし中国などの権威主義国家では、インターネットは最初から、厳しい統制下に置かれている。デジタル政治の専門家であるシャンティ・カラティルとテイラー・ボアズは、多くの政権がウエブへのアクセスを制限し、国内での利用を事細かに監視することで、それが持つ情報共有力を抑制しようとしてきたことをはっきりと証明している。彼らは「インターネットの［部分的］利用は権威主義的支配を強化し、多くの権威主義的政権では、国の考える利益に対抗するのではなく、それに奉仕するようなインターネットの開発が積極的に進められている」と指摘する。[27]

それでは、インターネットを通して情報へのアクセスを開放しているために、米国などの地域では、組織への信頼が低下したのだろうか？　一部の民主主義国家で信頼が着実に失われているのは、人々が大手メディアの束縛から解放され、過去の、しかしいまなお強力な、一対多型のメディアをコントロールしようとする動きに詳しくなったためなのだろうか？　インターネットは本当に民主主義の新時代の到来を告げるものだったのだろうか？　単に私たちは状況をもっと理解するようになったということなのか？

答えはイエスでもあり、ノーでもある。ピュー・リサーチ・センターやギャラップ社など多くの研究グループの分析によると、私たちは何が真実で何が真実でないのか、誰が信用でき、誰が信用できないのかについて、多くの混乱を乗り越えている最中だ。インターネットは、ビッグデータやアルゴリズム、ソーシャルメディアと共に、現実や信頼性に関する大きな疑問を生み出してきた。多くの人は、インターネットが情報の平等をもたらす救世主になるだろうと主張したが、それには、何者にも束縛されないインターネットは支配の道具にもなり得るという視点が抜け落ちていた。ウェブは、他のテクノロジーやツールと同様に、情報やアイデアを共有しようとする人々にとって手段となる。それはメディアであり、操作が可能だ。米国では、この新しいメディアに対する規制がほとんど存在していない。特にソーシャルメディアの政治的利用に関して、他の国や地域で厳しいウェブの規制が民主主義を損なうものであることがわかっているのと同様、米国の現状からは、規制がないことも民主主義にとって問題であると明らかになるかもしれない。

インターネットは、想像を絶する厚さと複雑さで積み重なったプログラムの層によって覆い隠されている。ソフトとハードで構成されたこの難解なシステムを理解するには、多種多様なプログラミング言語に精通するだけでなく、入り組んだガバナンスの体系を理解する能力も求められる。そのため、このシステムを解読する能力と資源を持つ人々がネットをコントロールする力の大半を握っている。しかも多くの場合、オンライン上の生活やあらゆる種類のデジタル情報の追求は、匿名性によってあいまいにされ、自動化によって増幅される。もちろん、インターネットや他の技術に備わるこうした機能には、問題だけでなく利点もある。民主主義の活動家はソーシャルメディアの匿名性を利用して、強権的な政権から逃れることができ、報道関係者はボットを使って、速報記事を発信することができる。しかしそうした利点さえ、欠点によって次々と帳消しになっている。インターネットは民主主義を弱体化させ、批判的思考と陰謀論を区別できないようにするためにも使われてきたのだ。

調査を進める際、私はよく人々に、どうやってオンラインニュースやソーシャルメディアのコンテンツが本物であるか、あるいは偽物であるかを判断しているのかと尋ねている。彼らは「科学的に分析する」から「自分の政治的見解に従う」までさまざまな回答をし、新しいメディアツールを使って多様な情報源にアクセスできることにも触れるが、一方で新しいサイトを探すよりも、定期的に同じサイトにアクセスする傾向があることも認める。こうした話を聞くと、みなが多種多様な新しい情報技術を使って、どのように情報を調べているのだろうかと疑問に思う。批判的思考と陰謀論は、同一線上にあるのだろうか？　この二つはかなり違うものだが、突き詰めて言えば、互いに関連する思考様式でもある。

批判的思考と陰謀論的思考は混同されやすい。どちらもアイデアや議論、出来事を「深く掘り下げる」ことに注力しており、少なくとも表面的には、何が事実や真実なのかを調べようとするものだ。コンピューター・プロパガンダについて講演すると、私が事実とフィクションをどう見分けているのかという質問をよく受ける。つまり、本当のニュースとフェイクニュースをどう区別しているのか、本当のニュースとは、主観的であったり、センセーショナルであったりすることが多いのではないか、と聞かれるのだ。それに対し、社会科学の訓練を受けた者として私はいつもこう答えている。証拠とデータ、出来事をじかに体験した人々へのインタビュー、そして客観的であろうとする努力が必要だ、と。しかし鋭い人は、インタビューの対象者がバイアスの影響を受けている可能性はないかと聞いてくる。あらゆる研究は、研究者やジャーナリストの価値観によって歪められたものではないのか？ ここまでくると話が複雑になり、人々は批判的思考の道から外れて、陰謀論的思考へと迷い込むことがある。

主に極右勢力の間で、オンライン上で広がっている陰謀論「Qアノン（QAnon）」を例に挙げよう。この陰謀論は、ドナルド・トランプ大統領と保守勢力に反対する隠れた政府内抵抗勢力「ディープ・ステート」[★13]の話を中心に展開されている。「Q」という名前を使う、匿名掲示板4chanのユーザー（Qは機密情報の取扱許可を持つことを示唆しており、それが匿名（anonymous）掲示板に書き込んでいるので「QAnon」というわけだ）が、トランプと米国政府を攻撃する勢力がいるという証拠をディープ・ステートが機密扱いにしたとにおわせる記事を同サイト上に投稿し、２０１7年秋から陰謀論を唱え始めた。たとえばQは、「ピザゲート」を蒸し返そうとし、多くのリベラルな米国の政治家たちが、ピザ店の地下室から逃げ出した児童買春組織に関わっていたと主張した。Qアノ

★13 選挙などを通じて正当に選ばれた「表の政府」の裏側で、影の存在が国を動かしているという考えで、日本語では「闇の政府」などと訳される。

ンの支持者たちは、ピザゲートをより大きな陰謀論である「ディープ・ステート」に結びつけようとし、この影の組織がバラク・オバマ、ヒラリー・クリントン、ジョージ・ソロスらに率いられているとした。彼らは自分たちの運動を「大覚醒」と呼び、「ディープ・ステート」のメンバーが非合法な極左の思想に導かれ、その嘘を隠すことに血眼になっていると主張した。こうしたQの訴えが抱える問題は、確かな証拠が決して示されないことだ。実際、Qアノンの陰謀論が広まるたびに、それを否定する強力な証拠が示された。

すべての陰謀論がフェイクであるとは限らないという点に注意する必要はあるが、陰謀論的思考にある特徴的な手法や目的には、欠陥があることを認識しなければならない。このような考え方は、「強力な勢力や集団は、その支配や強制力に関わるような秘密を隠そうとしている」という発想に突き動かされている傾向がある。こう考える人々は陰謀論が事実であってほしいと考えがちで、自分たちは常に、巧みに隠蔽された事実を暴こうとしているのだと思い込む。どれほど証拠――きわめて不利な証拠――がそろっていても、陰謀論者の主張を論破することはできない。もっとも単純な答えは、陰謀論者にとって答えにならないのだ。彼らは自らの主張と矛盾する証拠を受け入れるのを拒否するか、逆に自分たちの陰謀論に取り入れてしまうのである（それこそ手の込んだ策略なのだと主張するなどして）。

陰謀論はソーシャルメディア上を効果的に、そしてしばしば素早く広まっていく。匿名性によって、人々は公には発言しないはずの考えを表に出すことができ、またQは、謎のベールに包まれた陰謀という錯覚や、あるいは顔の見えない愛国者が何らかの怪物から民主主義を救おうとしているという幻想をまとうことができる。そしてQアノンのような陰謀論は、人間のグループに加え、自動化されたソーシャルメディア・ボットによって、インターネット（4chanからレディット、ツイッター、さらに他のもの）に植え付けられ、増幅される。ソーシャルメディア企業はこれまで、陰謀であれ合法的な政治的議論であれ、発言を監視することは避けてきた。またそうしたメッセージが人為的に拡散されるのを防ぐことも、ほとんどしてこなかった。そのため大した時間もかからずに、一般の人々が拡散されているメッセージを拾い上げ、メディアが報道を始め、完璧な陰謀論が誕生するのである。

陰謀論は人類の文明が誕生して以来、つまり権力と噂話が人々の会話に影響を与えるようになって以来、存在していたと言っても過言ではない。しかし現在、従来のメディアによって広まってきた陰謀論よりも拡散しやすく、より強力で、より広範囲に及ぶ陰謀論を、ソーシャルメディアは生み出すようになっている。

その影響はオフラインにも達する。世界中で、ソーシャルメディア発の陰謀論が拡散されると、それに暴力と死が続くという状況が生まれている。人々が自由に考えを議論できることは重要だが、その議論が暴力を扇動したり、憎悪を広めたり、中傷を長い間存続させたりするというのは良いことではないし、ほとんどの民主主義国では合法ではない。だからこそ、ソーシャルメディア企業はそうした情報の流れを止めなければならない。たとえば、特定の宗教や人種に対する暴力的な反応を引き起こすために、ありもしない「秘密」を持ち出すような陰謀論は、テレビと同じようにソーシャルメディア上でも許されるものではない。なにより、こうした問題のあるロジックを、暴力を誘発する意図で使った人々は、ソーシャルメディアから追放されて当局に起訴されるべきだ。

政策はどうなっているのか

ニュースの流れを守り、オンライン上での政治的なコミュニケーション（公明正大なものであれ、秘密裡なものであれ、操作されているものであれ）を統制するための法律はまったく不十分である。米国では２００６年、連邦選挙委員会が、オンラインでの政治活動をほとんど無視するというきわめて重大な決定を下した。[28]

彼らはオンライン政治広告だけが政治資金規正法の対象になると宣言した上に、たったこれだけの監視さえ十分に行ってこなかった。政府とソーシャルメディア企業はこれまで、1995年の通信品位法第230条に依存してきた——そして今でも依存している。[29] この条文は大幅に間違って解釈されているが、その意図は、ソーシャルメディアを使ってユーザーが行った主張に伴う法的責任をそのメディア企業から免除することだ。たとえばネオナチが反ユダヤ主義の書き込みをオンラインで行ったとしても、それを掲載している企業が罪に問われることはない。また米国政府は第230条に基づき、ネット系企業に対して、自社サイトにおける有害なコンテンツを検閲する権利を与えた。しかしきわめて重要なことに、言論の自由に関して厳しい決定を下す義務の大部分が企業に転嫁され、判断を誤った場合にも責任を問われない。

ソーシャルメディア企業は、暴力的な過激主義に関連するコンテンツを削除するという比較的わかりやすい手法を取ることもあったが、虚偽や政治的な嫌がらせを場当たり的に管理し、230条を、問題のある政治的コンテンツについてほとんど対応しない、あるいは何もしないでも許されるライセンスと見なした。さらに混乱するのが、経営幹部は自社が「真実の裁定者ではない」と主張し続けていることの根拠として、230条を引き合いに出したことだ。実際には、この法律は彼らに、自らのプラットフォーム上で裁定を行うライセンスを与えるものだったが、シリコンバレーに長く根付いているサイバーリバータリアン精神によって、彼らは行動しない方を選択した。彼らは倫理的な設計や、自らが提供するツールの政治的誤用を防ぐための手段についてあまり考慮せず（あってはならないことだ）、おそるべき速さでサイトを拡大させた。２０１６年以前、主要なソーシャルメディア企業のいずれも、デジタル・プロパガンダに対処するためのシステムをほとんど、あるいはまったく備えていなかった。現在はそうしたシステムが登場してきてはいるものの、それはその場しのぎと言うべきものだ。私が行ったインタビューの中で、フェイスブックの社員は自分たちの会社を「半分しかできていない飛行機で飛んでいる」と表現した。

米国政府、特に連邦選挙委員会（ＦＥＣ）、連邦通信委員会（ＦＣＣ）、連邦取引委員会（ＦＴＣ）は、ソーシャルメディアが民主主義の根幹となる考え方に対抗する手段として利用される可能性を考慮していない。これらの監督機関は、ソーシャルメディアが市民の健全な議論だけでなく、候補者の検討や投票の意思決定といった投票行動も損なう可能性を無視してきた。ＦＣＣとＦＥＣは、ソーシャルメディアが爆発的に普及したときに、電子メールの概念すらほとんど理解していなかったようだ。動きの遅い巨獣である政府は、ソーシャルメディアを規制することに惨敗を喫し、おかげでそうしたツールはすぐに世界中の人々からニュースを収集する主なメディアとして選ばれるようになった。米国政府とシリコンバレーは、控えめに言っても、厳格な倫理基準や用心よりもイノベーションを優先した。もっと率直に言ってしまえば、彼らは民主主義と引き替えに経済成長とユーザーの拡大を取ったのだ。メンローパーク、パロアルト、マウンテンビューといったハイテク企業が集まる地域で、ベンチャーキャピタリストやスタートアップ企業の従業員たちによって語られてきた「規模の拡大」という神話にも似た概念が、人権をめぐる懸念に勝利した。

世界に目を向けると、他の規制当局はデジタル・プロパガンダの問題に対処するために、より協調的で知見に基づいた取り組みを行っている。欧州連合（EU）と、ドイツをはじめとしたその加盟国の一部では、強引なやり方ではあるものの、国が主導して対応にあたっている。ドイツでは2018年に、ネット企業に対して自社のプラットフォーム上のヘイトスピーチを削除しなかった場合に罰金を科す（罪の内容に応じて最大5000万ユーロ）法律が施行された。さらに2019年には、フェイスブックの広告ビジネスを実行不能にする法律が可決された。[30] EUでは2018年春に、一般データ保護規則（GDPR）の適用が始まった。これは消費者に関するデータを保護する法律で、フェイスブックやツイッターといった企業に対し、ユーザーに関してどのようなデータを持っているか、またそれをどのように利用するかについて、よりオープンにすることを要求している。この法律は、個々の政治的嫌がらせやドキシング★14から、ソーシャルメディア上での政治広告販売に至るまで、さまざまな政治的デジタルコミュニケーションに影響を与えているが、しかしここでも、法律を制定した人々は、テクノロジーによって改革が骨抜きにされてしまう可能性を過小評価していた。

GDPRやブラジルのインターネット権利章典（「マルコ・シビル」）といった、データ時代特有の新たな問題に対応するためにEUやブラジルなどの国々で制定された現在の法律は、正しい方向に向かう動きではある。しかし一部の専門家は、それらの法律は大ざっぱであったり、強制力がない可能性があったり、あるいは検閲とほとんど変わらないと言って批判している。(31) ほかにも、政府は社会的問題という内出血に絆創膏を貼るような対応をしているという批判もある。こうした政府の対応は単純なものであり、問題がどのように発生し、どのような解決策が必要なのかを正しく理解していないというのだ。ランド研究所の研究員の言葉を借りれば、虚偽に対抗する現在の政策は、「真実という水鉄砲」を使い、「偽りという消火ホース」に立ち向かおうとするようなものである。(32)

政治家や技術者たちが歴史に目を向けていれば、メディアに起きたイノベーシ

★14　日本では「さらし」と称される、誰かを攻撃するためにその個人情報をネット上で公開する行為。

ヨンは大きな変化をもたらすことがわかっていただろう。たとえば中世に印刷機が登場すると、カトリック教会とプロテスタント教会の間で、２００年近くもプロパガンダ合戦が繰り広げられた。ソーシャルメディアでも、この種の対立が起きることは予見されていたが、そこではさらにコンピューター能力の向上、広範な匿名性、コミュニケーションの自動化という要素が加わっている。虚偽の拡散には長い歴史があるのに、権力者やコンピューター科学の第一線にいる人々はそれに耳を貸さなかった。今日、評論家も政治家も、「フェイク」ニュースについての議論を利用しているように感じられる。彼らは、二極化と不信の原因に対するインターネットの寄与についての恐怖と混乱を利用して、自らの関心事を進めようとしているのだ。その結果ソーシャルメディア企業は、自分たちが真実の裁定者ではないこと、つまり「自分たちはメディア企業ではなくテクノロジー企業である」ということを、規制当局や一般市民に納得させようと躍起になっている。彼らはこの戦いに負けつつあるが、政府にその代わりを務めるつもりはないようだ。

メディア指向の解決策

ソーシャルメディアが引き起こす社会的または政治的な問題の多くは現在進行中であるため、コンピューター・プロパガンダの問題に対するメディア指向、および政策指向の解決策に関する議論の多くは事後的である。ツイッターが政治ボットの問題に対処する間、ジャンクニュースは既に、自動化技術と人間のハイブリッドによって拡散されるようになっている。フェイスブックが自社プラットフォーム上での政治広告の範囲と規模を制限しようとしているときに、情報操作を企てる人々は既に、ユーザーと直接対話ができる「グループページ」[★15]やその他の機能に移行している。ユーチューブが陰謀論を主張する動画にユーザーたちを誘導しないようにしている一方で、ディープフェイク動画が急増している。

しかもこれらは、コンピューター・プロパガンダと戦うための「レガシーな」ソーシャルメディアによる取り組みに過ぎない。新しいソーシャルメディアや、暗号化されたチャットアプリ上では、嘘や偽情報はどのように拡散されるのだろうか？　新しいツールは、真実を操るためにどのように使われているのか？　フェイスブックが2014年にオキュラス[★16]を30億ドルで買収し、その間いくつか大きな動きが続いたが、VR（仮想現実）に関する過剰な喧伝は落ち着きつつある。(33)しかしVRは、さらに入手が容易になり、その形態も多様になっている。テクノロジー系企業への投資を行っている投資家のアンディ・カンパンが指摘するよう

★15　フェイスブックの一機能で、ユーザーが自由に開設できるページであり、特定のテーマについて参加者を限定した形でコミュニケーションすることができる。

★16　仮想現実に関する技術・製品開発を行っているスタートアップ企業。

に、「仮想現実市場は一般への普及に向けてゆっくりと進み続けていて、近々転換点を迎えることを示す具体的な指標もある[34]」。

ＶＲはいままでの技術のように、イノベーションの最前線としてもてはやされた後すぐに、世論をコントロールするツールとして見なされるようになるのだろうか？　ＶＲのソーシャルメディア・プラットフォーム上では、ニュースはどのように伝えられるようになるのか？　こうした新しいコミュニケーション技術に、進化し続ける機械学習チャットボットも組み込まれるのだろうか？　チャットボットが人間と同じ文章を書くだけでなく、人間のように見たり、音声を発したりするようになったらどうなるだろうか？　２０１６年はケンブリッジ・アナリティカとロシアによる不正操作だけの年ではなかったが、それは忘れられがちだ。オライリーメディアによれば、２０１６年はチャットボットの年でもあった[35]。マイクロソフト幹部のサティア・ナデラは、この年、ボットこそが新しいアプリだとまで主張した[36]。実際にチャットボットは、モバイル端末のインスタントメッセンジャーから、企業ウェブサイトのカスタマーサービス機能に至るまで、多くのチャット・アプリケーションのインフラに早くも組み込まれるようになった。それでは、次のトロイの木馬はどこに現れるのだろうか？

政策立案者や技術者は、将来を見据えて政策の立案や製品の設計をする時期に来ている。短期的には、簡単な修正を硬直的な政策とメディアツールに加えるという手もあるが、これはすぐに実行しなければならない。２０１９年の初めに、私と元ＦＥＣ委員長のアン・ラベル、選挙資金調査官のハムシニ・スリダランは、「デジタル詐欺」に対抗するための明確な原則と、実現可能な政策を解説した報告書を書いた。デジタル詐欺とは、「不透明なデジタル政治広告、悪意あるコンピューター・プロパガンダ、そして国内外の関係者が拡散している、米国の民主主義を不安定にする大量の偽情報の集合」を意味する。(37)

この報告書には、34の独自の政策提言を詳しく記した。その中には、ソーシャルメディア企業に大口の政治広告について情報開示を求める「正直な広告法案」のように、すでに米国議会に提案されているものの、何らかの理由で議論が滞っている法律も含まれている。他には通信品位法２３０条の改正や、法制面以外では、デジタル詐欺を広める悪者たちの収入源を絶つことなど、より斬新で議論を呼ぶものもある。そして現在および将来のデジタル技術の悪用に直面した際に、民主主義を保護するために役立つと著者らが信じる、六つの原則――透明性、説明責任、基準、調整、適応性、包括性――を提示している。これらは明確な法的救済策が備えている原則であり、現在のシステムへの修正と、将来のテクノロジーを対象とする予防法の両方にとって指針となるものだ。こうした考え方は、技術革新を抑制することを意図したものではないが、技術進歩よりも民主的自由を優先している。

もし技術者が、規制がイノベーションを阻害するのではないかと案じているのなら、それは見当違いだろう。グーグル、フェイスブック、マイクロソフト、アマゾン、アップルがそれぞれ検索、ソーシャルメディア、ソフトウェア、クラウド、ハードウェアの分野で独占的な地位を築いていることは揺るぎない事実だ。私の経験では、独占禁止法の問題を話題にすれば、テクノロジー企業の従業員はカンファレンスや非公開のミーティングの場からあっさり退席してしまうが、この話題を避けて通ることはできない。いま話しているのは、世界でもっとも利益を上げている企業というだけでなく、世界のデータやニュースの大部分を支配している企業でもあるのだ。１８９０年のシャーマン反トラスト法、同じく１９１４年のクレイトン反トラスト法、１９１４年の連邦取引委員会法という米国の公正競争を促進する三つの法律が制定されてから１００年以上が経過したが、いまこそこれらの法律を再検討し、新しいメディア企業に適用する時である。

多くの人々が、ソーシャルメディア・ボットを禁止すれば、オンライン上でプロパガンダが増幅されるという問題に対処できると提言している。２０１８年、ダイアン・ファインスタイン上院議員は「ボットの情報公開と責任に関する法」

を議会に提案した。この法案の意図はこうだ。

米国憲法修正第1条に基づき、ソーシャルメディア上で人間の行動を模倣したり複製したりすることを目的とした、自動化されたソフトウェアの使用を規制することによって、異なる情報源からニュースや情報を受け取るという米国民の権利を保護する。

本書執筆時点で、法案は上院商業委員会で行き詰まっている。ファインスタイン議員の法案は正しい方向への一歩だが、狙いが広すぎる。まだ生まれていないプラットフォーム上でソーシャルメディア・ボットを禁止するのであれば可能かもしれないが、ボットがインフラとなっているツイッターのようなサイトではほぼ不可能だ。増幅の問題に本当に取り組むために、政治家とテクノロジー企業は、情報の流れの操作という問題に目を向けるべきである。さまざまな指標（ネットワークや時間、コンテンツに関するものなど）を使用して、ある政治運動が草の根（一般の人々から生まれたもの）なのか、アストロターフ（違法な行為者から生まれたもの）なのかを追跡することができる。ソーシャルメディア上で組織的に行動する人間のアカウントの一群は、ボットと同じくらい成功することが多く、政治的な目的のために偽情報の種を蒔くことについては、ボット以上に成功する可能性がある。では、1日に可能な投稿の数を制限したり、特定のトピックに関する投稿数を制限してはどうだろうか？

この二つの提案は、プラットフォーム上での言論の自由を脅かしかねないため、ただの掛け声だと言わざるを得ない。このようなプロパガンダの抑制策は、第二次世界大戦以来「有害な」発言を禁止してきた歴史を持つドイツのような国では成功するかもしれないが、米国では支持を得るのに苦労するだろう。しかし規制当局もメディア企業も、ヘイトスピーチを抑制する方法を見つけなければならない。現在、ヘイトスピーチに関する法律をオンラインに適用しようとする試みは、深刻な問題に直面している。ツイッターやレディットなど多くのソーシャルメディア・プラットフォームでは、ヘイトスピーチが匿名で行われている上、少数派を保護するために作られたこれらの法律に対してさえ、「ヘイトスピーチ」には普遍的な定義がないため言論の自由に反していると、多くの評論家や一般の人々が主張しているのだ。2018年には、元ACLU（米国自由人権協会）会長のナディーン・ストロッセンによる『ヘイト――なぜ検閲ではなく、言論の自由で立ち向かうべきなのか[★17]』という本まで出版されている。(38)

しかし暴力を助長したり、投票を妨げたりするようなコンテンツを禁止する方

★17 HATE: Why We Should Resist It with Free Speech, Not Censorship（未邦訳）

が簡単だ（私はコンピューター・プロパガンダに関する研究を進めるなかで、フェイスブック、ツイッター、ユーチューブ、レディット、インスタグラム、アマゾンのレビューについて、記事の分類を行い、この両方の種類のコンテンツに出くわしたことがある）。フェイスブックは2018年の米国中間選挙を前に、有権者を操作するような試みを防ごうとしたが、しかしそうしたソーシャルメディア企業による断片的な対応は、たとえそれが大規模なものであったとしても、それだけでは効果的に問題に対処できない。(39) 投票を阻害する活動は、複数のソーシャルメディア・プラットフォームや他のウェブサイトにまたがっているため、企業による自主規制の試みは全体として調和がとれていなければならない。また企業の自主規制だけでは、変化を持続させることができない。政府も行動しなければならないのだ。米国をはじめとする各国の法執行機関は、投票を阻害するようなオンライン上での活動の一部に歯止めをかける手段を持ち得るかもしれない。それは専門家が指摘するように、そうした活動の多くが国内発のものだからだ。(40) 暴力的なコンテンツを防ぐのは、他と比較すれば容易だと言えるが、政府当局にとってさえ、匿名または暗号化されたウェブサイトやアプリケーションを追跡するのは難しい。ピッツバーグ州のユダヤ教礼拝所で銃乱射事件が起きた際、犯人がその直前にギャブ★18にコメントを書き込んでいたことは、そうした多くの事例の

★18　2016年に立ち上げられたSNSで、「言論の自由」を標榜してコンテンツを取り締まらなかったために、極右派が集うようになっていた。

一つだ。

マルコ・シビルやGDPRなどの法律では、ユーザーデータの収集を制限しようとしているが、この点に関してはまだ道のりは長い。ソーシャルメディア企業やその他無数のテクノロジー企業は、結局のところデータ企業なのだ。巨大なSNSプラットフォームや検索エンジンのほとんどは、ユーザーへのリーチとユーザーデータへのアクセスを販売することで利益を得ている。たとえば2018年後半にニューヨークタイムズ紙が報じたところによると、フェイスブックは何年にもわたり、150社以上の企業「パートナー」に対して、ユーザーの個人データへの特別なアクセスを提供してきた。その中には個人的なメッセージも含まれ、しかもそれは、ユーザーの明確な同意なしに行われていた。[41] その一方で企業は、言論の自由を守るために虚偽情報を止めることはしない、あるいはできないと主張し、他方では、ユーザーのプライバシーを守るために対策を講じていると主張する。その裏で、そうした企業は利益のためにユーザーデータを販売しているのである。それなのに、フォーブス誌から新進気鋭の保守系評論家アメリア・アーバインに至るまで、最善の道は自主規制か、規制を一切しないことだと論じる者もいる。[42]

数十億ドル規模の企業、無責任な政府、利益団体、テクノロジー投資家に、コンピューター・プロパガンダ蔓延の責任の大部分がある。グーグルとフェイスブックはブレーキのないクルマを作った。さらに比喩を続けるなら、そのクルマにはミラーも付いていない。世界中の政策立案者は、デジタル詐欺の増加を無視し、多くの人々がそれによって利益を得た。顔の見えない組織が、営利目的のオンライン偽情報キャンペーンを立ち上げ、そうした活動に資金を提供した団体もある。投資家たちは、そうしたスタートアップが何を作ろうとしているのか、あるいはそれが真実を破壊するために使われる可能性があるのかを考えずに、若い起業家たちに資金を提供した。

　コンピューター・プロパガンダがもたらす世界的なジレンマは、決して「テクノロジーを使うユーザーは自己責任で何とかすべきだ」と言えるような状況ではない。オンラインやソーシャルメディアを利用する一般の人々は、確かに現在の問題がもたらした副産物に対処する上で重要な役割を担っているが、問題が生じたのは彼らだけのせいではないのである。

4 人工知能——救いか破滅か?

ザッカーバーグのマクガフィン

2018年4月、フェイスブックの創業者でCEOのマーク・ザッカーバーグはワシントンDCで議員たちの前に現れ、フェイスブックのデータポリシーについて述べた。議会が彼の証言を求めたのは、同社がユーザーの個人情報をどのように利用したかを説明させるためだった。フェイスブックは個人情報を保護したのか? 内部での利用に限定していたのか? それとも販売したのか? 選挙期間中に売ったのか? 外国の組織に売ったのか? しかしこの騒動が暗黙のうちに、とはいえかなり明確に示していたのは、2016年の大統領選挙の際にフェイスブックがユーザー情報の取扱いを適切に行わなかったために、ザッカーバーグが政治的な糾弾を受ける立場に立たされたということだった。

またザッカーバーグは、選挙の前後と最中に「フェイク」ニュースがネット上で拡散したことに関連した、他のさまざまな問題についても説明を求められた。ケンブリッジ・アナリティカはどうやって5000万人もの米国人ユーザーのフェイスブックのデータを入手したのか？　ロシア政府はどうやってフェイスブックを操って陰謀論を広め、投票者を分裂させたのか？

ザッカーバーグはワシントンDCに現れた頃には、フェイスブックが選挙期間中に偽情報を拡散し、ユーザーデータを不正に扱っていたという非難を当初は軽くあしらっていたことについて、公に謝罪の意を示すようになっていた。しかしトランプが当選した直後、ザッカーバーグはフェイスブックが政治問題を引き起こしていたのではないかという疑惑に対して、否定的な考えを示していた。「個人的には、フェイスブック上のフェイクニュースが……何らかの形で選挙に影響を与えたという意見は、きわめてクレイジーだと思います」と彼は語っている。[1] 数日後にはさらに踏み込んで、ジャンクニュースが有権者や世論に何らかの影響を与えたというのは「まったくもって、あり得ない」と述べた。[2] しかし2017年から、公聴会が行われた2018年にかけて、ザッカーバーグはニューヨークタイムズ紙が「公式謝罪ツアー」と呼んだものを行うこととなった。[3] けっきょく彼は、フェイクニュースが重要な影響を及ぼしたという指摘を「クレイジー」と一蹴したことについて謝罪し、この発言を後悔していると語った。(4) フェイスブックへの非難に対するザッカーバーグの反応は、まるで死の受容のプロセス★1を経ているかのようだった。ザッカーバーグにとって、議会への出席は事実関係をはっきりさせるチャンスだった。

この一件の後、ニュースでの報道とソーシャルメディア上で起きた議論では、議会がソーシャルメディアとインターネットの基本的な機能すら理解していなかったことに焦点が当てられた。委員会のメンバーがフェイスブックのCEOに投げかけた質問の多くは、噴き出してしまうものであると同時に、恐ろしいほど無知なものだった。リンゼー・グラム上院議員（サウスカロライナ州選出共和党）はザッカーバーグに対し、「ツイッターも同じサービスをしているのか？」と尋ねた。ブライアン・シャッツ上院議員（ハワイ選出民主党）の質問は、「私がワッツアップでメールを送信したら（中略）それが広告主に通知されるのか？」だった。(5) なかでも滑稽だったのは共和党の上院議員で、ユタ州選出のオリン・ハッチだった。スタッフからこの公聴会のテーマについて何の説明も受けていないようだった彼は、「では、ユーザーが料金を払わないビジネスモデルをどう維持しているんだ？」と尋ねた。「広告を売っています」と答えたザッカーバーグは、

★1　精神科医のエリザベス・キューブラー＝ロスによる理論で、人が死を受容するプロセスには五つの段階があるとし、それを「否認」「怒り」「取り引き」「抑うつ」「受容」と称した。

必死で笑うのをこらえていた。そもそも議題は広告についてであり、広告とユーザーのターゲティングとの関係が、この事件全体の焦点になっていたというのに。

私も議員たちのピントのずれた質問に頭を抱えたが、注意を引かれたのは別の点だった。ザッカーバーグは2回の議会証言の中で、30回以上もＡＩ（人工知能）技術に言及したのである。[6]ただ言及するだけでなく、膨大なコンピューター・プロパガンダに対抗するプログラムを用意することで、ＡＩがデジタル偽情報問題の解決策になるだろうと示唆し、さらにＡＩは今後10年間で、世界的なジャンクコンテンツやオンライン上での政治的な世論操作の広がり（これはフェイスブックのようなテクノロジー企業が生み出した問題なのだが）に、フェイスブックをはじめとした企業が対処しようとしたときに直面する、規模の問題に対する救世主になるだろうと予測した。彼は「長期的には、ＡＩツールを構築することが、この有害なコンテンツを特定して根絶するという作業を大規模な形で行えるようにする方法になるでしょう」と語った。[7]しかしザッカーバーグは、ＡＩがこのマジックをどう実現するかについて詳しくは語らなかった。コーネル大学で法学の教授を務める専門家は、この点をとらえてワシントンポスト紙に次のように語っている。

ジェームス・グリメルマンは、「AIはザッカーバーグのマクガフィン[★2]だ」と述べた。彼が使ったこの言葉は、映画用語でストーリーを進めるためにどこからともなく出てくる、ほとんど意味のない小道具を意味する。「それでフェイスブックの問題は解決しないが、他の誰かに責任を取らせるというザッカーバーグの問題は解決する[(8)]」

確かにAIツールは、オンライン上の偽情報の拡散との戦いに貢献するだろう。しかしフェイスブックの現在のAIツールだけでは、偽情報に効果的に対処することはできない。

ボットからスマートマシンへ

近い将来、こんなことが起こるだろう。ある日あなたがお気に入りのSNSにログインすると、フォロワーが大勢増えていることに気づく。これまで1日にこれほど多くのフォロワーを獲得したことはない。彼らのプロフィールを見ると、一見あなたと同じ職業のように見える人もいれば、いわゆる一般人に見える人もいる。前の日にオンラインで共有したネタがうけたのだろうか？　あるいはこの

★2　映画監督のアルフレッド・ヒッチコックがつくった言葉で、たとえば主人公が追う財宝のように、物語を先に進める役割を果たすが、それを別の何かに置き換えても支障のないものを指す。

新しいフォロワーたちは、業界でのネットワークを構築しようとしているか、あるいは新しい仕事を見つけようとしているのだろうか？　彼らのプロフィール写真と過去の投稿はいたって普通で、新しいフォロワーについてただちに疑わしいと感じられるものは何もない。

数日から数週間のうちに、新しいフォロワーたちは、あなたがSNSに投稿したものを好きになり始める。彼らはあなたが投稿した記事を共有したり、あなたが言ったことにコメントしたり、あなたとチャットしたりもする。大半は仕事の話題だ。彼らのことをよく知るようになり、さらにはオンライン上の友達であるかのようにすら感じるようになる。仕事の話をして、自分のキャリアや職場についての考えを共有する。社会的なつながりや、仕事の地盤をつくろうと努力するうちに、あなたは知らず知らず情報を共有していく。そして、そうした情報の中には機密事項だったり、会社に所有権があると見なされたりするものが含まれているかもしれない。

問題は、彼らがあなたの友人ではないという点だ。人間ですらない。それは人工知能を使って開発されたボットなのである。特定の企業で働く人々から情報を集めることを意図して作られ、あなたのような人々について学習し、チャットして、すべての会話を細部に至るまで巨大なデータベースに蓄積する。最終的には、このアカウントを運営する人々（企業に対するソーシャルリスニング[★3]を専門とする企業に勤務する人々）が、ＡＩボットが学んだことを雇い主に報告し始める。彼らはあなたが語ったことを、あなたの上司と共有する。守秘義務に違反したからという理由で解雇されるかもしれない。あなたは騙されたわけだが、上司はすぐに、自分たちのしたことは違法ではないと言うだろう。彼らはあなたが会社のパソコンを使ってしていたコミュニケーションを監視しただけだ――それでソーシャルメディアを使うなどということは、すべきではなかったのだ。

この仮定の話は突飛なものに感じられるだろう。ソーシャルメディア上で「スマートな（賢い）」ボットに騙されることなど、あり得ないように思われる。その一方で、この話は奇妙なことに、馴染み深いものでもある。職場のコンピューター上で従業員の行動を監視することは、雇用主の間でかなり一般的に行われている。それに加え、世界中の人々が単純なボット――ＡＩを使ったものですらない――に騙されていることも本書で見てきた。人々はボットが拡散した記事を共有し、知らないうちにツイッターやレディット上で議論までしているのだ。同時に、ＡＩは急速に進歩し、安価に使えるようになっている。ＡＩは以前から存在していたが、現在では広く一般に利用できるようになった。政治家や、世論を操作しようとする人々は、ＡＩに注目している。政府やソーシャルメディア企業が

★３　ソーシャルメディア上でユーザーたちが投稿しているコンテンツのデータを収集・分析し、得られた知見をマーケティング等に利用する手法。

何もしなければ、今後数年のうちにＡＩボットは職歴から居住地、信仰など、あらゆる情報に基づいて有権者をターゲティングするために利用されるようになるだろう。

　本章では、ＡＩと、それがコンピューター・プロパガンダの拡散、およびその反対の封じ込めに果たす役割について考える。また程度を問わず、ＡＩを活用している政治ボットについて見ていく。しかし、もっとも重要な論点は、スマートな技術システムと人間がいま既にどのように相互作用しているか、そしてそれが今後どのようになっていくかだ。ＡＩはどのようにプロパガンダを拡散するのか？　逆にそれと戦うために使えないか？　またその他の操作的な行為や、偽情報の拡散といった目的のためにどのように使われるのか？　そのような状況に対応するために、テクノロジー企業や政策立案者は何をしているのだろうか？　逆に何をしていないのか？　世界各国のフェイスブックやグーグルに相当する企業は、テクノロジーの悪用を防ぐためにできる限りのことをしているかもしれないが、それでも十分ではないのである。

　はっきりさせておこう。こうした強大な企業は、技術的にもそれ以外の面から見ても、最善を尽くしているとはとても言えない。結局のところテクノロジー企業は、利益と成長の二つに集中している。利益をあげたいとか、会社の規模を拡大したいとかいった願望には、本質的に悪い点は何もないが、そうした利益が集団の自由よりも優先されると問題が起きる。

またテクノロジー企業は、偽情報の影響を抑えようとする一方で、偽情報を助長するおそれのある新しいツールを開発している。たとえばセールスフォースとマイクロソフトは、AIを使ってニュース記事を要約するソフトウェア製品を開発している。[9] グーグルはウィキペディアの記事を書ける機械学習ボットを作り上げた。[10] これらの製品が悪用されるおそれは非常に大きく、情報が誤って受け取られた場合の影響は致命的なものになる可能性がある。「私たちは真実の裁定者ではない」というテクノロジー企業の言い訳もここまでだ。こうした新しいテクノロジーは、新聞社が存続をかけて取り組んでいるペイウォール[★4]を出し抜くのに利用されるだけでなく、テクノロジー企業が現在の出来事に優先順位を付けたり、誤訳したり、曲解したりする可能性が今後もあることを露呈している。

こう言うと暗澹（あんたん）たる思いになるかもしれないが、技術的なアプローチだけでは、世界の人々が直面する複雑な問題を解決することはできない。私たちは日常生活の大半が依然としてオフラインで行われていることを認識し、社会の分裂に対処して、正していかなければならない。また少数民族や宗教的マイノリティー、有色人種、女性、障害者など、権力構造の中で特に不利な立場に置かれてきた人々

★4　ニュースサイト等で有料コンテンツを用意し、料金を払ったユーザーのみ閲覧可能にすることを、壁（ウォール）で守ることになぞらえた表現。

に力を与える社会プログラムに投資する必要がある。あなたがどんな政治的信念を持っていようと、こうした人々は民主主義が機能する上で絶対的に不可欠なのだ。私たちは社会の力や、多様性と公平性が持つ力を駆使して、多数派の政治や文化において発言権を持たない人々を食い物にするテクノロジーや社会システムに変化を起こさなければならない。

こうしたテクノロジーの利用は米国社会を揺さぶっている一方で、発展途上国や、社会的・政治的制約にもっとも苦しめられている集団（少数民族や恵まれない人々）にとっては、さらに有害だ。というよりも、そもそもそうした社会的・政治的制約が存在するからこそ、ソーシャルメディアや先端技術を世論操作に使うことが可能なのだ。伝統的な赤線引き（人種や民族を理由にサービス提供を拒むこと）は依然として世界中で起きているが、いまやテクノロジーの助けを借りて、人種や民族に応じてオンライン上の特定のコンテンツにフィルタリングをかけるという、「デジタル赤線引き」とでも呼ぶべき補完行為まで行われるようになっている。テクノロジー企業の役員というごく少数の人々が、世界でもっとも裕福な人々の仲間入りを果たしているのは、それが一つの理由でもある。

ニュースサイト、ビジネスインサイダーの２０１６年の記事によると、テクノロジー界でもっともリッチな13人の人物は、合計で４５００億ドル分もの資産を所有している。[11] 世界銀行によれば、この額は一大金融都市国家であるシンガポールの国内総生産（ＧＤＰ）よりも１０００億ドル以上多い。[12] シンガポールといえば、エコノミスト誌の調査部門であるエコノミスト・インテリジェンス・ユニットが、２０１３年から18年まで5年間連続で「世界でもっとも物価の高い都市」にランク付けしたほどの地域だ。この少数の億万長者たちが、利益や成長よりも民主主義と真実を優先し、富裕層の利益よりも恵まれない人々のニーズを優先すると思い込むのは、都合がよすぎる。少数の富裕層の願望とは無関係に、民主主義と平等を尊重するシステムが必要である。

社会を良くすることは、テクノロジー企業の責任ではないと主張する人もいるかもしれない。私はこの意見に賛同しない。テクノロジー関連かどうかにかかわらず、企業の社会的責任（ＣＳＲ）がここ数年、ビジネスの世界で勢いを増している。どこまでＣＳＲに含まれるのかについて、考え方が進化しているのだ。たとえばインディアナ大学のビジネス法と倫理学の教授であるスコット・シャッケルフォードは、プライバシー保護はＣＳＲの一部であるべきだという説得力のある主張をしている。[13]「仮にフェイスブックがプライバシーとセキュリティをインターネットへのアクセスと同様に奪うことのできない人権であるとし、その両方に対する後押しを宣言すれば、米国や世界中の政策立案者から強いられる前に、同社もそれを始めやすくなるだろう」と彼は書いている。

政策立案者、テクノロジー企業、そして社会そのものが、デジタル時代に向けて民主主義を再構築する上でそれぞれの責任を負っている。彼らが壊したもの（あるいは壊れてしまうまで無視していたもの）を修復する責任をいちばん負っているのは、ツールを作ったテクノロジー企業と、メディアの規制を担当する政策立案者だ。人々に責任を負わせるのは社会の役目だろう。選挙で選ばれた指導者たちに対して、企業のロビイストの利益ではなく、社会の利益を最大にするために行動するように強く働きかけることは、いまも大きな意味がある。技術を悪用することで生じる問題を解決する方法はいろいろとあるが、組織化された社会には依然として力がある。私たちが必要としているのは、「特効薬」のような技術ではなく、コンピューター・プロパガンダや偽情報に対応するための体系的な取り組みだ。ＡＩは革新的で絶えず変化する技術かもしれないが、ザッカーバーグが何を言おうと、それだけで問題を解決することはできない。

ユーザーの問題？

改めて考えてみてほしい。人々はソーシャルメディアを毎日使い、それはときに長時間に及ぶ。彼らはフェイスブックにログインして、家族や友人が何に興味を持っているのかを知ったり、趣味に関する会話に参加したり、グループページで政治的問題を議論したりする。日常生活の様子をインスタグラムに投稿し、またその検索機能やレコメンデーション機能を通じて、投稿されている暮らしやニュース、旅行、健康に関する写真を眺める。ツイッターを使って、いま起きていることについてメッセージを送ったり、世界中の出来事を報じているジャーナリストをフォローしたりする。人々はテレビやラジオといった多くの伝統的なメディアを視聴するよりも長い時間を、ソーシャルメディア上で費やす。いまやそうしたプラットフォームは、人々が社会とつながり、公的な生活を送る場所になっている。

こうした行動をする中で、ユーザーはさまざまな広告を目にすることになる。最新の玩具や家具、エンターテインメントなどの、そうした広告の多くは、他のウェブサイト上で行った検索の内容と連動している。またユーザーは、政治広告にもさらされる。特定の政治家をターゲットにした中傷広告もあれば、特定の主張を支持したり、別の主張を攻撃したりする広告もある。広告の中には、特定の候補や主張がなぜ良いか、なぜ悪いのかを説明する事実を伝えるというニュース記事にリンクしていたりもする。しかしそうした記事をよく見てみると、内容が主観的であるだけでなく、まったく事実ではないことがわかる。噂や自己主張に満ちたこれらの記事は、ニュースに見せかけたプロパガンダなのだ。そして奇妙なことに、そうした記事へと導く広告には、誰が広告料を払ったのかは書かれていない。誰がなぜ偽記事を書いたのか、ユーザーにはわからない。こうした攻撃の背後に誰がいるのか見えないのである。スーパーPACや関連団体の影が見え隠れするも、その名前がはっきり示されることはない。ユーザーはこれらの広告に関して限られた情報しか与えられないだけでなく、おそらくそれを意識することすらない。一方でユーザーは、そうした広告を複数のプラットフォーム上でほぼ毎日見ている。

このようなシナリオを、過去数年間にソーシャルメディアを利用した何万、何億という人々が経験してきた。人々は献金を促したり、特定の候補へ投票させたり、何らかの噂を信じさせたりしようとする政治団体に騙されたのである。そうした人々に狙いを定めていた外国政府は、ソーシャルメディア企業に対して何らかの登録作業を行ったり、詳しい情報を提供したりする必要なく、広告を購入して偽の政治団体のページを立ち上げることができた。ユーザーは、ある情報が誰をターゲットにしているかについてほとんど、あるいはまったく知らず、ソーシャルメディアのニュースフィード★5やトレンドを決定するアルゴリズムが、特定の

★5　ソーシャルメディア上で、友人の投稿や参加しているグループのお知らせ等が表示されるコーナーで、一定のアルゴリズムに基づいて表示されるコンテンツの選択や表示順の決定が行われている。

種類の情報をどのように優先順位付けしているのかについても理解していなかった。彼らに提示されていたのは、個人情報を利用しようとしている企業や団体にそれを販売することを長々と記した、不透明なサービス条項だった。

この問題の関係者、特にテクノロジー業界のリーダーや政治家が話をする際、オンライン上の偽情報は「ユーザーの問題」だと言うのが一般的になっている。いずれかの領域のリーダーがこのような発言をしているとき、彼らは責任転嫁をしている。つまりこの問題についてもっとも責任を持つ人々が、その解決策はユーザー（数多くの不公正で違法な行為に騙された普通の人々）自身が問題点を正すことだと主張しているのだ。自分たちがすべきなのは、人々にあと少し情報を与えることだけである、と彼らは言う。それはたとえば、ＡＩでボットを検出するプラグインや、機械学習を使ったフェイクニュース計測機、コンテンツのランクを下げるディープラーニング・システムなどだ。つまり、ユーザーは自らを修正する必要があるというのである。しかし一般の人々は、情報に過剰にさらされているだけでなく、詐欺の被害者でもある。彼らはソーシャルメディア企業の先見性の欠如、デジタル広告主の愚かさ、悪意のある政治団体の犠牲になっている。「それはユーザーの問題」という主張には無理があり、さまざまな理由から問題がある。そうすることで一般市民に責任を負わせているが、彼らはデータとアテンションを使って儲けている巨大企業に利用されている被害者で、その上、上院議員のグラムやハッチのようなラッダイト[★7]的政治家に失望させられてもいるのだ。一般人の個人情報は、ソーシャルメディア企業によって、顔の見えない政治キャンペーンや悪意のある団体に販売されている。それなのに、広告主の名前は明かされず、彼らは何の責任も負っていない。自主規制だけでは不十分だ。フェイスブックとグーグルは、単に独自の「正直な広告」ポリシーを導入するだけでは、とうてい問題を解決しているなどと主張できない。彼らはそれを解決するために何の貢献もしていない。

要するに、ソーシャルメディアやインターネットの設計と管理に関する、現実の決断（あるいは意思決定の欠如）が、ジャンクニュースや偽情報のデジタル的な拡散を可能にしたのである。ユーチューブやフェイスブック、ツイッターは、情報をまさに現実のように管理し、パッケージ化する。ユーザーに対し、何をいつ表示するかを決定しているのだから、彼らにはその情報に対する責任がある。それと同時に、選挙期間中のインターネット利用を管理する意欲や能力が彼らにないことが、デジタル詐欺の蔓延を招いている。米連邦選挙委員会や他の国々の選挙監視団体が、デジタル上での政治コミュニケーションを適切に規制できていたのは、もはや過去の話だ。

（本文冒頭「ンションを使って」の「ン」に★6）

★6　注意や注目といった意味の英単語で、転じてウェブ分析やマーケティング等の分野では、人々が自社サイトや製品／サービスに向けてくれる関心を意味する。

★7　一八一〇年代の英国において、機械の普及により職が失われると恐れた労働者たちが、機械を破壊するという行動を起こした。これをラッダイト運動と呼び、現在でも機械や新たなテクノロジーを排斥しようとする思想を「ラッダイト」と称することがある。

単純なボット

ツイッターにログインして人気の投稿を見ると、ボットのアカウントがそれに対して「いいね」やコメントをしているのに気づくだろう。ツイッター社が自社のプラットフォーム上でのボット利用行為を防ごうとして、さまざまな変更を加えているにもかかわらず、である。そうしたアカウントをクリックしてみると、短い時間に何度もツイートしていることがわかる。スパムに近い内容を投稿している場合もある――ジャンク情報を売り込んだり、デジタル・ウイルスをばら撒いたりしているのだ。それ以外のアカウント、特に一定のニュース記事や政治的意見に対して意味不明な悪口を投稿するボットのアカウントは、完全に政治に関連するものだ。そうしたボットの大部分は、AIを利用した自動人形というより単純なボットで、他のアカウントが特定のハッシュタグを使ったり、特定のアカウントに関するツイートを投稿したりするのに反応して、同じ攻撃的なコンテンツを繰り返し拡散するように作られている。

コンピューター・プロパガンダと、いま起きている偽情報の洪水の両方が、高度なコンピューター科学によって引き起こされていると捉える傾向がある。私は普通の人たちと話をする中で、機械学習やAIを使ったアルゴリズムによって、政治ボットのようなツールが周囲から学び、人間と高度なやり取りをできるようになると信じている人々に大勢会ってきた。２０１６年の選挙の後、評論家やジャーナリストたちがこの状況に油を注いだ。私たちを支配するようなロボットが既に存在することを示唆した記事に、私の研究も引用されたし、この手の記事は無数に書かれている。

２０１７年、ニュース系スタートアップ企業、スカウトは「ＡＩプロパガンダ・マシンの武器化」に関する、きわめて挑発的な記事を掲載した。[14] 数か月後、学術色の強いニュースサイトであるカンバセーションが同様の記事を載せ、それが後に英国の新聞であるインディペンデントに転載され、同紙は「人工知能が民主主義を征服した」と主張した。[15] 同じ頃、この記事を書いたオックスフォードの博士課程の学生バチェスラフ・ポロンスキーは、同様の記事を外交問題評議会のブログ、ネットポリティクス向けに書いている。その中で彼は、「人工知能には民主主義を破壊する力か、あるいは救う力がある」と論じた。[16]

しかし実際には、人工知能のような複雑なメカニズムは、これまでのところコンピューター・プロパガンダには大した役割を果たしていない。私が同僚と共に分類した、政治ボットを使ったキャンペーンは、自動化されているものの知性を感じるものはほとんどなかった。私がケンブリッジ・アナリティカに関して目にしたあらゆる証拠から示唆されるのは、同社は２０１６年の米国の選挙期間中に「サイコグラフィックス」を用いたＡＩツールを活用したと主張しているが、実際にはそれは使われていなかったということだ。[17] オックスフォードでは、ブレグジットをめぐる議論中にツイッターボットがどのように使われたかを調査した。[18] するとＥＵ離脱支持のメッセージを拡散するために、多くの政治ボットが使われていることが判明した。しかし私たちが見つけた自動アカウントの大部分は非常に単純で、会話する機能はなく、他人が投稿したコンテンツをリツイートしたり、単なるノイズを生成したりしていた。そしてＡＩは利用されていなかった。米国のシンクタンクである未来研究所（ＩＦＴＦ）のデジタル・インテリジェンス・ラボで行われた、トルコやベネズエラ、エクアドルなどでの政治的イベントにおけるボットの使用をテーマとした調査では、ジャーナリストやシビル・ソサイエティー★8のリーダーを標的として、繰り返し嫌がらせをするようプログラムされたボットが発見された。こうした自動化されたソーシャルメディア・アカウントは、ＡＩが組み込まれたものではなく、単に自動的に繰り返しヘイトをぶつけることで、犠牲者を打ちのめしていたのである。

　私が長年にわたって研究してきたコンピューター・プロパガンダの事例のほぼすべてが、非常に単純な動作を示すものだった。政治ボットと偽情報が重要な役

★8　政府や企業などから独立した立場の民間非営利団体で、人権や環境といった社会問題に取り組む組織を指す。

割を果たした、と現在では研究者たちによって考えられている政治的イベント（ブレグジットをめぐる国民投票や、２０１６年の米大統領選挙、クリミア危機など）の間でも、賢いＡＩツールが政治的な議論を操作する上で何らかの役割を果たしたという例はほとんどない。そうしたイベントで行われていたオンラインのコミュニケーションは、単に「いいね」やフォローをしたり、リンクを拡散したり、トレンドを捻じ曲げたり、反対派を荒らしたりすることを目的とした、初歩的なボットの影響を受けて変化していった。それはミームとバイラルの仕組みを理解し、ネット上で陰謀論を広めてそれが成長するのを見守る小さなグループによって、いいように変えられてしまっていたのである。人々の間の議論は、ボットが生み出した簡単なスパムやノイズによって妨害された。そうしたコンテンツには、会話が成立しなくなるよう、特定のハッシュタグが意図的に付けられていた。政治家についての偏向した記事へのリンクが、偽のアカウントや誰かの代理で動くアカウントによって拡散され、コンテンツの投稿や再投稿によって同じジャンク情報が繰り返し流された。世論を操作しようとするグループは、大勢の人々が集まるフェイスブック・グループにジャンクニュースを撒き散らし、事態が悪化するに任せた。

　つまり、そうした個人やグループは、世論をハッキングするために高度な会話型ＡＩは必要ないことに気づいたのである。ＡＩソフトウェアは高価なだけでなく、最近まで入手困難だった。プロパガンダ行為者たちは、ごく初歩的な政治ボットを使ってソーシャルメディアのトレンド・アルゴリズムを圧倒することで、真実を捻じ曲げることができた。彼らはソーシャルメディア・サイトが、少なくとも初期の段階では、人気を判断するために単純な数値に基づく判定基準を使っていることに気づいた。そのため豊富な資源を持たなくても、人気のない記事や政治的ミームにさも人気があるかのように見せかけることができた。とはいえ歴史的に見ると、政府やその他の強力な政治関連のグループが、もっとも大規模で持続される政治ボット軍（先端技術が使われているものもそうでないものも）をつくり上げてきた。

金を持つデジタル・プロパガンダ行為者は、より複雑で微妙なニュアンスを含むメッセージをオンライン上で送る必要があるときには、人間にお金を払ってきた。たとえばハーバード大学のゲイリー・キングとスタンフォード大学のジェニファー・パンが行った研究によれば、中国の五毛党（中国共産党を大げさに肯定する情報をネットで拡散していることで知られる）は、ボットではなく何万人もの人々を動員して政治的コンテンツを発信しているという。米国では極右活動家の小さなグループが、自分たちよりはるかに大きなグループを動かしてツイッタト上で偽情報を拡散させることに成功しているのを、ジャーナリストと研究者が発見している。[19] こうしたケースでは、たとえばオハイオ州やイリノイ州に住む何千人という疑うことを知らない人々が騙され、白人民族主義者やワクチン反対派がつくり出した虚偽のミームを広めている。中国と米国のこうした事例は、中国では単に五毛党の活動が政府によって推進されているという理由で、また米国では政治的に穏健な市民を騙して党派的な偽情報を広めることに関与させているという理由で、アストロターフ型の活動に類似していると言える。

特に懸念されるのは、ツイッターとフェイスブックが人間主導のプロパガンダ行為を検知し、削除するのに非常に苦労していることだ。人間とボットを組み合わせるという、「サイボーグ」型アカウントを使ったコンピューター・プロパガンダは増加傾向にある。人間の労働力と、自動化されたソフトウェアの両方を利用するソーシャルメディア・アカウントのネットワークは、私がこの問題を研究し始めたときから存在していた。マレーシア航空17便撃墜事件とクリミア危機に関するガーディアン紙の記事では、オックスフォード大学の私のチームが「ロシアのサイボーグ・アカウント」だと判断したアカウントが、コメント欄でジャーナリストや読者たちを攻撃していたのである。[20]

２０１４年に行われたブラジルの総選挙では、こうしたハイブリッド型のプロパガンダ・アカウントを運営していた人々が、BBCなどの報道機関に自身の仕事について語っている。報酬を受けて活動する彼ら「アクティベーター」たちは、BBCのブラジル支局に対し、「どんな候補者であれ、報酬を得て支援する以上は、その候補者を賞賛し、反対派を攻撃し、時には他の偽アカウントと協力して、話題のトピックをつくり上げます」と説明した。[21] 実際、こうしたアクティベーターの一人は、「私たちは一般の人々には反論しきれないほど大量のメッセージを投稿しているので、それで［議論に］勝つこともできますし、あるいは本当の人々、つまり現実の活動家たちに訴えて、私たちのために戦うよう仕向けるという戦術を取ることもできます」と述べている。

AIボットの時代

より優れた通信技術がどこでも、そして安価に利用できるようになったため、単純なボットや、組織化された人々によってコンピューター・プロパガンダが行われる時代は終わりつつある。私たちは高度なデジタル・プロパガンダの時代に向かっているのだ。サイボーグ型アカウントが、これまで以上にコンピューター・プロパガンダを広めるために使われている。高度な機械学習やディープラーニングを活用し、ますます賢くなったテクノロジーや政治ボット、その他のツールが、コンピューター・プロパガンダや偽情報の拡散に一役買い始めている。AI技術が広く利用可能になればなるほど、さまざまな点で違いはあっても、オンライン上の自動会話エージェントはますます人間らしくなるだろう。人間のアカウントだと感じられるものと、ボットだと感じられるものは紙一重となるはずだ。

ＡＩを実現する技術

コンピューティングの世界では、ＡＩとは、周囲の環境から得られるデータに基づいて、特定の目標を達成するための「賢い」意思決定を行うコンピュータープログラムを指す。初期のコンピューター科学者兼認知科学者で、「人工知能」という言葉をつくりこの分野の先駆者となったジョン・マッカーシーは、ＡＩを「知性のあるマシンを作るための科学とエンジニアリング」と呼んだ。機械学習はＡＩを実現する手法の一つで、大量のデータに基づいて、人間による介入や追加のコーディングがなくても、プログラム自体が自らの判断基準を構築したり、それを修正したりできるようになっている。そのアルゴリズムは、与えられたデータセットから学習し、タスクの効率を最大化して、エラーを最小限に抑えるという「最適化」に重点を置いている。そして深層強化学習は、機械学習の一種で、ディープラーニング（これは人間の脳の動きを模した「人工ニューラルネットワーク」[★9]を何層も重ねるという形で実現される）と強化学習[★10]を組み合わせたものだ。深層強化学習は、機械学習のなかでも精密で複雑な手法の一つであり、構造化されていないデータの解析に特に役立つ。

機械学習のような技術を活用した政治ボットを想像してみてほしい。そうしたプログラムは、ソーシャルメディア上での人々との会話から学ぶことができ、彼らを操ることに熟達し続けるだろう。たとえばこのボットが、地球温暖化を否定する記事を人々に共有させるように設計されていたとしよう。それは人々とのやり取りから得られたデータを使って、どの戦術が有効なのかを判断する。そしてそれに応じてコミュニケーションを修正するという対応を、人々に記事を共有させるのにもっとも良い戦術に到達するまで続ける。

会話型の機械学習ボットは、比較的長い歴史を持つ。しかしそれを大規模に展開するには、最近まで多くの資源（そこには資金だけでなく膨大な時間と知的労働が含まれる）を必要とした。依然としてこの状況は続いているが、それももう長くないだろう。新しいチャットボット・システムは、データから学習し、パターンを識別して、最小限の人間の介入で決定を下すことができる。しかも安くな

★9　脳の神経細胞（ニューロン）の動きを模した人工ニューロンにネットワークを形成させたもので、脳が行っているのと近い情報処理をコンピューター上で再現する手法。

★10　ある環境下にある機械が、その環境に対して行動を起こし、そこから得られた結果に基づいて取るべき行動を決定する手法。

ってきているのだ。政治ボットが本当に「知的な」アクターになり、２０１６年の大統領選挙で果たしたと信じられているような役割を果たす存在（実際に使われていた単純な世論操作手法ではなく）になるまで、あとどれくらいだろうか。

いま大部分の人々は、政治におけるスマートボットの影響について考えていない。２０１６年の米国選挙でのロシアのオンライン介入、ミャンマーでの軍部主導のフェイスブック・プロパガンダ後に起きた数万人の死、そして「フェイクニュース」の世界的な台頭といった問題に接した私たちは、まだその動揺から立ち直っていない。これらは、フェイスブックやツイッターのような企業が設計し、一般利用やビジネスのために提供しているツールを使って、ソーシャルメディアを社会政治的に利用した結果生じた事態だ。プロパガンダを広める目的でこうしたサイトに広告を出すことは、ハッキングではない――それは相変わらずビジネスの話だ。そして、フェイスブックのグループページ機能を利用して、社会問題や趣味に関するグループのメンバーを対立させて怒らせるには、ＡＩは必要ない。

テクノロジーで強化されたプロパガンダは、これからどのように進展するのか？　これについてヒントはたくさんあるが、世界の指導者がそうしたヒントに注意を払うことは比較的少ない。２０１８年の米国の中間選挙は、真の民主主義を機能させるために不可欠な社会集団が既に社会から疎外されており、いまやオンライン上での偽情報や政治的嫌がらせの主な標的になっていることを示した。[22]エジプト、ハンガリー、インド、イラク、メキシコ、ロシア、スウェーデン、トルコで行われた最近の選挙では、デジタル偽情報、オンライン陰謀論、コンテンツの自動拡散が、政治的コミュニケーションにおいて依然として重要な役割を果たしていることが明らかになった。これらの問題は解決される兆しをほとんど見せておらず、法規制やソーシャルメディア企業による自主規制の動きは、問題に対して効果的でも包括的でもない。

もちろん、コンピューター・プロパガンダとデジタル偽情報は複雑な問題だ。ウェブと同様、真実を破壊するコンテンツを広めるために使われるツールや戦術は、技術革新によって絶えず変化し、進歩している。さらにソーシャルメディア・プラットフォームやチャット・アプリケーションといった新旧のテクノロジー企業は、急速な成長を続けている。彼らの多くはイノベーションや事業の拡大、目新しさに集中するあまり、警戒すべき兆候に注意を払えていない。現在こうした企業や、コンピューター・プロパガンダと戦うその他のグループは、情報操作やそれに関連する問題に対して、事後的に対応している。そうした対応は、情報操作が行われ、プロパガンダ行為者たちの戦術がより強固な戦略へと固められた後に取られているのだ。いまこそ、行動を起こすべきだ。虚偽を広めようとする行為にリアルタイムで対処することや、さらに重要なこととして、開発されたテクノロジーが将来悪用されるのに備えることに、イノベーションに対するエネルギーを惜しみなく投入する必要がある。

無視されるエシカルデザイン

ユアフェイスという名のAR（拡張現実）ソーシャルメディア企業で働くソフトウエアエンジニアのグループが、会議室に集まっている。ユアフェイスのARプラットフォームでは、デジタル接続された安価なメガネをかけたユーザーは、あらゆる種類のバーチャルコンテンツを自分の日常空間の上に重ね合わせて見ることができる。これはポケモンGOに似ているが、もっと大規模で、よりソーシャルなサービスで、現実世界の場所に関する興味深いネタを共有する――いわば「ARウィキペディア」だ。みんな、最初の1年で10億人のユーザーを獲得したこの新しいプラットフォームに夢中になっている。

しかしエンジニアたちは、小さな問題があることを認めている――もちろん彼らのミスではないが、問題であることには違いない。ユアフェイスのオープンAPIは、メガネを通して見た世界に、誰でも新しいバーチャルコンテンツを投稿できるようにするもので、このプラットフォーム上でヘイトスピーチや嫌がらせが拡散するのを助長してきた。かつては大部分が客観的だった情報空間は、いまや人種差別的、性差別的、同性愛嫌悪的なイメージやコンテンツに満ちている。

ただ、エンジニアは、自分たちは完璧な解決策を発見済みであると判断していた。彼らはヘイトスピーチを検出して除去するアルゴリズムを構築するつもりだった。それでオープンAPIを維持しつつ、弱い立場にある人々を保護できるだろう。彼らは機械学習アルゴリズムでマシンの学習を行い、2か月後にそれを展開する。そして――大失敗に終わる。そのアルゴリズムは、ヘイトスピーチが行われてもほとんど検知することができないだけでなく、この種の嫌がらせを受ける可能性のある人々が実際に経験することに関心を払っていないようだった。その後、このAIアルゴリズムを訓練したのは、すべて白人男性のエンジニアだったことが判明した。彼らが完全に欠陥のあるソフトウエアを作ったのも無理もない。彼らには技術的なノウハウはあったが、社会的、倫理的な判断力はほとんどなかったのである。

この話はフィクションだが、ここ数年ソーシャルメディア企業で秘密裡に行われていたことの描写としてはそれほど的外れではない。過去10年間に広まったプロパガンダや中傷、荒らしの多くは、テクノロジー企業が人権や民主主義を念頭に置いて自らのツールを設計できなかったことによって生じた。フェイスブックとユーチューブは、さまざまなユーザーが今後経験するであろう問題を考慮した上で、倫理的で公平な技術の構築に向けて行動を起こさなかった。そして彼らは、コンピューター・プロパガンダに対処する方法を依然として見出せていない。彼らがプラットフォームの政治的な悪用に備えていなかったのは、自分たちのプラットフォームが世界をつなぐだけで民主主義を救っているという、テクノロジー企業のトップたちが絶え間なく弄したレトリックに魅了されていたからだ。

フェイスブックの元従業員で、同社が「情報操作」と呼ぶものを抑制しようとしている取り組みに詳しい人物の話では、フェイスブックはこうした失敗や過失への対応を慌てて行っているという。彼女は会社はめちゃくちゃで、幻滅しかないと述べ、絶望的な見通しを語った。フェイスブックは、外部の人間が解決してくれることを期待して、あちこちのセキュリティ会社や偽情報の専門家を雇っているというのである。簡単に言えば、フェイスブックの対応は決して体系的なものではなかった。彼女の考えはザッカーバーグと同じで、ＡＩツールがプラットフォーム上での政治的操作という拡大する一方の問題に対処する唯一の現実的な方法だという――しかし、同社が問題の社会的側面をもっと重視する必要があることは明らかだとも述べた。

マーク・ザッカーバーグとフェイスブックのＡＩ擁護について、不安を感じ、混乱してしまう点の一つは、ＡＩ（および機械学習）という要素は、今後、世界各地の選挙や危機の中で、虚偽の情報をオンラインで広める活動において重要な役割を果たすように思われるという事実だ。基本的に、ＡＩをソリューションとして提供している企業は、人々は毒を以て毒を制すべきだと主張している。しかしその結果、技術的な軍拡競争がもたらされるのではないだろうか？　もしそうなら、それはどこで終わるのか？　私が過去5年間に話をした政治ボット開発者のほとんどは、機械学習について何らかの形で言及しているが、それは一様に仮説ベースの話だった。繰り返しになるが、彼らの説明では、ソーシャルメディアのボットを使って世論を操作する方法のほとんどは、技術的にはあまり洗練されていない――つまり、目的を達成するためにＡＩや機械学習を必要としないのだ。しかしなかには、既に機械学習をさまざまな形で活用した小規模なボット集団を開発し、展開しているボット開発者もいる。

　たとえばマーサーという名のソフトウェアエンジニアは、政治家や評論家と会話することを目的として開発されたボットについて語ってくれた。その最終的な目標は、ボットが有力な政治家とあらゆる形でやり取りできるようにすることだった。対象となった人物に、ボットのツイートをリツイートさせること（それはツイート内容の正当性が立証されることを意味する）は基本戦術だった。それによって、彼らを通じてより多くの人々に自動投稿されたコンテンツが広がるからである。マーサーのボットは、あらゆるジャンルの著名人たちと関わることに成功した。このボットは、成功と失敗両方の会話から学ぶように設計されている。たとえば特定の方法で質問をしたり、最近の出来事を話題にしたり、その人を褒めたりするなど、さまざまな会話術を試し、注意を引いて会話を盛り上げようとした。またこのボットは、コミュニケーションの対象としている人々に関する基本的な情報を収集し、彼らを会話に誘い込む可能性のある情報を活用した。誰かにあなたと話したり、リツイートしてもらったりしようとしたときに、相手の好きなことを話したり、自尊心をくすぐったりする以上に良い方法があるだろうか？

　ただ、こうしたボットのアカウントを詳しく調べたり、ツイートを数回やり取りしたりすれば、何かがおかしいことに必ず気づくだろう。ある程度の「不気味の谷」現象[★11]が見られる、つまり人間のように感じられるのだが、どこか奇妙な点が残るのである。[23] スペルミスがあったり、メッセージの内容がランダムだったり、複数の言語で書きこんでいたりするのだ。これらの間違いは、開発者のコーティングエラーに起因する場合もあるが、そうしたアカウントとやり取りし、研究し

★11　もともとはロボット工学者の森政弘が1970年に提唱した概念で、人の姿をしたロボットを写実的に人間に近づけていくと、ある程度までは好感度が上昇するが、それを越えて近づけると逆に「不気味さ」を感じるようになってしまう現象を指す。

た私自身の経験から言えば、最新の機械学習ソーシャルメディア・ボットが同様の振る舞いをすることは珍しくない。さらにマーサーが開発したような機械学習ロボットは、人間のようにユーモアや悲しみ、皮肉といった感情を理解する能力をまだ持っていないし、これからも持つことはないかもしれない。感情分析の分野は、主観的な情報を体系的に分類するというアプローチでこの状況を変えようとしているが、これは完全に定性的なもの（つまり非常に人間的なもの）を定量的に把握し、説明しようとする試みだ。控え目に言っても、それは難しい課題である。

ＡＩとその多くの下位分野だけでは、特定の人間がテクノロジーを悪用することで生じる問題が解決されるとは期待できないが、こうしたツールも活用しなければならないという点で、ザッカーバーグは少なくとも部分的に正しい。現在のテクノロジーが後押しする現実の破壊に対するもっとも効果的な対応は、社会的な解決策と技術的な解決策を組み合わせたものであり、短期、中期、長期的な解決策を含むものである。そしてこの対応には、新しいツールだけでなく、新しい形のメディアリテラシーも含まれる。

ＡＩ、そしてＶＲやＡＲ、動画、音声合成システムなどのツールを使って、世界中で認知的な「免疫力」を構築する取り組みを強化することはできるが、これらのデバイスだけに頼ることはできない。民主主義を支援する目的で構築したコンピューターシステムであっても、それが公開される前に、潜在的な倫理上の問題について綿密に調査されるべきだ。社会に焦点を当てたＡＩツールが広く一般に利用されるようになる前に、幅広い人々からなるグループが、その検証に参加しなければならない。ワイアード誌の創刊編集長であるケヴィン・ケリーは、テクノロジーは新しい解決策と同じくらい多くの新しい問題を生み出すと主張している。ケリーによれば、将来起こる問題のほとんどは、現在は解決策のように見える技術によって引き起こされるのだ。[24]

ＡＩプロパガンダの始まり

ＡＩを利用したコンピューター・プロパガンダや虚偽の拡散が始まっていることを示す兆候がある。また、私が研究の際に取材したボット開発者たちが、そのようなコンテンツを提供している証拠もある。２０００年代半ばにツイッターが立ち上げられて以来、人々は会話型ＡＩボットをテストし、改良してきた。しかし政治におけるボットの利用は、最近まで制限されてきた。オックスフォード大学の研究者であるリサ＝マリア・ノイダートは、ＭＩＴテクノロジーレビューの記事の中で、政治的なイベントの際にソーシャルメディア上で賢いチャットボットが利用されるようになる日は近いと述べている。[25]「これらのボットは、すべての人々に対してプロパガンダを行うのではなく、影響力のある人々や政治的反体制派に活動の矛先を向ける」と彼女は書いている。「それは与えられた台本を使ったヘイトスピーチで個人を攻撃したり、スパムで圧倒したり、ターゲットのコンテンツが規約に反していると報告してアカウントを閉鎖に追い込んだりするのである」

ハッカーなどの集団は既に、ソーシャルメディア上で「兵器化された」AIボットの有効性をテストし始めている。テクノロジーサイト、ギズモードの2017年の記事は、次のように解説している。

昨年、セキュリティ会社のゼロフォックスに所属する二人のデータサイエンティストが、人間と人工知能のどちらがより多くのツイッターユーザーに危険なリンクをクリックさせることができるかという実験を行った。研究者たちは、AIにソーシャルネットワークのユーザーの行動を学習させ、独自のフィッシング詐欺を設計して実装した。テストでは、このAIハッカーは人間よりはるかに優れており、人間よりも多くのフィッシングツイートを作成して配信し、コンバージョン率★12もかなり高かった(26)。

この実験でボットの成績が良かったのは（そして将来のアプリケーションがより効果的になると考えられるのは）、それが大規模に展開できるためだ。この規模の力は、機械学習で訓練された一部のボットに備わる、ターゲットにぶつける情報をパーソナライズする能力と相まって、世論を細かく操作できる非常に強力なツールを生み出している。ギズモードの記事が取り上げていたのは一つの実験だったが、ＡＩは近いうちに、危険な目的のためにより広く使われるようになる可能性が高い（まだ気づかれていないだけで、既に起きているかもしれないが）。この記事では、サイバーセキュリティ会社のサイランスが２０１７年のブラックハット・ＵＳＡハッキングカンファレンスで行ったアンケート調査に言及している。来年に人工知能が兵器化されると思うかと尋ねられると、カンファレンス出席者の62パーセントが「そう思う」と答えた。

世論を操作するような、問題のあるＡＩのコンテンツは、機械学習を活用した政治ボットだけが拡散するのではない。またソーシャルメディア企業だけが、テクノロジーを問題のある形で使ったり、設計したりしているわけではない。研究者らは、機械学習を活用したアプリケーションが、その公開前から「中毒攻撃」

★12　特定のウェブサイトに集まったユーザーが、目標とする何らかの行動を行う割合（Ｅコマースサイトにアクセスした訪問者が最終的に購買までに至った割合など）。

によって汚染される、つまり悪意のある行為者が「教師データ」に影響を与えて特定のアルゴリズムの結果を操る可能性があると指摘している。教師データとは、プログラマーやエンジニアがインテリジェント・マシンに与えるデータを指し、マシンはそれを基に特定の分野に精通することができる。[27] そうしたデータを汚染するという攻撃法は、チャットボットだけでなく、あらゆる種類のソフトウェアに対して使うことができる。機械学習によって訓練されることの多い顔認識ソフトウエアも、ひどい人種差別的なバイアスに汚染されてしまう可能性がある。

インターネット起業家のカレブ・リータルは、まだAIを利用した大規模な世論操作ボットネットを目にしたことはないものの、開発は進んでいると主張する。[28] また彼は、AIボットによる最初の攻撃は、ソーシャルなものではないかもしれないとも言う。「最初の自律的なサイバー攻撃は、おそらくインテリジェントなDDoS攻撃になるだろう」。DDoS（分散型サービス拒否）攻撃では、複数の自動化された（ボット）システムが一斉に大量のデータを送信し、その結果としてターゲットのウェブサーバーをシャットダウンさせる。このような攻撃は、世界中の政府が敵のサイトを遮断する方法として大きな効果を発揮してきた。しかしリータルは、さらに事態が高度化すると予想する。

では、少し考えてみよう。このボットネットの管理をディープラーニング・システムに任せ、AIアルゴリズムがボットネットを完全に制御できるようにする。さらに世界中の主要なサイバーセキュリティ・ベンダーや監視会社から送られてくる、インターネットのステータスに関するライブ情報を与え、被害者やインターネット全体がサイバー攻撃にどのように反応しているかを秒単位で監視できるようする。こうなるのはおそらく、アルゴリズムが攻撃対象を詳しくモニタリングすることに数週間を費やし、攻撃対象のトラフィックのパターンと振る舞いの全体像と細部を理解して、防御層をすり抜けられるようにした後のことだろう。

リータルの主張では、このシナリオが意味するのは、「スカイネット」[★13]に近いもの、つまり人間の介入によっても制御されず、侵入や攻撃に対する反撃を乗り越えることのできる、信じられないほど強力なサイバー兵器を現実化する可能性があるということだ。ディープラーニングや機械学習がソーシャルなボットを強化するために使われる（そして既に使われている）――これは推測ではあるものの、そう想定しておくのはいくらか重要なことだ。

マイクロソフトもAIボット「テイ」の実験で失敗している。この実験は、ス

★13　映画「ターミネーター」シリーズに登場する敵AIの名称。

マートボットがソーシャルメディア上で人間とコミュニケーションできることを示した。それに加え、そうしたプログラムが他のユーザーによって、問題のある有害な目的のために容易に操作され得ることを明らかにした。テイはツイッター上で公開されるとすぐに、差別的で反ユダヤ的なコンテンツを繰り返しツイートし始めた。この自動化されたアカウントは、ティーンエイジャーの女の子のように話したり、行動したりすることを目的としていたが、オンライン上のトロールたちがテイに「言われたことを繰り返す」という機能があることを知ると、すぐにそれで悪ふざけするようになった。マイクロソフトはこのボットを停止し、数日後に静かに再起動させたが、すぐ再停止することとなった。テイが人種差別的な妄言をツイートし続けたためである。

ＡＩ駆動のボットをコンピューター・プロパガンダの活動に利用する際、障壁となるのは、それらが高価で開発が困難であるため、大規模に運用するのが難しいことだ。ツイートに「いいね」するボットの大群は比較的簡単に立ち上げることができるが、人から学び、人と話すことができるＡＩボットの大群はそうはいかない。政治以外の分野であれば、世論を操作するために単純なボットを使うことができる。たとえば最近あがった証拠は、ロシア政府関係者が、反ワクチンを煽る情報や、遺伝子組み換え作物（ＧＭＯ）についての偽情報、地球温暖化の偽りを暴くと称した偽科学を広めるソーシャルボットを利用していることを示唆している。[29]

サウジアラビアやロシアといった政府は、実在の人物が実際に使っていたアカウントを乗っ取り、それを使って自動化されたプロパガンダと人間が作成したプロパガンダの両方を広めている。テクノロジーと中東を研究しているブロガーのマーク・オーウェン・ジョーンズによると、サウジは政権を支持するプロパガンダを広めるために、亡くなったアメリカの気象学者や他の数人の認証済みツイッター・アカウントをハッキングして乗っ取った。[30]

毒を以て毒を制す

では、どうすればＡＩや自動ボット技術を活用して、オンライン上での世論操作を助長するのではなく、それに対抗できるのだろうか？　ＡＩはＡＩと戦うことができるのだろうか？　ＡＩと機械学習が、コンピューター・プロパガンダを検知するのに役立つ可能性があるのは確かだ。ソーシャルメディア観測所（ＯＳｏＭｅ）は、機械学習を利用してボットを検出するツールを開発した。そのウェブサイトでは、この観測所の有名なアンサンブル学習★14の仕組みを次のように解説

★14　機械学習で複数の種類のモデルを構築し、それぞれの結果を統合して最終的な判断を下すことで、判断の精度を上げる手法。

している。

ボットメーターは特定の（ツイッター）アカウントがボットか人間かを判断できるように、数万件のサンプルを使って学習させた機械学習のアルゴリズムです。アカウントを指定してチェックを実行すると、ブラウザからツイッターＡＰＩを通じて、そのアカウントが公開しているプロフィールとツイートが取得されます。そのデータがボットメーターＡＰＩに渡され、ボットメーターは約１２００の特徴を抽出し、アカウントのプロフィール、友人、社会的ネットワークの構造、行動パターン、言語、感情などの特徴を把握します。最後に、さまざまな機械学習モデルが把握された特徴を用いて、「ボット・スコア」を算出します。[31]

このツールは政治ボットの検出を大規模に行えるようになる見込みがある。他のＡＩや機械学習ツールも、間違いなくソーシャルメディア上の誤ったニュースや情報を検出するのに役立つだろう。既にフェイスブックやツイッターなどは、そうしたツールを使っている。偽のニュースに関する２０１８年のブログ記事によると、フェイスブックのプロダクトマネージャーであるテッサ・ライオンズは、次のように語っている。「機械学習は、虚偽であると確認された情報のコピーを検知するのに役立ちます。たとえば、フランスのあるファクトチェック[★15]担当者が、『針で指を刺して血を抜くと脳卒中の人を助けられる』という主張が虚偽であることを確認しました。機械学習によって、この主張を広める20以上のドメインと、１４００以上のリンクを検出できました[(32)]」。このような場合、ソーシャルメディア企業は機械学習を利用して、世界中でファクトチェックを行い、そうした証拠に基づく情報の訂正を通じて、偽のコンテンツにフラグを立てることができる。

しかし学界では、誤りの可能性がある情報を受動的に特定することがソーシャルメディアの利用者にとって本当に有用なのかについて、大きな議論を呼んでいる。この主張は、ＡＩや機械学習がジャンクコンテンツの検出に使われるかどうかにかかわらず、説得力がある。また、一部の研究者は、オンラインとオフラインでのファクトチェック活動が、現在の形ではあまり効果的に機能しないと指摘している[(33)]。２０１９年の初め、フェイスブックと提携してそうした訂正作業を行っていたノープスは、提携関係の解消を発表した。ニュースサイトのポインターによるインタビューの中で、スノープスのオペレーション担当副社長であるヴィニー・グリーンは、次のように率直に語っている。「サードパーティーによるファクトチェックを、報道機関にとってより実用的なものにするという方向に進ん

★15　メディアや報道機関などが、世間に流布している情報が真実かどうかを検証し、結果を報知する活動。

でいるようには思えません――フェイスブックにとってより簡単なものにするという方向に進んでいるように感じられます」[34]。グリーンの評価と、フェイスブックと協力した他のサードパーティーたちによるコメントから浮き彫りになるのは、フェイスブックのような大組織がコンテンツを精査する上で、小規模で非営利なことが多い組織に依存し続けているという事実だ。フェイスブックから虚偽の可能性のある記事や映像が、何の背景情報や「フラグが立てられた理由」もないままに、こうしたサードパーティーに渡されることが多い。

このような取り組みは、報道機関が毎日送られてくる大量のコンテンツや情報を精査するのを支援し、リソースの足りない記者たちがより良い仕事をできるよう後押しするものではない。むしろ時価総額数十億ドルという大企業が、問題が起きた後に自らの周辺をきれいにするのに有用だ。この作業をスノープスのような組織やAPのような報道機関に任せることで、フェイスブックはメディアビジネスに深く関わっていることを意識せずに済む。いまこそフェイスブックをはじめとするソーシャルメディア企業は、ニュースを検証したり訂正したりする作業を他の組織に任せるのではなく、ファクトチェックの責任を内部で負うべき時だ。しかし、いったん虚偽の記事が広まってしまったら、ファクトチェックだけに頼っていてはいけない。コンピューター・プロパガンダに対しては、早期警報システムを構築して対処する必要がある。

この点に関しては、フェイスブックが前進している分野もある。ニュースサイト、バズフィードのインタビューの中でフェイスブックのライオンズは、「模倣型のデマは、２０１７年から18年にかけて増加傾向にあります」と述べている。模倣型デマは、共通のコンテンツと戦略を持つさまざまなグループが、噂や虚偽を広めるために使っている。ライオンズによれば、「私たちは機械学習を活用することで、ファクトチェック担当者によって虚偽であると認められた記事の重複を特定して、表示のランクを下げることができます」。しかし繰り返しになるが、機械学習アルゴリズムが問題を発見すると、それを管理する作業の責任は外部のファクトチェック担当者に移る。だが彼らは既に、毎日大量のジャンク情報や罵倒に直面しており、また予算も厳しい状況にある。彼らの経営状況は火の車だが、その大きな理由は、ソーシャルメディアがニュース市場に影響を与えているためだ。

フェイスブックのようなソーシャルメディア企業が、問題のある自動化や偽情報、政治的嫌がらせに対抗する最適なＡＩの活用方法を模索することに関しては、一つ重要な問いがある。つまり、企業はこの高度な技術を、自社の人間の従業員が行う取り組みと効果的に組み合わせて、無数の文化的背景の中で発信される偽情報について、それが拡散する前にキャッチして否定することができるだろうか？　フェイスブックやグーグルなどの企業は、暴力的な内容やテロリスト集団が発信する情報を含むコンテンツを見つけて削除するために、人間を雇っている。しかし彼らは偽情報を排除することにはあまり熱心ではない。インドでの選挙から南アフリカでの大規模なスポーツイベントに至るまで、オンラインの偽情報は無数の文脈の中で拡散されるため、ＡＩが人間の知識に頼らず独自に活動するのは難しい。しかし今後数か月か数年のうちに、世界中で大勢の人々が、多種多様な状況の下で発生する膨大な量のコンテンツの精査に当たることになるだろう。

もう一つの懸念点は、コンテンツ管理のためにテクノロジー企業に雇われている請負業者が、ソーシャルメディアのプラットフォーム上に投稿される恐ろしいコンテンツに対処する際に、深刻な心理的影響を受けることである。(35)２０１９年、ＩＴニュースサイトのザ・ヴァージは、コグニザント★16がフェイスブックのコンテンツを精査するために雇っている契約社員にインタビューを行った。(36)その記事によれば、「秘密が守られていることで、コグニザントとフェイスブックは、労働条件に対する批判を回避している。（中略）従業員は、この仕事から受ける感情面への負担について親しい人々にさえ話さないようにと圧力をかけられており、それによって孤独感や不安感に苛まれている」。また記事は「従業員はトレーニ

★16　各種ITサービスを提供する米国企業で、フォーチュン500にも選ばれている。

ング期間中から強い不安を感じ、仕事を辞めた後もトラウマ症状に苦しみ続け」、さらに「コグニザントが提供するカウンセリングは、従業員が辞めた（あるいは解雇された）瞬間に終了する」と指摘している。こうした請負業者は、フェイスブックの社員として働くことで得られる巨額の報酬や、その他の特典を受けていない。彼らの存在は意図的に隠されているようだ。

ソーシャルメディア上のコンピューター・プロパガンダを排除するのは容易ではない。しかし前に進む道を見つけるのは、企業の責任だ。ザ・ヴァージの記事のような調査報道によると、いまのところフェイスブックをはじめとした企業は、コンピューター・プロパガンダや、刺激の強いコンテンツの流れを規制することよりも、世論すなわち広報活動にはるかに重点を置いていることが明らかになっている。この記事によれば、フェイスブックは組織的な管理プロセスの見直しよりも、特定の攻撃的な言葉や暴力を取り除く自らの努力を称えることに多くの時間を費やしてきたという。またニュースサイトのサロンは、「プライバシーを重視する」企業へと移行するというフェイスブックの宣言に対し、「これはザッカーバーグによる厳粛な誓いなのだろうか、それとも単なるPR活動で、プライバシーに関して信頼できる会社という印象からかけ離れた同社のブランドを、立て直そうとしているのだろうか」と問いかけている。[37]

最終的には人間とAIが組み合わさることで、コンピューター・プロパガンダへの対抗に成功するだろうが、それがどのように実現するのかはわからない。記者のジェームズ・ビンセントが言うように、「結局のところ、フェイクニュースを特定するのにもっとも効果的なのは、こうした人間によるファクトチェックを伴う仕組みだ。しかしAIは依然として、有用なバックアップとなり得る」[38]。他の企業や組織でも、同様のハイブリッド（サイボーグ）型モデルを利用している。テクノロジーおよびコンピューター科学の分野における主要な専門家協会である米国電気電子学会（IEEE）は、2018年の記事の中で、ハイブリッド型モデルが未来への道であるという考えを繰り返した。「いまフェイスブックやグーグル、そしてその他の小規模な企業は、機械学習を利用して誤報を検知しようとしている。しかし自動化されたシステムだけでは、信頼性が十分ではない」[39]。この記事では、AIと人間のハイブリッド型モデルの利用に成功した組織の例として、英国を拠点とするファクトチェックの非営利団体フルファクトを挙げた。

しかしAIによって強化されたファクトチェックは、前に進む道の一つでしかない。機械学習とディープラーニングは、人間の作業者と組み合わせることで、コンピューター・プロパガンダや虚偽、政治的嫌がらせに対抗する、他のいくつかの方法にも活用できる。私が研究員として1年間務めた、グーグル系列の技術インキュベーターであるジグソーは、オンライン上の荒らし行為やヘイトスピーチと戦うAIベースのツール「パースペクティブ」を開発した。このツール（私自身は関与していない）は議論の的になっているが、オンライン上の暴力と戦うための、もう一つのユニークな道を示している。これは一種のAPIで、開発者がジグソーのトロール対抗ツールキットを使って、有害な言葉を自動的に検出することを可能にする。なぜ賛否があるかというと、偽陽性の（実際には荒らし行為ではない）投稿まで排除してしまうだけでなく、人々の発言を抑制してしまうリスクがあるからだ。ワイアード誌の記事によれば、このツールは機械学習を使って訓練されている。しかし本章の冒頭で描いた架空のアルゴリズム「ユアフェイス」のように、こうしたツールも人間による入力を使って訓練されている点に注意することが重要だ。よく知られているように、人間は多くの偏見を抱えている。それでは、人種差別やヘイトスピーチを検出するために開発されたツールが、訓練がお粗末だったり欠陥があったりしたために、実際にはそうしたものを検出できなかったことがあるのだろうか？

2016年にフェイスブックは、グーグルのパースペクティブに似たAIツールの「ディープテキスト」を開発した。このアルゴリズムに関する2017年の記事によると、同社はこのツールを使って、ヘイトを含む投稿を毎週6万件以上削除しているという[40]。しかし同社の関係者は、このツールで有害なコンテンツを排除するためには、依然として多数の人間のモデレーターが必要であることを認めている。一方でツイッターは、2017年末にようやく、同様の脅迫や暴力的な投稿を禁止するためのより慎重な取り組みを開始した[41]。しかしツイッターはこうした問題のある情報を制限するほか、政治ボットのアカウントも大量に削除しているが、同社の対応は結局のところ「ガイドライン」と社内の方針によるもので、アカウントを検出し削除する有効な方法があることを示しているわけではない。こうした状況下、私と研究チームは、相変わらず毎月のようにツイッター上で巧妙なボットネットを見つけている。

ヘイトスピーチやプロパガンダを監視するために作られたAIツールは、時として的外れな判断を下すことがある。2018年半ば、フェイスブックの検知ツールはアメリカ独立宣言の一部にヘイトスピーチのレッテルを貼った。同社は謝罪し、削除された投稿を1日後に復活させた。テキサス州にある小都市リバティのローカル紙であるリバティ・カウンティ・ヴィンディケーターは、独立宣言の一部を引用して同社のフェイスブックのページに掲載した。フェイスブックは即座にこれに反応し、この崇高な文章に含まれる「情け容赦のない野蛮なインディアン」という個所を問題視した。アルゴリズムはヘイトの可能性がある文章を正しく検知したのだが、それを独立宣言というより大きな歴史的文脈に位置付けることができず、そうした検閲に対して批判者たちは言論の自由を侵害する可能性があると主張した。(42) AIの利用が、歴史的または芸術的なコンテンツの禁止や削除へとつながったのは、これが初めてではない。他のケースでは、LGBTQの歴史をテーマにしているインスタグラムのアカウントが、「ダイク★17の大統領がほしい」という一文を含む、ゾーイ・レオナルドの有名な詩を引用したために削除されている。(43)

これらのケースは、AIが人間によるコンテンツの精査および修正作業を支える存在となり得る一方で、誤った方向に——しかも大幅に——進む可能性があるという事実を浮き彫りにしている。このような技術が、文学的な内容を誤って認識する可能性があるというだけでなく、「賢い」アルゴリズムで作られたツールに、人種差別や性差別、同性愛の嫌悪が埋め込まれてしまっている可能性もあるのだ。たとえば米下院監視・政府改革委員会のイライジャ・カミングス委員長は、AIの顔認識ソフトウェアには重大なバイアスが含まれているおそれがあると述べている。米国の法執行機関が、容疑者を逮捕するためにそうした「バイオメト

★17　女性の同性愛者を指す蔑称。

リック」ツールを使用したことを受けて、カミングスは「もしあなたが黒人なら、この技術の影響を受ける可能性が高くなり、またこの技術が間違いを犯しやすくなる」と発言した。[44] 左派の多くの人々から支持され、右派の多くの人々から攻撃されている政治家のアレクサンドリア・オカシオ＝コルテスは、インタビューの中で顔認識とアルゴリズムが人種的な偏見を抱く可能性があると述べた際、メディアから軽蔑的な態度を取られた。しかしこの問題に関する多くの研究は、彼女の主張を支持している。[45] その開発者や、訓練する人々の偏見によって構築されたＡＩは、人種差別や性差別、階級主義、その他の問題を解決するどころか、悪化させる可能性があるのだ。

頭の悪いＡＩ

ザッカーバーグのような技術者が、現在「フェイクニュース」として一般的に知られているものや、オンライン上でのヘイトスピーチという喫緊の課題に対し、技術的な解決策を提案するというのは不思議ではないが、ＡＩはそれだけでは完璧ではない。結局のところ、ＡＩはこうした現実の社会問題に技術的な修正を行うと同時に、新しい深刻な問題も生み出すのである。一方で、ＩＴ界のリーダーたちがコンピューターを使った解決策に短絡的に取り組んでいることには、フェイスブックやその他の企業がユーザーを守れていないそもそもの原因である、彼らの無邪気さと傲慢さが表れている。テクノロジーによる世論操作や、テクノロジーの問題のある構築は、私たちを混乱に陥れているものの一部でしかない。ソーシャルメディアには倫理ではなく、偏見と傲慢がコードされていた。

繰り返しになるが、オンラインであれオフラインであれ、政治的な世論操作の背後にいるのは常に人間だ。激戦の選挙で世論を操作しようとする、スマートなAIボットの一群はまだ存在していない。将来的にはどうか？　おそらく登場するだろう。しかし機械学習を活用した政治ボットが大量にあっても、それだけでは機能しないことに注意する必要がある。彼らが人々を操って欺くためには、相変わらず人間の管理が必要だ。オンライン版の「ターミネーター」はここにはない。チューリング賞[★18]の受賞者であるエドワード・ファイゲンバウムや、「ディープラーニング界のゴッドファーザー」ジェフリー・ヒントンといった、コンピューター科学およびAIの分野の著名人たちは、「シンギュラリティ」（スマートマシンを人間が制御できなくなる時代）が間もなく到来するのではないかというおそれを強く否定している。米国人工知能学会（AAAI）の会員を対象としたアンケート調査では、90パーセント以上が超知能は「予測可能な未来よりもさらに

★18　コンピューター科学におけるノーベル賞とも呼ばれ、この分野で著しい業績を残した人物に贈られる。

先」の話だと回答している。[46] またこうした専門家のほとんどは、超高性能なコンピューターが登場したとしても、人類への脅威にはならないだろうとも考えている。

最先端のAIの動向を追っているスタンフォード大学の研究者は、現在の「機械の支配者」は、「依然として5歳児並みの常識や一般知識すら持てていない」と示唆している。[47] そうであれば、これらのツールはどのように人間の支配を覆すのだろうか？ あるいは政治的な二極化や批判的思考の欠如といった、きわめて人間的な社会問題をどのように解決するのだろうか？

2017年にウォールストリートジャーナル紙が掲載した記事のタイトルは、このことを簡潔に表現している――「人間がいなければ、人工知能は依然としてきわめて愚か」。[48] AIシステムの第一人者であるグラディ・ブーチも、人間に制御できない超スマートマシンが登場するという考えに懐疑的な姿勢を示しているが、その理由は異なる。2016年のTEDトークで、彼は「スーパーインテリジェンス・テクノロジーの台頭への懸念にかまけるのは、多くの点で危険です。コンピューターの台頭自体が、私たちがいま取り組まなければならない、多くの人間的、社会的問題をもたらしているからです」と述べ、[49] このテーマの核心を突いた。ブーチはさらに重要な点として、現在のAIシステムは、人間と自然言語で会話することから物体を認識することに至るまで、あらゆる種類の驚くべきことができるが、これらの動作は人間によって決定されており、人間の価値観に基づいていると強調した。ＡＩはプログラムされているのではなく、より適切に表現すれば、どう振る舞うべきかを教えられているのだ。ブーチは次のように説明している。

科学的に言うと、これは私たちがグラウンドトゥルース★19と呼ぶものです。そして、重要なのは次の点です──こうしたマシンを開発するとき、私たちはそれに自らの価値観を教えている。そのために、私は人工知能を信頼しています。少なくとも、よく訓練された人間程度には。

したがって機械と人間の関係は、より微妙なものになる。ブーチの主張は、スマートシステムとそれを開発し、対話する人々は、切っても切り離せないことを強調しているという点で非常に重要だ。

私はブーチに同意するが、この主張をさらに先に進めてみたい。コンピューター・プロパガンダの問題に対処するには、ツールの背後にいる人々に焦点を当てる必要がある。コンピューター・プロパガンダという言葉には理屈っぽい響きが

★19　推論ではなく直接的な観測によって得られる情報。

あるが、その実それはコンピューターよりもプロパガンダに近い。確かに絶え間なく進化するテクノロジーによって、人々は偽情報の拡散や荒らし行為を自動で、しかも匿名でできるようになり、さらにVPN（仮想プライベートネットワーク）を使うことで発見されるおそれもなくなった。しかし政治的コミュニケーションの手段としての、こうした一連のツールは、究極的には人間の支配欲を満たすことに焦点を当てている。プロパガンダは人間が発明したもので、社会と同じくらい歴史がある。だからこそ、私は常に人間――テクノロジーを発明し、開発する人々――に焦点を当ててきた。ロボット工学の専門家がかつて私に言ったように、私たちは人間のように賢い機械を恐れるべきではなく、機械をどう作るかについて賢い判断を下すことのできない人間を恐れるべきである。

ＡＩの性能が向上し、政府からハッキング集団まで、あらゆる種類の政治的アクターがＡＩを利用して、コンピューター・プロパガンダを強化あるいは合理化したらどうなるだろうか？　ＡＩを使うことで、政府や軍は国民全体のデータを収集して解析し、個々の市民に関する詳細な分析結果を利用して、ソーシャルメディアを通じた政治的マーケティングを推進することができる。あるいはスマートマシンを使い、ある国で起きた出来事に関する情報を統合して、現実感のある偽の大惨事のストーリーを作成し、それを信じ込む可能性がもっとも高い人々をターゲットに発信することもできる。いまこそ、人間と機械の両方の力を使って、そのような事態（まだ到来していないが、その必要のない事態）を防ぐべきだ。

ＡＩからフェイクビデオへ

ＡＩが人々を説得する力は、文字を越えて拡大しようとしている。ボットが偽のニュースをツイッター上で拡散することがコンピューター・プロパガンダだった時代は終わり、政治家が何か酷いことをしているかのように見えるフェイクＡＩビデオの時代に向かっていると、多くの人々が主張している。ディープフェイク、つまりＡＩ技術を使って、本当はしていなかったり、言っていなかったりすることを、誰かがしたり言っていたりするように見せる映像が、ウェブ上の誰でもアクセスできる場所で公開されるようになっているのだ。政治家に馬鹿げたことを言わせる面白動画は、既にユーチューブ上に投稿され広く共有されている。そしてより悪質で、世論操作を目的としたＡＩ修正動画も広まりつつある。

多くのジャーナリストや評論家が、ディープフェイクは虚偽の拡散において、次に大きな問題になる存在だと指摘している。こうしたビデオが普及すれば、真実はさらに損なわれるだろうと彼らは言う。なんといっても、著名人が違法行為を犯している場面を映したビデオがあっても、それは偽物かもしれないのだ。一般の人々にはそのビデオを検証するすべがあるのだろうか？ いま、ディープフェイクはプロパガンダを広めるためにどう使われているのだろうか？ それによって、より説得力があり広範囲に拡散するジャンクニュースが蔓延してしまうのだろうか？ こうしたＡＩ動画を追跡するにはどうすればいいのだろうか？ そして私たちはそれにどう対処すべきなのか？

5 フェイクビデオ——まだディープではない

加工動画対ディープフェイク

CNNのジム・アコスタ記者は、決してトランプ大統領お気に入りのホワイトハウス特派員ではない。2016年5月、当時まだ大統領候補者だったトランプは、彼からの質問に皮肉を込めて「テレビで君を見たことがあるよ。君にはまったく頭が下がる」と答えている。[1] 2017年、オンラインメディアのバズフィードを「失敗したゴミの山」だと言う大統領の主張にアコスタが反論すると、トランプは彼に向って「お前のところはフェイクニュースだ」と言い放った。しかし2018年、別の事件が起きる。ある記者会見において、大統領とアコスタ記者の間で再び論戦が交わされた（この場でトランプは彼のことを「下品で不快な人物」と呼んだ）後で、ホワイトハウスのインターンが彼からマイクを取り上げようとすると、アコスタがそれに抵抗した。マイクをすぐに手放そうとはしなかったのである。[2] その後、陰謀論を掲載するサイトとして知られるインフォウォーズが、ある動画を掲載する。この動画は多くの保守派評論家から、一連のやり取りの最中、アコスタがインターンに暴力をふるったことを示す証拠だと言われることとなった。[3]

この批判を盾に、ホワイトハウスはアコスタの入館許可証を剝奪した。サラ・ハッカビー・サンダース報道官は、アコスタは「この若い女性に手を置いた」ことで罰せられたのだと述べた。[4] 彼女はインフォウォーズの動画を証拠として使い、ツイッター上でもシェアした。[5] 問題は、この動画が加工されていたことだ。ディープフェイク（AIが手を加えた動画）をめぐるパラノイアに乗じた多くのメディアは、この動画がまさにそうした攻撃の明らかな例だと主張した。しかしすぐに、その内容はアコスタがマイクにしがみつこうとする動作を敵意あるものに見せるために、単に再生速度を速くしただけであることが判明した。この動画はディープ（深い）というより、シャローな（浅い）フェイクだったのである。

大統領顧問のケリーアン・コンウェイ（オルタナティブ・ファクト★1の生みの親として知られている）は、この動画は手が加えられたものではないと印象付けよ

★1　コンウェイがテレビ番組のインタビューにおいて、虚偽発言を批判された際に、「虚偽ではなくもう一つの事実だ」と答えたことに端を発した言葉で、日本語では代替的事実などとも訳される。

うとしたが、失敗した。「内容は加工されていません。早回しされているだけです。スポーツ番組でもやってますよね」と、彼女はトーク番組フォックス・ニュース・サンデーの司会者クリス・ウォーレスに語った。[6] もちろん、早回しされた映像は、実際には加工されていると言える。ホワイトハウスはアコスタの性格を徹底的に非難したが、譲歩を余儀なくされた。アコスタには入館証が戻され、数週間後にはこの事件をめぐる騒ぎも収まった。しかし専門家たちは、この事件から一つの重要なことを学んだ――ビデオは偽情報の次のフロンティアなのだ。

ディープフェイク

いまが大統領予備選の時期だと考えてみてほしい。候補者はみな、テレビに出演したり、集会を開いたり、選挙キャンペーンに関するソーシャルメディアのメッセージを拡散したりして、あらゆるチャンスを逃すまいとしている。トップを走る民主党候補者に関するあるビデオがオンラインで公開され、バイラルな広がりを見せている。フェイスブックやツイッター、ユーチューブなど、あらゆる場所でその動画へのリンクが張られている。内容は、その候補者がカクテルパーティーで数名の人々と話している姿を捉えたものだ。彼女はカメラの方をまっすぐ見て、はっきりとこう言う——「選挙に勝つためなら何でもするし、賄賂も拒否しません」

昔からこんなジョークがある。「政治家が嘘をついているかどうか、どうやってわかるのか?」答えは「唇が動いていれば」だ。真実であろうと嘘であろうと、面白かろうと陳腐であろうと、この皮肉には恐ろしいほど先見の明がある。テクノロジーを使って、映像に映っている人の唇の動きを操作できるとしたら? それを家族や友人に対してできるとしたら? 権力を持つ人々に対してできたら? 同じテクノロジーで体の動きや、背景も変えられるとしたら? これらはディープフェイクに対して世界中の人々が抱いている懸念の一部に過ぎない。

ここ数年、デジタル偽情報の台頭についての議論の中心になっているのがディープフェイクだ。これは「ディープラーニング」と「フェイク」を組み合わせた言葉で、AIで加工された動画を意味する。ディープフェイクは、さまざまな感覚を通じて人々の現実認識を操作する、新たな手法である。多くの研究者や専門家が、政治家(あるいは映像内に映っている人々)が、映像に映し出されていることを本当に言ったり行ったりしたのかを、私たちが判別することはほとんど不可能になるだろうと指摘している。映像と人権に焦点を当てた非営利団体ウィットネスのプログラムディレクターであるサム・グレゴリーは、ディープフェイクの脅威について次のように説明している。

合成されたメディア（撮影された人物の表情をもっともらしく操作したり、誰かの声を合成したり、映像の微妙な編集を行う機能を含む）の使われ方として、コンピューター・プロパガンダによる「嘘の洪水」や、個別化されたマイクロターゲティングなどが考えられる。嘘の洪水とは、大量の加工されたコンテンツを送りつけ、ファクトチェックや検証を不可能にしたりすることと、マイクロターゲティングとは、偽のコンテンツを使って特定の個人をターゲットにすることだ。(7)

ここでグレゴリーは、従来型のデジタル世論操作ツールにこのテクノロジーが組み合わされ、マイクロターゲティングや大量のコンピューター・プロパガンダなどに利用される可能性について言及している。ディープフェイクやその他の高品質なフェイクビデオの利用は、他のテクノロジーと同様に、政治に深刻な影響を与えるだけでなく、ビジネス、市民社会、芸術、そしてより一般的には日常生活における、信頼と安全にも深刻な影響を与える。

ディープフェイクは、基本的には文化や社会のあらゆる分野で、世論や私たちが現実だと考えていることを破壊する目的に利用できる。問題は、ディープフェイクが現実にどこまで利用されているかという点だ。ディープフェイク・ビデオがもたらす偽情報の脅威をより深く理解し、実際にどこまで心配すべきかを判断するには、それに付随する質問をいくつか考えてみる必要がある。そうした偽造ビデオを誰が作っているのか？　どう機能するのか？　実際に世論や政治的議論を操作するために使われたのか？

下品な現実を指摘しておくと、ディープフェイクは偽ポルノビデオの制作に使われてきた歴史がある。そのもっとも単純なケースでは、人の顔のリアルな映像が、別の人の体に重ねられる。現時点では、こうした顔の付け替えの被害者としてもっとも多いのは有名人だ。より高度な偽ポルノビデオについて、「ディープフェイク」という言葉が最初に使われたのは、２０１７年のレディット上である。[8]同サイトで「deepfakes」というアカウント名を名乗っていたユーザーが、グーグルのＡＩツール「オープンソース・テンソルフロー」を使って加工されたビデオをアップロードしたのだ。[9]この匿名のユーザーは自分たちの方法論を、テンソルフローを使って書いたコードと一緒に、同じくレディットに投稿した。[10]

レディットに動画が投稿される以前には、この比較的新しいテクノロジーはほとんど人工知能研究コミュニティーの手に委ねられていた。しかし現在、数千本ものディープフェイク・ポルノビデオがオンライン上で公開されている。ガーディアン紙の記事が、このツールの技術的および歴史的な起源を簡潔にまとめている。

いまやフェイクビデオは、敵対的生成ネットワーク（GAN）と呼ばれる機械学習の手法を使って制作できるようになった。大学院生の（現在はグーグルで研究者を務めている）イアン・グッドフェローは、既存のデータセットから新しいタイプのデータをアルゴリズム的に生成する方法として、2014年にGANを考案した。GANはたとえば、バラク・オバマの写真を数千枚見て、その中の1枚をコピーするのではなく、それに近いがまったく新しい写真を生成することができる。前大統領の新しい写真が撮られたかのような1枚を生み出せるのだ。またGANは、既存の音声から新しい音声を生成したり、既存のテキストから新しいテキストを生成したりするために使用されることもある。これはさまざまな応用が効くテクノロジーだ。[11]

このテクノロジーの用途の多くは、依然としてポルノである（ポルノハブやツイッター、レディットといったサイトは自社のプラットフォーム上でフェイクビデオの乱用を禁止する方向に動いているが）。[12] 政治的な世論操作にディープフェイクが使われたという例は、実はほとんどない。しかしそのわずかな例が、きわめて重要なものだった。

最初の例は、思いがけない分野から生まれた――コメディである。2018年4月、アカデミー賞受賞映画監督のジョーダン・ピールがバズフィードと協力して、AIと非AIツールを組み合わせて使い、バラク・オバマ前大統領が登場する偽の公共広告（PSA）を制作した。[13] その後バイラル的に拡散されたこの動画の中で、オバマは「トランプ大統領はまったくでたらめな奴だ」と語っているように見える。そしてオバマは（実際には加工された映像だ）、敵が私たちに何かを言わせたり、させたりできる時代に私たちは生きているのだ、という事実を語る。ピールはこの動画をきっかけに、急速に進化するディープフェイク技術について一般の人々に警告しようとした。動画は公開時にディープフェイクであることが明らかにされていたが、もしそうでなかったら？ もしそれが、前大統領による本物の声明として報道機関に取り上げられ、発信されていたら？ そもそもこうした動画が文脈から切り離されて拡散され、ピールの動画がまさに警告していた状況が起きたりすることはないのだろうか？

2018年、ドイツのマックス・プランク研究所、テクニカラー、ワシントン大学、そしてスタンフォード大学の研究者から成る混成チームが、彼らが「ディープビデオ・ポートレイト」と名付けた技術を、オバマ、ロナルド・レーガン、ウラジミール・プーチンなどの政治家でテストした。[14] この例でも、指導者たちの姿は本物そっくりに加工された。研究者たち（彼らの活動資金の一部はグーグルとエヌビディアから提供されていた）は、この新しいツールが悪用される可能性を指摘したが、創造的な映画撮影や技術的な目的での使用については楽観的な見方を崩していない。これより前の研究では、ディープビデオ・ポートレイトの論文にも参加していたワシントン大学の二人の研究者が、この技術に対する懸念についてより率直にコメントしている。「誰かの声を採ってきて、そのままオバマの映像に換えたりしてはいけません。私たちは意識的に、他人の言葉を他人の口から言わせることはしないと決めました。私たちは、誰かが話した本当の言葉を、その人のリアルな映像にしているだけです[15]」。しかし誰もがそれほど良心的というわけではない。

2018年5月、トランプ大統領がベルギーに対して、気候変動に関する国際的な合意であるパリ協定から米国と共に離脱するよう呼びかける動画が公開された。[16] 表面的には、この発言は大統領が実際に推し進めようとしていることとかけ離れているようには見えなかった。彼の政権は実際にこの協定から離脱したし、トランプは自分の手法と選択が「ベストだ」と訴えることでよく知られている。しかし多くの場合、メッセージに微妙に手を加えると、現実を捻じ曲げる強力なツールになる。トランプのこの動画も、実はフェイクだったことが判明した。彼はどんな場面でも、そのような発言は一切していなかったのである。

この動画はベルギーの左派政党である「社会党・別（sp.a）」が制作したものだった。これは批判として制作されたものだと主張されたが、誰もがそう受け取ったわけではなかった。このような技術的に加工された映像は、ディープフェイクの活用における危険な前例となった。偽動画は政治家やその他の人々の口を使って、さまざまな言葉を言わせることで、不和の種を蒔いたり、有権者を動揺させたり、ニュース報道を混乱させようとしている。それは民主主義に対する脅威であるだけでなく、人々が証拠として受け入れることができるものを蝕み、真実だと信じているものに疑念を抱かせることによって、私たちの現実認識をも脅かす。ディープフェイク技術は、悪意のある人々にとって強力なツールになるのだ。

トランプの動画とピールのオバマ動画に、バグがないわけではないことに注意する必要がある。映像をよく見ると、何かおかしいと感じるかもしれないが、完全にフェイクだとは気づかないだろう。人物の輪郭がぼやけていて、話し方が不自然だ。そうしたクオリティの低さを、バッファリング[★2]や映像と音声のズレが原

★2　デジタル映像をネットワーク経由で配信する際に、数秒から数分分のデータを端末側に溜めておくことで、回線が遅延しても映像の再生をスムーズに行う技術。

白揚社 2020 Autumn だより vol.6

お買い上げ、まことにありがとうございます

戦争が、科学技術を進化させた――弓矢や投石機から、大砲、銃、飛行機、潜水艦、さらには原爆や水爆へと、時代と共に次第に強力になっていく兵器はどのように開発されたのか？

今回の注目書

事実はなぜ人の意見を変えられないのか

説得力と影響力の科学

最新科学に基づいた「説得の極意」

新型コロナウイルス対策で、感染抑制策と経済政策のどちらを優先するか。メディアでは連日、それぞれの立場の意見を紹介するだけで、いつまでたっても結論が出ない。そういえば、福島原発事故の時も原発推進派と反原発派がお互いの主張を訴えているだけだった。深夜の討論番組も国会論戦も同じだ。論議を尽くすと言っておきながら、お互いの主張を繰り返すだけ

[illegible]

ためのプロジェクトの事例は面白い。この病院にはジェル状の手指消毒剤と洗面台が備え付けられており、手洗い推奨の注意書きも貼られていたが、手洗い順守率は驚くほど低かった。そこで監視カメラを導入して監視を強化したが、これも失敗。手洗いをしたのはわずか1割だった。次に電光掲示板を設置して手洗い順守率を表示した。手を洗うたびに数値が上がるこの装置で、スタッフの達成感を刺激したところ、なんと手洗い順守率は90％まで上昇したのだ。作戦は大成功だった。

運動不足の夫をジムに通わせる魔法のひと言

もっと簡単な例もある。いくら指摘しても運動不足を改めない夫が、珍しくジムから帰ってきたときに、妻は「鍛えた筋肉が素敵」と言っ

[illegible]

〒101-0062 東京都千代田区神田駿河台 1-7-7 ☎ 03-5281-9772

科学が暴く「食べてはいけない」の嘘
エビデンスで示す食の新常識

産経新聞 書評掲載

「肉や脂肪を食べると太る」「卵を食べるとコレステロールが増える」「人工甘味料はキケン」……質の高い研究だけを参考にすると、こうした不安を煽る食の情報は、科学的に間違いだらけ！ ムダな我慢をしいる誤った情報を正し、食の常識を書き変える。“科学的な事実を指摘する貴重な書籍だ。”石川幹人さん（明治大学大学院教授）産経新聞4月12日

アーロン・キャロル 著
寺町朋子 訳
四六判・2400円＋税

美の進化
性選択は人間と動物をどう変えたか

日経新聞 書評掲載

メスが美的感覚をもとに配偶者を選び、オスを改造していく——世界的鳥類学者が、美の進化にまつわるダーウィンの〈危険思想〉をよみがえらせ、刺激的な新説を提唱する。華麗な鳥の羽から人間の同性愛やオーガズム、性的自律性の進化まで、美と性の謎に斬り込む。“ダーウィンの予言の深さと豊饒さを再考させる一冊である。”長谷川寿一さん（行動生態学者）日本経済新聞5月2日

リチャード・O・プラム 著 黒沢令子 訳
四六判・3400円＋税

白揚社の本棚

マニアックになりがちな白揚社の本たち その読みどころを紹介

釣りをする友人から、魚は痛みを感じないと聞かされ、驚いたことがあります。なんでも、もし魚が痛みを感じるのなら、釣り針が口に刺さった状態であんなに引っぱれるはずがないというのです。

いた化学センサーで水に溶けた物質を知覚でき、捕食された仲間の体から水に溶け出した体液をセンサーで捉え、天敵を察知します。これだけでも、人間の感覚で魚の感覚を推測するのは間違いだとわ

ジョナサン・バルコム 著
桃井緑美子 訳
四六判・2500円＋税

物理学』
ーカー 著　藤原多伽夫 訳　四六判・2800円＋税

器の科学をたどりながら、その原理や優越性
場面を変えてきたかを詳しくまとめたものであ
が、科学技術を進化させた」と書かれているが、
を見れば、それも納得せざるを得ない。"（池
、共同通信書評より）

yo_sha）で「試し読み」「白揚社だより」配信中

新刊案内

note（https://note.mu/hakuyo_sha）または弊社 HP http://www.hakuyo-sha.co.jp で試し読みいただけます

コンピューターは人のように話せるか？
話すこと・聞くことの科学

マシンやスマホと人間が会話する時代がやってきた。だが人間には当たり前でも、会話は超弩級の離れ業。機械は人間と同じように話せるようになるのだろうか？　音の科学の第一人者が、科学・文化・政治など多彩な角度から〈話すこと・聞くこと〉の本質を探る。初めて言葉を発した太古のヒトから人工知能による会話まで、刺激的なエピソードが満載の画期的な科学ノンフィクション。

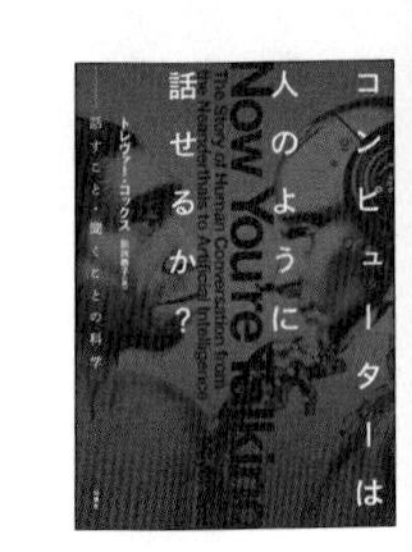

トレヴァー・コックス 著　田沢恭子 訳
四六判・2700円＋税

スポーツを変えたテクノロジー
アスリートを進化させる道具の科学

オリンピックメダリストが戦前のシューズで 100 メートルを走ると、記録はどれほど遅くなるのだろう？　素朴な疑問を抱いたスポーツ工学者が、世界各地で一流選手に昔の道具を使ってもらい、ボールやラケット、シューズやウェアなどの進化を検証していく。古代の陸上競技から球技、水泳、スケート、自転車まで、テクノロジーと共に変わってきた競技を探訪するスポーツ 4000 年の旅。

スティーヴ・ヘイク 著
藤原多伽夫 訳
四六判・2400円＋税

確かに、と納得しそうになりますが、それは早計であることが、『**魚たちの愛すべき知的生活**』を読むとはっきりします。魚は人間とは違う感覚世界に生きています。例えば、魚は体の表面にたくさん付

かるのではないでしょうか。

他にも、魚は仲間と協力して狩りをしたり、道具を使って貝を割ったり、非常に知的で、本書を読めば魚を見る目が一変します。魚好きにオススメの一冊。

〈表紙の一冊〉『戦争の

バリー・パ

“ 戦争に使われてきた武

とともに、どのように居

る。……本書の帯に「戦争

このような武器の発達史

内了さん〈宇宙物理学者〉

note (https://note.mu/haku

向きもしない傾向がある。なるほど、コロナ対策も原発政策もまとまらないわけだ。

では、人の主義主張を変えることはできないかというと、そんなことはない。本書には、興味深い実例がたくさん紹介されている。たとえば、手を洗わない病院スタッフに手を洗わせる

論の際に、この説得方法を試してみたいと

気持ちになっていた。

（鈴木裕也・科学読み物研究家）

▼『事実はなぜ人の意見を変えられないのか』ターリ・シャーロット著　上原直子訳　四六判・2500円＋税

人間の行動の意外な側面に迫る本

今回の注目書のように、人の行動や心理についての本には、当たり前と思っていたことが覆されるおもしろさがあります。そんな「目からウロコ！」という本をさらに3冊紹介！

❶群れはなぜ同じ方向を目指すのか？

鳥や魚の群れは高度に統率の取れた動きをします。人間もそうだと言われると驚きませんか？　人間も集団になると個人のときとは異なる性質が露わに。集団としての人を科学します。

❷反共感論

「共感≠善」を訴える社会心理学書。共感はお隣さんを助けるのには有効ですが、遠くにいる顔の見えない大勢の人には働かない。そのため、政策など社会の仕組みを考える際にはむしろ害になることも。著者は共感に代わる理性の重要性を説きます。

❸信頼はなぜ裏切られるのか

誰かを「信頼できるかどうか」考えるとき、人間性を見ようとしていませんか？　もしそうなら、いつ裏切られてもおかしくありません。人間の心理は状況が許せば他人を裏切るようにプログラムされています。手がかりはその人が置かれた状況。詳しくは本書でお確かめください。

❶レン・フィッシャー著　松浦俊輔訳
四六判・2400円＋税

❷ポール・ブルーム著　高橋洋訳
四六判・2600円＋税

❸デイヴィッド・デステノ著　寺町朋子訳
四六判・2400円＋税

因だと考える人もいるだろう。しかしこれらの問題は、実際にはディープフェイク技術が持つ欠陥から生じている。ＡＩによる映像加工が、まだ初期段階にあることを示しているのだ。またピールとバズフィードが制作した動画の方が、トランプ動画よりもわずかに優れているという事実は、しっかりとしたノウハウを持つ人が使えば、このツールの効果が高まることを示している。

まだ注目するには早い？

ハーバード大学とＭＩＴが共同で立ち上げたプログラム「人工知能の取り組みにおける倫理とガバナンス」のディレクターで、以前グーグルで機械学習ポートフォリオのポリシー策定責任者を務めていたティム・ウォンは、ディープフェイク自体よりもそれに釣られる人々の方に懸念を抱いている。[17] 彼は「偽情報を生み出す者は、ディープフェイクが登場するずっと前から、動画や音声の加工を行っていた。ＡＩは豊富な道具が揃うツールボックスに加えられた、新しい道具の一つに過ぎない」と指摘する。ウォンは洗練された技術を使っていない動画プロパガンダの例として、再生速度を上げただけのアコスタの動画を挙げている。彼は、研究と歴史が示すように、プロパガンダ行為者は世論を操作するアプローチにおいて現実的な考え方をすると指摘している。つまり彼らは、もっともシンプルで費用対効果の高い手段を用いて、人々の心と考えを変えようとするのだ。先に指摘したように、単純なボットはこの実用主義の好例だ。それは膨大な数で圧倒することで、その創造者の目的を達成できる上、安価で使い勝手がいいのである。

フォトショップやガレージバンドといったアプリケーションは、そうした目的を達成する上での便利なツールであり、使うに当たって深い技術的知識やお金のかかるトレーニングを必要としない。しかしディープフェイクや、その基礎となる機械学習や膨大な計算能力は、AIを活用した政治ボットと同様に、比較的高価で、技術の面で複雑だ。ウォンが言うように、「機械学習は強力だが、きわめて狭いツールだ。それで良い人形を作れるかもしれないが、良い人形遣いを作れるとは限らない。この技術だけでは、説得力があり、信頼できるストーリーや、信頼できる文脈を生み出すことはできないのである」。この指摘の正しさは、社会党・別が制作した動画と、ピールたちが制作した動画を比べれば一目瞭然だ。動画を使っても使わなくても、説得力のあるプロパガンダを生み出すには資源が必要なのである。

しかし、これまでに登場した多くのデジタルツールと同様に、ディープフェイクの技術が進歩すれば、より安価で使いやすくなる可能性が高い。また、より洗練されたバージョンが登場する可能性も高い。現時点でも、エクスプレッションのような、一般の人々でも精度の低い加工動画を制作可能にするスマホアプリが存在する。それにユーザーがより高品質なディープフェイクを他から入手して利用したり、編集したりする可能性もある。たとえば誰かがピールの制作したオバマ動画を短くして、ユーチューブに再投稿したらどうなるだろうか？　元の動画を知らない人々を激怒させる可能性はないか？　似たような状況で、再利用されたプロパガンダがオフラインでの暴力にまでつながった例がある。

ウォンが懸念しているのは、テクノロジー自体よりも、ディープフェイクや政治ボットによるキャンペーン、その他のコンピューター・プロパガンダを人々が信じるように仕向ける、根本的な心理的・社会的な問題の方だ。デジタル情報の虚偽を検出するツールの開発が、一方でそれを拡散するツールの開発へとつながると彼は指摘する。言い換えれば、私たちはプロパガンダの供給側と同じくらい、その需要側にも注意を払わなければならない。誰がジャンクニュースを消費するのだろうか？　特定の人々が陰謀論や偽のニュースに騙されやすいのはなぜだろうか？　本書の前半で指摘したように、批判的思考と陰謀論は表裏一体だが、危険なほど大きく異なるものだ。どちらも評価と批評を通して、表面に見えるもの以上のことを探ろうとする。しかし陰謀論者は、科学的知識の代わりに憶測や噂を用いることが多い。それにもかかわらず、陰謀論の多くは広く受け入れられており、そのような噂話のなかにはバイラルに広がるものさえある。自閉症と予防接種に関係があるという、既に誤りであることが証明されている「科学的」主張は、今でもネット上で広く共有されている。

ディープフェイクがプロパガンダの道具としての力を本当に持つようになるのか、ウォンが疑問視するのは正しい。しかし私は、二つの重要な点を指摘したい。第一に、軍から企業に至るまで、政治に利害関係を持ち十分な資源を保有する集団は、洗練された形の偽情報を活用できる程度の技術的・財政的資源も所有している。ロシアが2016年に、粗悪なソーシャルメディア・ボットを使ってツイッター上でトレンドを生み出したり、偽の草の根運動のページをフェイスブックに開設して政治的な対立の種を蒔いたりしたことは事実だが、そうした初歩的なデジタル手法の時代が終わろうとしているのも事実だ。確かに、これらの企業や他の多くの団体は、こうしたソーシャルメディアやインターネットの悪用を阻止するためのツールの開発に精力的に取り組んでおり、その過程で企業や彼らの技術インフラは進化している。しかし歴史は、情報操作の原理と同じように、メディアを通じて世論を操作しようとする者が、そのような行為から守ろうとする者より一歩先を行くことを示唆している。ソーシャルメディアのプラットフォームが変われば、コンピューター・プロパガンダを拡散する方法も変わるだろう。いまは高価な技術でも、明日には安価で使いやすくなっている可能性が高い。さらに偽情報キャンペーンはいったん開始されると、元の状態に戻すことはほぼ不可能だ。誤った情報や虚偽に対してオンライン上で訂正したり、ファクトチェックしたりする事後的な取り組みは、上手くいかない場合が多いことが、研究から明らかになっている。[18]研究者のブレンダン・ナイアンとジェイソン・レイフラーは「バックファイア効果」の重要性を指摘している。これは「訂正は、実際には標的にされた人々の間に生じた誤解を増大させる」というものだ。[19]

これ以外にも、ディープフェイクの技術は既に、権力者によって偽情報を広めるために使われている。たしかにＡＩの専門家がＡＩ映像編集技術の悪用の可能性を考えたときに最初に思い描いていたほど、権力者は強力な存在ではないかもしれないし、また想像していたようなＡＩの使い方をしていないかもしれない。ただ、ポルノやその周辺におけるディープフェイクの利用から浮かび上がるのは、他人を支配し、嫌がらせし、辱めるような動画を公開するという、重大かつ問題の多い技術の使用が行われていることだ。レディットに投稿されたある動画は、フェイクアップというプログラムで作られたもので、政治とポルノ両方の偽情報が組み合わされている。この映像では、ミシェル・オバマ前大統領夫人がストリップをしているようなシーンが流れるのだ。ニューヨークタイムズ紙は、「このハイブリッドは不気味だ。よく知らない人であれば、これが本物の彼女だと思っていたかもしれない」と評している。[20] このようなディープフェイクの使い方は、ドナルド・トランプや他の男性政治家が馬鹿げたことや不遜なことを言っているように見せかけるフェイク動画と同じくらい、あるいはそれ以上に問題があることを認めなければならない。どちらのディープフェイク技術の利用法も、定着してしまう前に阻止する必要がある。

ほとんどの場合、こうした動画をインターネットから削除するというほぼ不可能な仕事を任されているのは、被害者自身である。このことからは、誤った情報のしぶとさがわかるだけでなく、コンピューター・プロパガンダの被害者が抱えなければならない心理的ストレスについてもうかがい知ることができる。将来のディープフェイクが選挙の結果を変えることはないかもしれないが、被害者が誰であろうと、他の種類の影響を受けることは間違いない。新しい技術を世に出す前に、その技術に安全装置を組み込まなければ、それは確実に悪用されるだろう。コードレベルの分析を使い、プロパガンダを広めるために利用されるディープフェイクやその他の技術を追跡する方法があるほか、手動の定性的な検索を使用して、こうしたAI加工動画を追跡する方法もある。ソーシャルメディア企業やその他のグループは、いまそうした技術に投資しなければならないし、新しいＡＩ映像技術を実験し、開発している人々は、生み出された作品を一般に公開する前に慎重になるべきだ。企業における製品の製造プロセスや、消費者の製品に対する期待が変わる必要がある。二極化や情報の偏向の根本にあるのは社会問題だから、テクノロジーが問題を増幅させるわけではない、などと考えている場合ではないのだ。

普通の動画も強力なプロパガンダ・ツールに

ＡＩ動画は間違いなくプロパガンダを広めるツールになるだろうが、普通の動画も同じだ。アコスタの動画で起きたように、意図的に編集され、つなぎ合わされた映像は、失言を強調したり、文脈から特定の部分を取り出したりすることができる。証拠のように見せられるものは何であれ、真実を変えたり、歴史を書き換えたりしたい人の危険な道具になり得る。

バズフィードの論説員であるトム・ガラは、現時点ではフェイク動画よりも本物の動画の方に関心を向けるべきだと主張している。[21] コンテンツ配信ネットワーク（ＣＤＮ）のライムライト・ネットワークスが発表した、オンライン動画の現状に関するレポートによれば、世界の平均的ユーザーが1週間に動画を観る時間は、2017年から18年にかけて1時間から6時間半に増加した(22)。ライムライトによれば、「18〜25歳の人々は、週に平均約9時間15分視聴しており、彼らのうち31パーセントは週10時間以上視聴している」。シスコのビジュアル・ネットワーキング・インデックス(VNI)レポートは、オンライン動画に費やされるトラフィック★3が、2017年から22年にかけて4倍に拡大すると予測している(23)。動画は既に人気のあるコンテンツだが、ティックトックのようなプラットフォームが台頭してきたことで、さらに人気が高まりそうだ。

動画が遍在的なメディアになることはさておき、ガラは普通のオンライン動画が持つ事実を誤解させる力の例として、2019年にワシントンDCで起きた、高校生とネイティブアメリカンの老人との間で起きた事件を指摘する。リンカーン記念堂の前で行われていた抗議活動の最中に、トランプ大統領のスローガン「メイク・アメリカ・グレート・アゲイン(米国を再び偉大な国に)」が記された帽子をかぶった、ケンタッキー州のコビントン・カトリック高等学校の生徒たちが、ネイティブアメリカンの男性を嘲笑する動画が公開された。しかしその後で公開されたいくつかの動画から、事態はより複雑であったことが明らかになった。これらの動画には、生徒が自分たちの校歌を、いくぶん煽るようだとはいえ穏や

★3 一定の時間内に、通信回線上で送受信されるデータの量。

かに歌っているところが映っていると言う人がいる一方で、左派の抗議グループが実際には暴力を扇動しているところが映っていると主張する者もいた。

これらの映像にはAIによる変更もなければ、長いシーンの一部を取り出して見せる以外の基本的な編集もなかったことを、ガラは指摘する。事実、「動画を議論に持ち出すと、全体像は不鮮明になり、誰もが自分の言い分の正しさを証明する瞬間を見つけられるようになる。別の角度から切り取った映像が、新たな疑問を呈するのだ」と彼は論じている。[24] そして「本物の映像の本物の断片ほど、誤解を招くものはほかにないかもしれない」と続けている。

2018年半ば、編集された動画が政治的分断を起こす手段として利用されたもう一つの例が起きた。コンサーバティブ・レビューTV（CRTV）が、当時連邦議会の候補だったアレクサンドリア・オカシオ＝コルテスがインタビュー中に言葉につまっているように見える編集動画を制作した。ニュースサイトのジ・インターセプトによれば、「オカシオ＝コルテスが最近PBS[★4]のテレビ番組ファイアリング・ラインに出演した際に、別の質問に対して行った答えをつなぎ合わせて、同局の司会者アリー・スタッキーが行ったという設定の架空のインタビューが作られた[25]」。問題は、CRTVが最初にこの偽「インタビュー」をソーシャルメディアに投稿したとき、内容が編集されたものだという事実を視聴者に知ら

★4　パブリック・ブロードキャスティング・サービス、米国の公共放送ネットワーク。

せなかったことだ。この動画は瞬く間に100万回以上再生された。CRTVは後に、この動画は偽情報を流すためとしてではなく、風刺として作ったと主張した（どこかで聞いたことがある言い訳だって？）。これに対しオカシオ＝コルテスは、ツイッター上で「共和党員は私のことをとても恐れていて、もう現実に対処することができないので、フェイクビデオを制作してフェイスブック上で本物のように掲載しているのです」とコメントした[26]。

コビントン・カトリック高等学校の生徒たちやオカシオ＝コルテスの動画のように、簡単な編集がなされた動画がユーチューブのようなサイトに投稿されると、完全なフェイク動画と同じくらい、あるいはそれ以上にバイラルに拡散される可能性がある。捏造された動画や、文脈を変えられた動画が投稿されないようにする仕組みには、どのようなものが考えられるのだろうか？　抑制と均衡を効かせることはできるか？　なぜ動画には特別、説得力があるのだろうか？

動画は、その複数の感覚に訴える性質によって、真実をさまざまな形に曲解させる強力なツールになる。研究によれば、動画は文章よりも記憶に残りやすいため、アイデアを広める際には効果的で、より有利なツールとなる。それは、私たちが目と耳で出来事を認識するからで、動画の方がより現実的に感じられるのである。3Mが発表している、効果的なプレゼンテーションを行うためのガイドラインによれば、脳は文章よりも6万倍速く映像を処理することができる。[27] さらにオーストラリアの二人の学者が行った研究によれば、動きは注目を引き付け維持するのに非常に効果的な手段だ。[28] これらを念頭に置けば、現在のテレビ番組や映画では、ひっきりなしに画面が切り替わるようになっているのは驚くことではない。またプロパガンダ行為者が、自分たちにとって望ましい現実を広めるためのツールとして、映像を利用しているのもうなずける。

動画には、効果的なプロパガンダのツールたりえる要素がほかにもある。そうした動画はしばしば、魅惑的なストーリーテリングを駆使して主張を理解させるのだ。このテーマに関する画期的な論文によると、「物語への移入」と名付けられた、物語に夢中になっている心理状態は、人々がパブリック・ナラティブ★5を駆使した話を読んでいる際に、彼らを説得する絶好の機会となる。[29] 論文の研究者たちは、この夢中状態には「イメージ、感情、注意の集中が伴う」と説明している。そして「非常に夢中になっている読者は、そうでない読者に比べて、物語の中で間違った記述に気づくことが少なかった」という。映像は、その人々の注目を釘付けにする力のために、視聴者を夢中にさせる威力が特に高いことがわかっている。

ユーチューブは、自社のサイトに投稿されるコンテンツを審査すること妨げる、

★5 ストーリーテリングを通じて他者を行動に駆り立てる手法。

大きな障害に直面している。インスタグラムやリンクトイン・ビデオ、ティックトック、スナップチャット、ヴィメオ、ウィーチャットといったプラットフォームも同様で、これらに共通しているのは、ソーシャルな動画の制作と利用がサイトの中核であるという点だ。多くの動画サイトは、投稿されたものを精査して監視するために、人とアルゴリズムの両方を採用している。しかし大部分の人々は、コビントン・カトリック高等学校の生徒たちの動画を、問題だとは認識しなかっただろう。また政治的にデリケートなこの動画を、アルゴリズムが捕捉することもなかっただろう。人やアルゴリズムは、切り取られた映像が公開されるのを止めるべきだったのだろうか？　これは難しい問題だ。そうした制限を行うことは、特にユーチューブが優先すべきだと主張している「動画による言論の自由」と大きく対立するからである。とはいえユーチューブは、明らかに加工された動画がこれ以上投稿されないようにするために、明確な措置を取ることができるだろうし、取るべきだ。そして動画サイトは、どんなディープフェイクも投稿可能にしてしまう前に、じっくりと真剣に検討すべきだ。問題は、監視チームがそうした映像をきちんと特定し、阻止できるかどうかだ。

ユーチューブ問題

私が参加したコンピューター・プロパガンダに関するイベントの多くにおいて、ユーチューブにはほとんど関心が寄せられていなかった。ツイッターやフェイスブック、そしてレディットまでもが、コンピューター・プロパガンダやその他のテクノロジーを活用した世論操作が横行するプラットフォームの例として、よく槍玉に挙げられている。しかしユーチューブにも問題点がある。もっとも注目すべきは、虚偽や陰謀論が満載の動画をトレンドのトップに掲載したり、人々が政治とは無関係の動画を見た後に、過激な思想の動画へのリンクを表示したりしてきた歴史があるという点だ。[30] そうした動画のなかには、他のサイトやソーシャルメディア・プラットフォームにリンクを張って拡散するボットによって再生回数を稼ぎ、その結果、一般の人々の間に浸透しているものもある。

研究者のベッカ・ルイスは、ユーチューブが白人ナショナリストやオルトライトのお気に入りメディアであることを実証した。ルイスは自身の論文「オルタナティブ・インフルエンス――ユーチューブ上での保守的な権利の発信」の中で、過激主義を支持する多数の「インフルエンサー」をユーチューブがプラットフォームとして後押しすることはすなわち、彼女が「オルタナティブな影響ネットワーク」と呼ぶものに等しい存在にユーチューブがなっているのだと主張している[31]。彼女は「主流派の視聴者を抱えるインフルエンサーは、あからさまな白人ナショナリストやその他の過激派コンテンツの制作者と、ユーチューブの動画を通じて互いにつながり、交流することで、彼らに対して信頼性を与えている」と記している。彼女はまた、極右の陰謀論を売り込む人々を含むすべてのインフルエンサーは、ユーチューブを使ってお金を稼ぐことができ、時には非常に大きな額を得ているとも指摘している。

しかしユーチューブの問題は、右派と左派の両方から極論的な、時には虚偽を含むコンテンツを拡散するために使用されていることや、そうやってお金を稼ぐことができるという事実だけにとどまらない。ユーチューブに備わるはたらきに根を持つ問題がほかにもあるのだ。これらの問題は、アルゴリズムの中にも、特定のコンテンツを他よりも優先させるための人間用のガイドラインの中にも存在している。

グーグル・ニュース・イニシアチブ（GNI）★6によれば、ユーチューブは人々が特定の報道機関にどの程度の権威を感じているかといった、品質に関する指標に基づいてニュース速報などのコンテンツを整理している。そうした取り組みは、ユーチューブが自身と報道機関との架け橋を築くことを目的とした数百万ドル規

★6　グーグルが2018年3月に発表した、フェイクニュース対策とメディア企業支援を目的としたプログラム。

模の取り組みの一環として、高く評価され始めている。事実、ニュースサイトのマッシャブルによれば、ユーチューブは検索結果のトップにニュース速報を表示するようになっている。[32] 一見すると、同社は陰謀論や誤報を共有するのではなく、ニュースとして価値があると判断したコンテンツや、「本物」と判断したコンテンツを優先的に表示しようとしているように見える。しかしその裏では、ユーチューブは依然として、人々が目にするニュースコンテンツを黙々と管理している。そうした判断をどのように行っているのか、ユーチューブは私たちに教えてしかるべきではないだろうか？

ある意味でユーチューブは、何かしても批判されるし、しなくても批判される。もし世論を操作するようなコンテンツや、誤解を招くようなコンテンツを掲載し続けていたら、ユーチューブは非難されるだろう。しかし、そうしたコンテンツを管理下に置こうとしたら、それはそれで攻撃されるはずだ。ユーチューブは明らかに行動を起こしているのだが、その取り組みには透明性という要素が欠けている。ユーチューブが動画をランクづけするためにどのような判断を行っているか、明確になっていない部分がある。アルゴリズムはこの中でどのような役割を果たしているのだろうか？　人間のモデレーターの役割は？　ニュースコンテンツのランクづけの際、何を指標としているのか？　すべてグーグルの技術をベースとしているのか、それとも他のソーシャルメディア企業と連携しているのか？

それ以上に、ユーチューブは依然として、同社が「政治的」ではあるが虚偽ではないと判断した、米国を含め世界各国の問題のあるコンテンツを、不透明で場当たり的な方法で扱っている。グーグルをはじめとする企業は、コンサルティングや、広告枠の販売を目的として、政治キャンペーンに関与していることが明らかになっている。[33] であれば、そうした企業が政治的コンテンツを有効な形で自主規制したり、管理したりしていると、どうすれば信頼できるというのか？

グーグルは最近「ナレッジグラフ」の提供を開始した。それは主要な歴史上の出来事やその他のトピックの検索結果の横に表示される情報パネルで、たとえば「冷戦」と検索すると、それに関連する画像が表示されるほか、主要な日付やウィキペディアの説明へのリンクも表示される。ユーチューブも重要な出来事や科学的なトピックが検索された際に、同じような対応を行う措置を講じるべきではないだろうか。2018年初頭、ユーチューブは陰謀論動画への対策として、ウィキペディアの記事にリンクを張るという新たな方針を打ち出した。[34] 問題は、同社がこの非営利の百科事典に彼らの方針を伝えていなかったことだ。ニューヨークタイムズ紙によれば、このユーチューブの動きは、「質素な」情報提供サイトであるウィキペディアに負荷をかけるおそれがあるという。[35] 同紙はこの問題を次のように完璧にまとめている。「これはつまり、昨年１０００億ドルを超える収益を上げたグーグルが、ボランティアの手で構築され、寄付金によって運営されている非営利団体に、危機を解決するための支援を求めたというわけだ」。これを受けて、ウィキペディアの運営母体であるウィキメディア財団でエグゼクティブディレクターを務めるキャサリン・メイハーは、「発表が行われたとき、私たちに何の連絡もなかったことに驚きました」と述べた。

グーグルやユーチューブが、ウィキペディアを特定のトピックについて信頼できるコンテンツを表示するための仕組みとして利用しようとしているのであれば、彼らに対して無条件で寛大な補償をすべきだ。ウィキペディアはインターネット上でトップクラスのアクセス数を持つサイトだが、その運営は利用者と「ウィキペディアン」、つまり少数の非常に活発な記事執筆者によって支えられている。もし大手テクノロジー企業が、スノープスやＡＰ通信といった、わずかな金額で情報の検証に協力してきた組織を今後も利用するのであれば、彼らを支援しなければならない。しかしその際には、テクノロジー企業はこれらの組織の決定に干渉することができないという明確なガイドラインを定めるべきだ。つまり、このような提携関係においては、テクノロジー企業が信頼できる調査機関に対しておお金を払い、調査しようとしているトピックに関する完全なデータを提供し、調査機関が提供する結果について発言権を持たないことを保証するように規制されるのが望ましい。そうでなければ、テクノロジー企業がこれらの小さな組織を不公平な支配の下に置き、彼らに無賃労働を押し付けるリスクが生まれる。

前述の通り、ユーチューブ内には動画を評価したり、管理したりする人々が存在する。彼らはどのような人物なのだろうか？ グーグルの社員なのか、それとも外部から雇った契約社員なのか？ もし契約社員であれば、グーグル社員と同じような福利厚生を受けられるのだろうか？ どうやって自らの偏見を抑えながら管理者を務めているのだろうか？ 研究と、過去に管理者を務めていた人物による証言の両方から、彼らはしばしば低賃金で、不快なコンテンツのキュレーションを強いられていることがわかっている。[36] ユーチューブはこうした管理者に関する人口統計的、地理的、およびその他の情報をもっと公開しなければならない。さらにユーチューブやその他のソーシャルメディア企業は、管理者の偏見が抑えられていて、コンテンツを評価する際には品質標準が使われていることを保証しなければならない。またこうしたプラットフォームは、管理者の間のコーダー間信頼性、つまりコーディングやデータの評価をしている人々が、データの品質について一貫して同意しているか、あるいは反対しているかについての情報を公開すべきだ。おそらくもっとも重要なことは、プラットフォームはこうした管理者

★7　一定のテーマや条件に従って、情報やコンテンツを取捨選択する行為。

たちを保護し、公平に報酬を支払わなければならないという点である。

また英語を使う人々にとっては、ユーチューブをはじめとしたソーシャルメディアのプラットフォームが、多種多様な言語でコンテンツを提供しているという点を覚えておくことも重要だ。私がインタビューしてきた専門家たちによれば、ごく最近まで、ほとんどの企業が英語で発信される誤情報の問題に追いつくのだけでひと苦労だったという。ではどうすれば、他の何百もの言語を使ったプロパガンダの流れを効果的に防ぐことができるのだろうか？　まだコンピューターのコードに翻訳されていない言語はどうなるのか？　最近のレポートによれば、企業はこの問題に対処するための取り組みを拡大しているようだが、このように大規模なユーザー層に対して、どれだけの管理者や研究者がいれば十分なのだろうか？　この言語の問題は、フェイスブックや他のソーシャルメディア企業が、悪意のあるコンテンツや政治的な操作を目的としたコンテンツの拡散を防ぐために、文化的な文脈を考慮しようとする取り組みにも現れる。噂が流れる環境となる文化を理解しなければ、噂を止めるのは難しい。ある言語を話すことはできても、その言語が使われる地域で育ったわけではない場合はどうか？　この場合、おそらく文化の複雑さを理解することはできないだろう。テキスト分析[★8]や自然言語処理[★9]の進歩により、文章をより正確に翻訳することが可能になった。しかし映像の

★8　テキストデータの中から情報を取り出す技術。

★9　人間が書いたり、話したりしているような自然な文章やスピーチを分析し、内容を把握する技術。

場合は、こうした問題に対処するのは不可能ではないとはいえ、いっそう難しいものになる。

フェイクビデオの拡散を止める

オンライン動画がこれほどまでに普及している中、プロパガンダ目的で使われるのをどうすれば止められるのだろうか？　ディープフェイクを検出するためのツールはあるか？　もっと初歩的な方法で加工された動画の場合はどうか？　ストリーミング動画なら？　フェイスブック・ライブ、インスタグラム、ペリスコープといったサービスは、簡単にアクセスできるライブストリーミング・アプリケーションを提供しており、この手のテクノロジーは増加傾向にある。ライブストリーミングはどのように世論操作に利用される可能性があり、それを防ぐにはどうすればいいのだろうか？

インターネットは他のテクノロジーやメディアと同様に、何か極端な変化が起きない限り、その規模や精妙さは増大する一方だろう。たとえば、世界中のウェブをつないでいる何百もの海底ケーブルは、突然何らかの理由で切断されてしまうよりも、常に交換され、改良されていく可能性の方が高い。核戦争のような世界の終末でも訪れない限り、インターネットは存在し続けるだろう。そしてオンライン動画も、同様に長期にわたって存在し続けるはずだ。しかし動画を使ってプロパガンダやデジタル・ヘイトを広めることができるのなら、その悪用を止めるための手段を講じることもできるだろう。ディープフェイクはAIを使ったアルゴリズムを利用しているため、その特徴を追うことで、それによって改竄（かいざん）された動画を検出するツールを開発することができる。

既にいくつかのグループが、ディープフェイクを検出・特定し、それに対処するアルゴリズムの開発に取り組んでいる。ニューヨーク州立大学アルバニー校コンピューター・ビジョン・機械学習研究所の研究グループは、きわめてユニークな方法でディープフェイクを検出するプログラムを開発した。チームが注目したのは、映像に映っている人物のまばたきのパターンだ[37]。この注目すべき技術は、ディープフェイクの制作者がディープニューラルネットワークによって人々の表情を変えられるのであれば、そこに何かしらの手掛かりがあるはずだという前提に基づいて構築されている。このプロジェクトの主任研究者である呂思偉（ルー・シウエイ）教授は次のように言う。「ディープフェイクのアルゴリズムが、人間の顔の画像を使って学習している場合、それは教師データとして使用できる、インターネット上で入手可能な写真に依存しています[38]」。そして、「頻繁に撮影されている人でも、目を閉じている顔が写っている画像はネット上ではほとんど公開されていません」と。これこそ呂のチームがディープフェイクを検出できる理由だ。彼は「まばたきの全体的な頻度を計算し、それを自然な頻度と比較すると、ディープフェイク動画に登場する人物のまばたきの頻度は、実際の人間に比べてかなり低いことがわかりました」と述べている。

ディープラーニングの背後にある学習メカニズムに関する、この小さな発見によって、ディープフェイクと戦う人々は、ＡＩで加工された動画が定着する前に、それを検出する新たなツールを手に入れたことになる。では偽動画を検出する他のツールはというと、その多くが注目しているのはまばたきにとどまらない。なかには人力によるものさえある。

ディープフェイクを制作する方法はいくつかあり、それはつまり、制作者が特に力を入れるポイントがいくつかあるということだ。たとえば、唇の動きを変えることだけに集中する制作者もいるが、通常はこの方法だけだと説得力に欠ける。前述したように、単に対象となる人物の顔を入れ替えるというやり方もあり、このテクニックは、スナップチャットのようなアプリケーションで提供されている比較的初歩的なツールに似たものだ。呂教授が注目した手法を応用することもできる。つまり複数の写真を学習データとしてより洗練された形で表情を変えられるのだ。最終的には、誰か別の人物の動きを使って、それを模倣して別の人物の動きにする方法もある。ウォールストリートジャーナル紙の倫理規範チームと研究開発チームによると、こうしたディープフェイクの制作方法には、それぞれに特徴があるという。同紙はそうした特定の目印を使って、ディープフェイクを発見できるようにスタッフをトレーニングした。単に記者や編集者たちにこうした技術の存在を認識させるだけでなく、彼らは技術的な方法と昔ながらの報道手法を組み合わせて、偽動画の洗い出しを行っているのである。ウォールストリートジャーナルのシニア・ビデオジャーナリストであるナタリア・オシポワによれば、「映像編集ソフトを使って動画をフレーム単位で調べ、不自然な形状や追加された要素を探したり、修正が疑われる個所の画像で似た画像を検索したりするなど、動画が加工されているかどうかを確認する技術的な方法があります[39]」。しかし同紙のスタッフは、最良の選択肢は、単に「情報源と対象に直接当たって、編集者としての判断力を効かせる」ことだと訴えている。記者であれ、一般の人々であれ、その動画の出所がどこなのかを常に調べるべきだ。そしてその元となった動画がないか、探してみるべきだ。最後に、不鮮明なフレームや場違いな動作がないかどうかを確認するために、動画を精査してみるべきだ。繰り返しになるが、この問題に対処するには、人間と技術的な戦略の組み合わせが必要になる。

ディープフェイク検出を行っている企業のアンバー・ビデオも、フェイク動画が流れるのを事前に防ぐ斬新な方法の開発に取り組んでいる。ＣＥＯのシャミル・アリバイと社員たちは、元の動画をブロックチェーン[★10]に記録しておくことで、動画に手が加えられた場合にそれを把握する「アンバー・オーセンティケイト」などのツールを構築している。これについて、ワイアード誌は次のように報じている。

このツールは、動画をキャプチャする際に、デバイスのバックグラウンドで動くことを想定している。定期的に、ユーザーが決めた間隔で、プラットフォームが「ハッシュ」(データにスクランブルをかけ、暗号化した表現)を生成し、パブリック・ブロックチェーン上に永久に記録される。同じ動画の断片に対して、このアルゴリズムで再度実行すると、その動画の映像や音声に何らかの変更が加えられている場合には、生成されるハッシュが違うものになる。それにより、加工された可能性を把握できるというわけだ。[40]

またアリバイは、動画が最初に作られたときに、そのデータに改竄されていないことを示すマークを付けられるようなメカニズムが必要だと主張している。そ

★10　改竄がしにくいことで注目されているデータ記録手法で、一定のデータを「ブロック」にまとめ、それを「チェーン」としてつなげていくことからこの名が付いた。

の逆に、ディープフェイクが作成されたら、そのディープフェイク・コンテンツにマークを付ける方法があるかもしれない。ただそのためには、そうした映像を制作するためのデバイスやプログラムを開発している、ハードウェアおよびソフトウェア会社からの賛同が必要になるだろう。

ライブストリーミングの問題

ライブストリーミングは大勢の人々から、ソーシャルメディアに投稿されているような編集された動画や画像よりも信憑性が高いと考えられており、人気が高まっている。しかしハッカーやプロパガンダ行為者がリアルタイム動画を操作して、偽情報や政治的嫌がらせを広めることはできるのだろうか？　ライブストリーミングは、世間の注目を集めようとするテロリストや、暴力的なグループが利用するプラットフォームになる可能性があるのだろうか？　なんとも滑稽な例を挙げると、ウエブサイトのセキュリティ上の欠陥を探すことで報酬を得ているチャン・チー・ユアンというハッカーが、マーク・ザッカーバーグのフェイスブックのプロフィールを削除する様子をライブ配信すると宣言するということがあった[41]。彼は結局その試みから手を引いたが、暴力を振るおうとする人物が、同じようなことを企てる可能性はあるのだろうか？

２０１８年の終わりに、オンラインゲーム「フォートナイト」上で、あるプレイヤーがまさにそれを行った。問題となった人物は、オーストラリア出身の26歳の男性で、彼はこのゲームをプレイ中、妊娠中のパートナー（他の二人の子供の母親）に暴力を振るう様子をライブ配信した。[42] 他のプレイヤーがそれを告発したことで、彼は逮捕された。また別のケースでは、25歳のフランス人ラロッシ・アバラが、フランスの警察署長とその同僚を殺害する様子をライブ配信した。[43] 彼は最終的に警察によって射殺されたが、この事件は世界的な注目を集めた。フォーブス誌が指摘しているように、「アバラの動画は、テクノロジー企業、特にソーシャルネットワークがライブ配信の監視と審査において直面している、大きな課題を浮き彫りにしている」。さらに別のケースでは、ロシア政府が運営する放送局であるロシアトゥデイが、ローマで行われた「イタリア首相と国民投票案に反対している」と同局が説明した抗議デモを生中継した。しかしこの抗議活動は、まったく反対の理由で行われていた――国民投票を支持していたのである。ワイアード誌のブルース・スターリングが指摘するように、「ロシアトゥデイのライブ配信は視聴者が１５０万人に達し、正反対のことが実際に起こっているかのような印象を彼らに与えた」[44]。

こうした操作や暴力行為はすべて、ライブストリーミングを通じて行われた。ほかにも、社会政治的な動機による恐ろしい行為も起きている――クライストチャーチのモスク襲撃事件だ。殺人犯はこの銃乱射事件の間、フェイスブックを使ってライブ配信を行った。50人が死亡し、50人が負傷した。配信の視聴者は数百人に達し、彼らは憎悪に駆られた殺人を目撃した。この襲撃事件の後、フェイスブックはライブストリーミング・アプリを制限することを検討すると述べた。フェイスブックの最高執行責任者シェリル・サンドバーグは、ニュージーランドヘラルド紙への書簡の中で、フェイスブックは「誰がライブ配信を行えるかについて、過去にコミュニティーの規範に違反したことがあるか等の要因に応じた制限を検討する」と説明している。また彼女は、この動画が他のユーザーによって保存され、９００以上の別のバージョンで再投稿されていたことを明らかにした(45)。

単純な事実を言えば、ソーシャルメディア企業は映像のライブ配信サービスを提供する必要はない。同様に、フェイスブックも情報をキュレーションするニュースフィード機能を設ける必要はない(46)。しかし大手テクノロジー企業の多くは、撮影中の動画を管理する作業は非常に厄介なものであるにもかかわらず、既に何らかのライブストリーミング機能を提供している。どうすればそうしたコンテンツを配信中に審査できるのだろうか？　ＡＩによる検出アルゴリズムなどの技術は、問題のあるコンテンツを検出する速度を高めることができるため、この点において有効な手段となる可能性はある。しかしテクノロジーによって、暴力的だったり誤解を招いたりするようなライブストリーミングのすべてを防ぐことはできないだろう。また暴力的または操作的なものではない配信を、問題があると誤って判定してしまう危険性もある。

動画からバーチャルリアリティーへ

先に引用した統計から示唆されるように、動画はインターネット上で既に定着し、いまなお成長しているメディアだ。そしていま、新しいテクノロジーや、さらに斬新なメディアが普及を始めている。たとえばここ数年、VR（仮想現実）、AR（拡張現実）、MR（混合現実）などのXR[★11]メディアが大きな盛り上がりを見せている。最近では、価格や携帯性などの問題から、VRへの熱狂はある程度収まってきている。しかしVR、AR、MRは、次の大きなソーシャルメディア・ツールになる可能性を秘めている。

VRやARを使ったソーシャルメディア・プラットフォームはどのようなものになるのだろうか？　多くの人々が、映画や小説などで、VRの世界に住むよう

★11　Extended Realityの省略。VR・AR・MRを総称する言葉だが、直訳するとARと同じ「拡張現実」になってしまうため、XRと表記することが増えている。

になった人間が、食事やトイレ、睡眠のためだけにログオフするという物語に触れたことがあるだろう。そのようなプラットフォームは、最近までフィクションの話だとして片づけられてきた。しかし専門家たちは、XRツールを使ってソーシャルネットワーク上で交流するようになる時代は近いと主張している。近年、技術が進歩しただけでなく、より手頃な価格で利用できるようになってきている。平均的な家庭でVRを見つけたければ、最新のゲーム機に目を向ければ十分だ。そして多くの携帯電話やタブレットのゲームには、既にARが搭載されている。携帯電話をかざしてカメラを起動するだけで、周囲の世界にデジタル生物が映し出される。大人気ゲーム「ポケモンGO」がその好例だ。

これらのツールからは、人々の交流やエンターテインメントにおける、新しくて刺激的な可能性が垣間見える。またVRやARを使って、インタラクティブな教育プログラムを構築しようとしている人もいる。しかしコミュニケーションツールとしてのXRメディアは、情報を提供するだけでなく、人々を操作する目的でも使用できる。次の章では、民主主義的な価値観の強化、ゲームや映画の進化、そして人と人をつなぐために、VRやARがどのように活用されているのかを見ていこう。またこれらのメディアツールが、既にコンピューター・プロパガンダを広めるために利用されている状況についても触れる。最後に、大規模な悪用を防ぎながら、この新しい技術を社会的にプラスとなるような形で利用できるようにする方法を解説する。

6 XRメディア

バーチャル・ウォー

　兵士たちが戦場を歩いている。彼らは敵が接近していないことを確認するために、常に左右を見渡している。彼らが身に着けているのは、最新の軍用装備とテクノロジーだ。高性能なボディーアーマー、洗練された自動小銃、その他のツールやデバイス。突然、兵士たちのそばから、醜い人間のような生き物が飛び出す。それは不快な叫び声をあげながら、四方八方へと駆け出す。それが兵士を攻撃しようとしているのか、それとも兵士から逃げようとしているのかはわからない。兵士たちはそれに向けて発砲し、生き物はすべて殺される。しかし彼らは怪物などではなかった――普通の人間だったのだ。

この兵士たちは、「ＭＡＳＳ」と呼ばれる神経移植手術を受けていた。これは拡張現実技術を使い、移植を受けた人物の感覚を変化させ、あるいは強化し、周囲の状況に関するデータを瞬時に提供することができる。残念ながら、兵士たちは知らなかったが、この技術はデジタル画像を使って敵の戦闘員（本物の人間だ）の姿をゾンビのような外見にした上に、音声ソフトを使ってその声を不快で恐ろしいものにしていたのである。つまりＡＲ（拡張現実）を利用して兵士を欺き、彼らから人間性を奪っていたのだ。兵士が敵を悪夢の中の生き物と見なすことで、より効率的な殺人が可能になるというのが、軍隊を指揮する司令官や政府関係者の考えだ。そして後に、兵士たちが虐殺を行っていた理由は、均質的な支配民族をつくり出す「優生学プログラム」であることが明らかになる。これはＸＲツールの利用に関する、最悪のシナリオだ。

ありがたいことに、このシナリオはフィクションだ。兵士の制御を容易にするためにＸＲツールが軍事目的で利用される架空の未来を描いたこの場面は、人気テレビドラマ「ブラック・ミラー」のエピソードから引用したものだ。[1] 同番組はしばしば、テクノロジーと社会が交差する現代の問題を利用して、ディストピア的で恐ろしい未来の姿を浮き彫りにする。「ブラック・ミラー」、あるいは「ミスター・ロボット」や「ヒューマンズ」といった類似番組の内容が挑発的なのは、それが既存のテクノロジーの潜在的な利用法について語っているからだ。皆知っているように、ARはまだ広く普及しているとは言えなくても、既にさまざまな形で利用することができる。「ヒューマンズ」に登場するような先進的なヒューマノイドロボットは、既に企業や大学の研究チームによって生み出されている。[2]こうした番組で描かれた、現在の技術が利用されている状況は、非常に身近なものだ。少し手を加えるだけで、それが現実になる可能性がある。

他のコミュニケーションツールと同じで、XRメディアも、あまり褒められない目的のために使用することができる。実際の話、ソーシャルボットや動画と同様に、VR（仮想現実）や拡張現実が何らかの強制や扇動を目的とした活動に利用される可能性があるのだ。VRとそれを支える高度な技術を使えば、コンピューター・プロパガンダをより効果的に実行することができる。世論を操作しようとする人々の手にかかれば、これらのツールはさまざまな感覚を通じて受容的なユーザーに偽情報を信じ込ませることができるのである。

世界中の人々が、XRメディアの教育的、さらには民主的な力に気づき始めている。これらのツールが特に強力なのは、ユーザーをデジタル技術によって補強した空間の中に置き、経験したことのない出来事を見たり、聞いたり、感じたりできるようにするからだ。多くのグループが、人々に歴史的な出来事について教えたり、人種差別や性差別、その他の偏見のターゲットになることがどのような体験であるのかをわからせるために、この技術を使い始めている。また環境悪化や気候変動などの危険性を知らしめるために導入しているグループもある。そうした体験の中に人を置けば、他の人々や、遠く離れた場所の窮状に共感できるようになるだろうというのが、これらの動きの背景にある考えだ。この心理学的効果の詳細に関する研究はまだ始まったばかりだが、初期の結果は、それが強力なものであることを示している。

現時点ではXRメディアの応用は、ネガティブで世論操作的なものよりポジティブで民主的なものが多い。しかしインターネット技術の大部分は、それが社会的利益をもたらすことを期待され、大きなファンファーレと希望と共にスタートしたことを忘れてはならない。

XRメディアの世界

50年以上にわたり、未来研究所（IFTF）はテクノロジーと社会が交差する領域の未来を予測する活動を行ってきた。シリコンバレーの中心、パロアルトのダウンタウンにオフィスを構えるIFTFには、人類学者、ゲームデザイナー、アーティスト、歴史家、ジャーナリスト、そして当然ながら未来学者といった多種多様な人々が集まっている。この研究所は数十年前に、現在のインターネットの前身である全米科学財団ネットワーク（ＮＳＦＮＥＴ）と高等研究計画局ネットワーク（ＡＲＰＡＮＥＴ）上で公益を目的とした研究を行うため、世界的な政策シンクタンクであるランド研究所から分離した。それ以来、ＩＦＴＦは３Ｍやトヨタのようなメーカーから、グーグルやモジラのようなハイテク企業、ルミナ財団やビル＆メリンダ・ゲイツ財団のような慈善団体まで、多様な人々や団体とユニークな予測プロジェクトを共同で行ってきた。

ＩＦＴＦには、面白い人たちが大勢参加している。ゲームデザイナーであり、ニューヨークタイムズ紙のベストセラーにも選ばれた『スーパーベターになろう！』（早川書房）の著者であるジェイン・マクゴニガルは、ここでリサーチディレクターを務めている。また雑誌ＭＡＫＥとワイアードの創刊者兼編集者であるマーク・フラウエンフェルダーと、ジャーナリストでオムザ・レコードの創設者であるデビッド・ペスコビッツもリサーチディレクターを務めている。この二人は、先駆的な人気ブログBoing Boingの共同編集者でもある。エグゼクティブディレクターのマリナ・ゴルビスとボブ・ヨハンセンは、それぞれ著名な研究員でもあり、世界の大企業、著名な市民団体、政府のリーダーたちと一緒に、未来思考に関する革新的な研究を行ってきた。そしてワーク・アンド・ラーン・ラボやフード・フューチャー・ラボ、エマージング・メディア・ラボ、ガバメント・フューチャー・ラボ、ヘルス・フューチャー・ラボといった研究室では、それぞれ異なるテーマで最先端の未来志向の研究が行われている。そして2017年、私が創設者でディレクターを務めるデジタル・インテリジェンス・ラボが立ち上げられた。

デジタル・インテリジェンス・ラボの研究は、必然的に他の研究室の分野と重なる。たとえば、IFTFのエマージング・メディア・ラボのディレクターであるトシ・アンダース・フーからは学ぶことが多かった。トシは特に、VRやARといった没入型メディアが、社会的な善と政治的な悪の両方にどう利用される可能性があるかを考えるよう勧めてくれた[3]。私に「体にはフェイクかどうかを判断する基準が存在していない」と語ったのは彼だ。一部のメディアにおいては、何らかの加工が行われている証拠を目で見ることができるかもしれないし（ディープフェイクにおけるまばたきのパターンの変化や、奇妙な唇の動きなど）、また別のメディアにおいては、それを聞いて把握できるかもしれないが（自動音声における奇妙な変調など）、没入型メディアの環境において、これら二つの感覚が動きと組み合わされたときに、こうした証拠を把握するのははるかに難しくなると彼は指摘した。トシと私は、XRメディア空間の未来と、それがいかに善悪両方の目的に利用され得るかについてよく話し合ってきた。私たちはお互いに、そしてIFTFの他の研究者たちとも、多くの疑問を考えてきた。これらのツールは虚偽を広める目的でどのように使われるのか？　どのように偏見を助長するのか？　現実と真実に対する信念はどのような危険にさらされるのか？　または、どのように教育に利用できるだろうか？　メンタルヘルスにおける治療法として役立てることはできるだろうか？

バーチャルの定義

XRメディアの良い点、悪い点、最悪な点を議論する前に、関連する用語を定義しておこう。これらの用語について議論や混乱が多いので、本書の中では、次の定義を使うことにしたい。

XR（Extended Reality または Cross Reality）
仮想の現実と現実の世界を組み合わせるメディアツールの総称。

ＶＲ〈Virtual Reality〈仮想現実〉〉

ＶＲはＸＲのなかでもっともよく知られているメディアかもしれない。この分野ではいろいろな意味を含む言葉として雑多に使われているが、ＶＲは実際には、コンピューターがリアルタイムで生成した多感覚の体験に、ユーザーを直接没頭させることに特化している。イヤホン付きのゴーグルやヘッドセットで、ユーザーを別の場所に送り込む、そういうものだと覚えておいてほしい。

ＡＲ〈Augmented Reality〈拡張現実〉〉

ＡＲは、デジタル画像を現実世界の上に表示する。具体的な例は、スマートフォンの画面とカメラを使って、現実世界の空間で捕獲するクリーチャーを見つけるゲーム「ポケモンＧＯ」だ。

ＭＲ〈Mixed Reality〈混合現実〉〉

ＭＲも意味合いの広い言葉だ。この分野の広告では、ＭＲが使われることが多い。正確に言えば、ＭＲは複数種類のＸＲメディアを組み合わせたハイブリッドツールだ。それはＶＲとＡＲの両方の要素を持つメディア体験を指す。現実世界と仮想世界の両方を融合させるメガネは、ＭＲだと考えられる。言い換えれば、

MRでは現実と仮想が同時に相互作用することが可能になる。

ARかVRか？

この分野に関する記事を眺めていると、「VRは時代遅れ、これからはAR」と主張したり、両者を混同していたり、この分野で話題の新製品を熱狂的に紹介したりするものが数多く見受けられる。本章の目的は、これらの重なり合う部分もあるメディアが、平等を促進し、人々を教育するためだけでなく、人々に権力や他人を支配する力を与えるために現在どのように利用されているかを議論することだ。本章では現在の事例を用いて、将来これらのツールの使用によって発生する可能性のある問題について、いくつかのシナリオを考えてみたい。そして、このツールの民主的な目的での利用を促進しながら、その政治的な悪用を防ぐ取り組みを最優先させるためにそうすればいいか、具体的なアイデアをいくつか提示する。

XRメディア市場は流動的だ。２０１６年から17年にかけては、新聞や雑誌を開けばVRやARに関する記事を目にしたものだ。しかし最近では、いくつかの要因によって、そうした熱狂は収まってきている。トゥー・シグマ・ベンチャーズの投資家であるアンディ・カンパンによれば、特にVRは「広報活動がスランプ状態に陥っている」という。[4] VRに対する熱意が冷めてきていることに加え、彼はこの分野におけるいくつかの重要な問題点を指摘する。

最先端のヘッドセットにかかる費用は、いまだに一般市場向けとは言えません。そしてほとんどの「高品質な」VR体験は、いまだにユーザーがデスクトップPCに接続されている必要があります。（中略）となると、総合的に見て、ほとんどの人々にとってVR体験は最初からお話にならないものなのです。私たちは事実上、ガートナーが「幻滅期」★1と呼ぶものの最中にあるのです。

その一方で、高品質で安価、モバイルで使いやすいヘッドセットが市場に出回るまでには、従来考えられていた以上に時間がかかるかもしれないものの、VRなどのさまざまな没入型メディアは、将来のメディア空間の主要なプレイヤーになると考えられる。

雑誌ワイアードの執筆者の一人で、同誌の創刊編集長であるケヴィン・ケリーは、次の大きなメディア技術はVRではなくARであると主張する。[5] 彼の想像す

★1 ガートナーの理論「ハイプ・サイクル」に登場する概念で、新たに登場した先端技術に対する熱狂が冷めた後に、その反動として訪れる一時的な小康状態を指す。

る未来では、現実世界をデジタルで再現したもの、つまり物理空間をそっくりそのままシミュレートしたものを、私たちの誰もが体験できるようになる。彼はこの空間を、イェール大学のコンピューター科学の教授であるデビッド・ゲランターが1990年代初頭につくった、デジタル技術によって広げられた現実を指す言葉を借りて、「ミラーワールド」と呼んでいる。(6)

次に広く普及するテクノロジー・プラットフォームにはARが搭載されるだろうというケリーの信念については、シリコンバレーのリーダーたちの間でも意見が分かれている。ソフトウェアエンジニアで投資家でもあるマーク・アンドリーセンは、長期的にはVRはARの1000倍の規模になるだろうと主張している。(7) VRはARとは異なり、完全に没入型であるという事実を彼は指摘している。ARは短期的な興味を掻き立てるかもしれないが、より注目を集めるのはVRである、というのだ。そして最終的には、VRがXR空間の主要なイノベーションになる可能性が高い一方で、すべてのXRツールが同じ空間で動作するようになる可能性もある。各XRツールが、メタバース★2にアクセスするための三つの異なる手段となるのだ。すべてのXRツールが残り続けるだろう。

没入型リアリティの利用は、既にゲームの領域を越えて広がっている。アーティスト、教育者、活動家などが、他のさまざまな目的のためにXRツールを活用

★2　仮想空間など、現実とは異なる別の世界。

している。2017年、アレハンドロ・ゴンサレス・イニャリトゥ監督の映画「Carne y Arena（肉と砂）」がカンヌ国際映画祭で初めてVRプロジェクトとして認められ、さらに20年ぶりにアカデミー特別業績賞[★3]が贈られた。このVR映画は、監督が中米・メキシコ難民に対して行ったインタビューをもとに制作された。その視聴者は、米国に渡ろうとする人々の集団の中に身を置くことになる。同様に、いくつかの組織や技術者が、さまざまな違いや多様な経験を教育するためのXRメディア製品の開発に取り組んでいる。また人々が他の文化や、別の価値観について学ぶのに役立つツールを開発している組織や技術者もいる。

しかしVRやARといったツールが良いことに使われるのであれば、他の目的にも使われる可能性がある。これらのツールが世論操作に使われたとき、真実や現実はどうなってしまうのだろうか？　たとえば若者たちが、白人至上主義を掲げる「新たな歴史観」を植え付けるための多感覚体験に触れたとしたら、それは彼らの世界観にどのような影響を与えるだろうか？　人々は自分の価値観を他人にも植え付けようと、自らのXRメディアツールを作り始めるようになるのだろうか？　それらのメディアの未来は、現在既にソーシャルメディア上で展開されている世論操作活動に見られるパターンと、そう違わないものになるかもしれない。

★3　アカデミー賞の部門の一つだが、毎年作品が選ばれるわけではなく、「肉と砂」の前に受賞したのは1995年のジョン・ラセター監督による「トイ・ストーリー」だった。

XRメディアと世論操作

VRとARが、今後ももっぱらエンターテインメントの技術としてのみ使われ続けるという予想は、現実的でない。ましてやそれが、社会の利益のためだけに利用されるだろうなどという期待は望み薄だ。XRメディアには、何らかのバイアスが組み込まれる可能性がある。ゴーグルからハプティック・スーツ[★4]に至るまで、さまざまなハードウェアが登場しており、それが特定の体型を他の体型よりも有利になるように開発され得る。また差別や何らかの詐欺行為も、多感覚なXR体験の中に組み込まれるおそれがあるだろう。そしてVRとARは、既に政治的な操作のためのツールとして使われている。倫理を重視した設計と、特定の用途に関するポリシーがなければ、この技術によって教化や詐欺は今後大きく変わるかもしれない。

中国では既に、共産党が政治的な忠誠心を確認し、さらにそれを強化するための道具としてVRを活用している[(8)]。中国東部の山東省では、共産党員にVRを使った忠誠度テストが義務づけられた。この業界で人気のブログ、VRフォーカスによれば、「この『党派心テスト』は青陽の共産党員に対して行われた。党員はVRヘッドセットを装着して仮想空間にアクセスすることを求められ、そこで党

★4 デジタル情報を力や振動に変え、人間の皮膚に与えることで、触感としてフィードバックする技術をハプティクスと呼び、それをスーツ状のデバイスにしたのがハプティック・スーツで、仮想空間上のモノに「触れる」といった用途に使われている。

の理論や自身の日常生活、共産党の『先駆的な役割』をどう理解しているかなど、さまざまなテーマについて質問された」。

仮想空間まで用意して党員をアクセスさせるというのは、一見するとやり過ぎのように思えるかもしれない。しかしなぜ、このような「忠誠心テスト」を電話やテレビ会議ではなく、VRを通じて行ったのだろうか？　それに明確な答えはないかもしれないが、明らかなのは、VRの方が没入感が高く、それゆえに脅威も大きいということだ。テレビ会議のような、画面をスクロールさせてしまうというオプションはない。没入型環境を使ったテストでは、指導者がテスト対象者のいる場所まで出向くことなく、その結果を追跡することができる。テストに失敗したり、不誠実な行動をしたりした場合の結果は、多感覚的な環境にいるときの方が、よりリアルに感じられるだろう。テストを実施したグループによれば、このテストは共産党にとって望ましい人物や性質とは何かを人々に伝え、また特定するために使用される。要するに、VRは他人を操作するための優れたメディアなのだ。

同様のXRメディア体験が、民主主義国で人種差別や特定の党派への支持を広めるために使われる可能性はあるのだろうか？　オキュラスVRの創業者で、オキュラス・リフトの設計者であるパルマー・ラッキー（米国でもっとも裕福な40

歳以下の人物の一人でもある）は、少なくとも1件の疑わしいプロパガンダ・キャンペーンに資金提供していたことで知られている。リベラル系ニュースサイトのデイリービーストによれば、このシリコンバレーの大物は２０１６年の米国の選挙期間中、ニンブル・アメリカという「社会福祉非営利団体」に数千ドルの資金を援助していた。同団体は当初、反ヒラリーの看板を設置する活動に力を入れていたという。しかし同サイトによれば、ニンブル・アメリカの目的は、この選挙に関連したミームや「クソカキコ」（質の低い荒らし行為）の力を利用することだった。[9]この団体を設立したのは、トランプ支持のサブレディット「r/The_Donald」（この種のコンテンツを大量生産する集団として知られている）のモデレーター二人だった。ラッキーはデイリービーストに対し、彼がレディット上で、ニンブル・アメリカから提供された匿名アカウント「nimblerichman」を使っていたと語っている。

２０１７年、ニューヨークタイムズ紙はラッキーがテクノロジー業界での孤立（それは主に同業界における反トランプ感情に起因するもので、彼はトランプの大統領就任式に10万ドルを寄付することまで行っていた）から立ち直り、新しいスタートアップ企業を立ち上げたと報じた。[10]そのスタートアップの目的は、「バーチャル国境の壁」を作ることだった。保守派のテクノロジー系億万長者であるピーター・ティールが一部出資したこの会社は、米国の国境や軍事基地を警備するためのセキュリティ技術の構築に注力する予定だった。ニューヨークタイムズによれば、このラッキーの新しい会社は「自動運転車にも使われている『ＬＩＤＡＲ』と呼ばれる技術（これは『光による検知と測距』を意味する言葉の頭文字を取ったものだ）や赤外線センサー、カメラを使い、違法に国境を越えようとする人がいないかを監視する」。２０１９年、ラッキーはＣＮＢＣ[★5]に対し、アンドゥリル・インダストリーズと名付けられたこの会社が、既にカリフォルニア州とテキサス州で国境警備技術「ラティス（Lattice）」のテストを開始していると語った[11]。

ラッキーのような億万長者、あるいはフェイスブックの役員で、トランプの技術顧問でもあり、ケンブリッジ・アナリティカに資金を提供しているティールのような人物が、プロパガンダを広めるためにＡＲやＶＲを使うことを止めるにはどうすればいいのだろうか？　こうした人々や、逆に極左に位置する人々は、この目的のためにＸＲツールを使用することを許されるべきだろうか？　その使用は言論の自由として保護されているのだろうか？　それともプライバシーや人権を侵害しているのだろうか？　ＶＲやＡＲが世論操作のために使われ続けたら、それは民主主義や真実を「壊す」次のテクノロジーになるのだろうか？

★5　経済系通信社ダウ・ジョーンズと米国の大手テレビネットワークＮＢＣが共同設立したニュース専門放送局。

こうした問いは、哲学的議論の場としては面白いものになるかもしれない。しかしいま重要なのは、それに対して政治家やテクノロジー企業が意味のある回答をしていないという点だ。政府がXRメディアに関する体系的な法律を制定しない限りは、シリコンバレー、そしてそのリーダーたち（そこにはラッキーやティールも含まれる）が、この技術がどう使われるかだけでなくどう開発されるかも決めることになるだろう。そうした企業はどのようなツールの開発に力を入れるだろうか？　どのような体験を優先するのか？　そうした体験を提供するハードやソフトの開発を、誰が担当するのだろうか？　現時点で企業のCEOは、ゲーム用途を優先して政治には関わらないVRツールを作るか、人権教育を目的としたARツールを設計するか、偏ったニュースや虚偽の拡散を目的としたMRを開発するかを選ぶことができる。彼らは何を選択するのか？　基本的に米国民はこの決定について発言権を持っていないが、それがもたらす影響を被ることになるだろう。

反ユダヤ主義やその他の人種差別を止めるために活動している名誉毀損防止同盟（ADL）は、ソーシャルVR技術がソーシャルメディアに組み込まれるにつれて、新たな問題を生み出すだろうと訴えている。(12) ADLが発表したレポートは、新しいメディアとしてのVRの可能性と危険性の両方を概説し、VRChat★6やゲー

★6　米国の企業VRChat Inc.が運営するソーシャルVRプラットフォーム。

ム「QuiVR」を介したバーチャルセクハラ事件、トライベッカ映画祭で上映されたVR「To Be with Hamlet」における物理的危害のシミュレーションなど、最近の問題事例を解説している。またこのレポートはエクステンデッド・マインド社が行った研究に焦点を当てているが、同研究はVR研究者の多くが、男女を問わず、バーチャルなセクハラを経験していることを示唆している。[13]

カリフォルニアに拠点を置くVR企業ルシトン・バーチャルの創業者ジョセフ・サリバンによれば、定年退職を迎える年齢以上の人や18歳未満の人は、VRによるプロパガンダの影響を特に受けやすい。さらにニューヨーク大学とプリンストン大学の研究者たちは、高齢者が特に偽のニュースをシェアする傾向があることを明らかにしている。彼らの研究によると、「65歳以上のフェイスブックユーザーは、45〜65歳の年齢層よりも2倍以上多くフェイクニュース記事をシェアし、もっとも若い年齢層（18〜29歳）よりも7倍近く多くフェイクニュース記事をシェアしていた[14]」。オックスフォード大学の私の同僚は、高齢者と若者は特にコンピューター・プロパガンダに弱いと論じている。[15]

ルシトン・バーチャルは高齢者向けにVR体験を開発することを目指している。彼は私に、これらの技術による体験が、通常の人間との対話に取って代わるべきではないことをクライアントにはっきりと伝えていると語った。子供たちがVR

ゲームや教育テクノロジーを使用することについても検証されなければならない。テレビのようなコミュニケーション技術が、若者と高齢者の両方にどのような影響を与えているかについては多くのことがわかっているが、より最近のほぼすべての技術については未知の部分が多い。スマートフォンやビデオゲームに対する中毒は、研究テーマとしては比較的新しいものだが、XRメディアが人間の脳に与える影響を十分に理解できるようになるには、どのくらいの時間がかかるだろうか？　当然ながら、関連デバイスが開発され、広く普及するようになってから長い時間が経たないと、有益なデータを研究することは不可能だろう。

XRメディアは知的財産、所有権、アイデンティティの領域にも影響を与える。現在の多くのソーシャルVRプラットフォームでは、ユーザーは自分の好きなキャラクターや人物に扮することができるが（それはまるでオンライン上の巨大なコスプレ大会だ）、それは新たな問題を引き起こす――VRでは誰が何を所有するのか？　映画であれ、本であれ、何らかの形でキャラクターを創造した人は、その所有権をどうやって維持できるのだろうか？　著作権と知的財産権の境界はそもそも明確ではないが、XRによってさらに曖昧になる可能性がある。いまやファンによる二次創作や、コスプレ大会（そこではお手製のコスチュームを着た人々が集まる実験的な宇宙を形成している）の告知が大量に書き込まれた掲示板が存在している。ハリー・ポッターの新作を書く人もいれば、スチームパンク風の若いガンダルフのコスプレをする人もいる。

熱狂的なファンによる小さなコミュニティーの中で、集会や娯楽の目的でこうしたものを作るのはさておき、それがバーチャルな世界に広がったらどうなるのだろうか？　伝統的な著作権の制約に対する一般的な例外として、「オリジナルのアイデア、歌、キャラクターなどを変形させた創作物は著作権違反ではない」という考え方がある。ではガンダルフに触発されて、ＶＲ空間上でピクセルから新たに作られた魔法使いも、同様に著作権違反ではないと考えられるのだろうか？　この問いに答えるためには、「変形」の新しい定義が必要になるのだろうか？　より危険な可能性について言えば、ＶＲキャラクターがフィクションから触発されるのではなく、大衆文化や政治から影響を受けたらどうなるのか？　バーチャル有名人が人種差別的なデモ行進に参加したり、憎悪に満ちた発言をしたりする姿が描かれたらどうなるだろうか？　それはニュースになるだろうか？　そのような行為を禁止したり制限したりするために、ＶＲ空間を規制すべきだろうか？

私たちの著作権法や、言論の自由に関する法律には、このようなケースに対する指針はほとんど存在していない。そしてＸＲ空間を構築し、規制する立場にある人々は、そうした主張を支持していない。しかしこの技術がさらに普及すれば、私たちは所有権や風刺に関する問いだけでなく、扇動や嫌がらせといった多くの問題に直面することになるだろう。ツイッターやフェイスブック、その他のソーシャルメディア・サイトの悪用に関する現在の論争には、ルールが整備されていない場合に何が起こるかを示す、背筋が寒くなるような事例が存在している。たとえば何千人ものVRユーザーが、本物そっくりの米大統領のアバターを用意して、それに不快なことをさせたり言わせたりしたらどうなるだろうか？　言論の自由に関する米国の強力な法律が機能していれば、おそらく何も起きないだろう。しかしドイツの白人至上主義者がヒトラーのアバターを作成し、それを使って反ユダヤ主義的なコンテンツや、誰かが攻撃してくるといったデマを広めたとしたらどうだろうか？　あるいは指導者の名誉毀損を取り締まる厳しい法律を持つ権威主義国家の人々が、権力者をあざ笑うためにXRを使ったらどうなるだろうか？

一方で、言論の自由は権力をチェックするための重要なメカニズムでもある。XR上であれ新聞上であれ、権力者を公然と批判できることは、真の意味で自由な国には不可欠な要素である。しかし現実は、言論の自由を守る法律はあらゆる国に存在するというわけではない。さらに言論の自由は、ヘイトスピーチを推進する過激派や、偽ニュースを売るプロパガンダ行為者によって、煙幕として利用されることがある。実際に米国のオルトライトたちが、ソーシャルメディアから排除されるのを回避しようとしてこの戦術を使っている。しかもXRの普及により、その利用を追跡して解析することはさらに困難になるかもしれない。

良識あるXR企業は、非難やフェイクニュース、嫌がらせが発生する可能性のあるプラットフォームを立ち上げる前に、この問題について考えるだろう。しかし厳格な利用規約や行動規範だけでは、VRやARの悪用を抑制するには十分ではない。企業がAI技術（ディープフェイクの制作に使われるGANの改良版など）を活用し、たとえばヒトラーの顔写真を使って、ヒトラーの顔に似せてつくられたアバターを追跡するなどといったこともできるはずだ。だがそうした取り組みには、AIだけを使ってソーシャルメディア上の偽ニュースを検出する場合と同じ危険性がある。VR上で問題のあるコンテンツや虚偽の流れを食い止めるためには、人間がモデレーターとしての役割を果たさなければならない（スマートなオートメーション技術に補佐されるようになる可能性は高いが）。

社会的利益につながるVRの活用

牧師のパトリシア・ノビック博士は、ラテン系米国人とアフリカ系米国人の指導者が集まり、地域社会が直面している重要な問題について学び、協力していくことを目指す数か月間の研修「マルチカルチュアル・リーダーシップ・アカデミー」の創始者だ。ノビック牧師と私は幸運にも、名誉毀損防止同盟のセンター・フォー・テクノロジー・アンド・ソサエティの創設時に、研究員として就任することができた。私たちは研究員として、それぞれの経験と専門知識を活かし、画期的なテクノロジーを使って「違い」について教える教育的手法や、デジタルツールがどのように民主主義に対抗するために使われるかについて研究した。また私は、ソーシャルメディア上に広がるコンピューター・プロパガンダがいかにユダヤのバックグラウンドや信仰を持つ人々を攻撃するために使われているかについての研究に着手したほか、ソーシャルメディアがこうした憎悪に満ちた目的に利用されることを防ぐ法律を成立させるための、政策提言の作成にも取り組んだ。マクドナルドで初のCSR（企業の社会的責任）担当ディレクターを務め、ハーバード大学の世界宗教研究センターで上級研究員を務めたノビックは、コミュニティーやつながりを育むという目的にXRはどのように利用できるかということに注目していた。

ノビックは現在、「シカゴ拠点ブロンズビル・ピルセン拡張現実プロジェクト」に従事している。これは「マイノリティー集団（そのなかで大きいのはアフリカ系米国人とラテン系米国人）の中にある文化、歴史、芸術、自然資源などを紹介する、先端技術を活用した携帯電話アプリを開発するための、コミュニティーベースのプロジェクト」である。[16] このプロジェクトではARを使用して、マイノリティー集団に属する人々に対して彼らの故郷や社会について教えている。重要なのは、ノビックの多くの取り組みと同様に、このプロジェクトが異なる多様な人々の間のつながりを育むことを目的としていることである。

別のコミュニティーではXRメディアを、自分たちが誤った見方や誤解をしているかもしれない人々、あるいは単に会ったことのない人々について教育する目的に活用し始めている。こうしたVRとARの活用によって、コミュニティーを強化するほか、社会的な溝を深めるのではなく二極化に対抗することができる。他人の生きた体験を見たり、聞いたり、感じたりすることができれば、その人の体験に共感できるようになるかもしれというわけだ。たとえばVRを使って、南北戦争後にアフリカ系アメリカ人が投票権を得るために合格しなければならなかった、非常に難解な識字テストを、あらゆる人々に体験してもらうことができるかもしれない。また全国の人々に、1955年にモンゴメリーでバスに乗っていたローザ・パークス★7の体験を共有させたり、1960年代に公民権のために戦っ

★7　米国の公民権運動家で、1955年にアラバマ州において、当時一般的だったバス内の白人席・黒人席の区分を守らず白人に席を譲らなかったことで逮捕され、公民権運動を象徴する一人となった。

たキング牧師と一緒に行進させたりすることができるだろう。

バルセロナ大学の研究者チームは、「仮想現実の中で数分間過ごすことで、白人の人々が他の肌の色の人々に対して抱いている認識が変わる可能性がある」と報告している。(17) 同チームによると、VRを使った実験によって、人々の人種差別的な傾向を抑えることができたという。メル・スレイター教授は、VRを同様の形で使うことで、長期的に人種差別と闘う方法として利用できると主張している。技術者で活動家のクロラマ・ドルビリアスは、VRを使うことでインクルージョン★8やダイバーシティ★9に関するトレーニングを刷新し、「共感をゲーム化」しようとしている。(18) ドルビリアスは、この種のトレーニングから恥を取り除くためにXRツールを利用でき、それは東京からシリコンバレーに至るまで、企業の入社時研修や継続的教育プログラムにおいて大いに役立つだろうと主張している。またテクノロジー系ニュースサイトのマザーボードに対し、「VRには独特の限界があって、それは実際に試してみるまで、なぜそれがこれほど強力なのか理解できないということです。しかし一度経験すると、彼らの態度は一変します」と語っている。

ケリーの「ミラーワールド」のような、VRやARを駆使したソーシャルメディアのプラットフォームを想像できるのであれば、こうした未来の空間にニュー

★8　あらゆる人々の社会参加や、機会の平等を実現しようという概念。

★9　集団に参加する人々の多様性を実現しようという概念。

スがどのように組み込まれていくのか、きちんと向き合うべきだろう。事実、報道機関は既に、ＶＲやその他のＸＲメディアをジャーナリズムの実践に取り入れ始めている。しかしニュースやリポートをどのように伝えるか、あるいは誤報やプロパガンダをどのように伝えるかについての決断（もしくは決断の欠如）が、今日のソーシャルメディア企業が直面する最大の問題を生み出す主な原因の一つとなっている。

オックスフォード大学内の研究機関であるロイター・ジャーナリズム研究所は、ＶＲは報道のための有望な新しいメディアである一方で、「ＶＲニュースは、コンテンツやコンテンツ発見、およびテクノロジーとハードウェアに対する姿勢の両面で、視聴者に対する理解がまだ十分ではない」と主張している。[19] これらの問題と合わせて、企業がユーザーのために特定のニュースや情報を優先的に表示することから生じ得る法律上の問題についても考えると、ニュースメディア・デバイスとしての没入型テクノロジーの将来の可能性と危険性の両方が見えてくる。ロイター・ジャーナリズム研究所が指摘するように、報道関係者のコミュニティーは、ユーザーがＶＲを介してニュースに接する際に最適な体験を得られるよう協力していかなければならない。

とはいえこれらの決定は、報道機関の経済的な成功だけでなく、公平性、説明責任、透明性の促進を念頭に置いて下されることが重要だ。たとえば報道機関は、VR制作物がコピーされたり、操られたり、悪用されたりしないように、その共有方法を制限する必要があるかもしれない。たとえば報道機関のVRプラットフォームが操作されて、危機的な状況下で誤報が拡散されるなどということになれば大変だ。さらにお堅い報道機関によって、VRが単なる新奇なものとして紹介されるようなことはあってはならない。VRは、ジャーナリストがニュースを報じる方法や、人々がニュースを消費する方法に実のある貢献をする必要があるのだ。

VRとARは、ここまでに挙げたもの以外でも、さまざまな教育コンテンツや科学情報を発信することができる。それは気候変動のような社会問題に取り組むためにも活用できる。パラオは西太平洋の海に浮かぶ500以上の島々からなる、小さな共和国だ。この小さな国には、パラオ人、フィリピン人、中国人、ミクロネシア人が入り混じって2万人以上が暮らしている。当然ながら、ここでの生活は海と密接に結びついている。漁業とマリンツーリズム（スキューバダイビングやシュノーケリングなど）は、パラオ最大の産業だ。しかしこの国の生活や商業は急速に変化している。気候変動により、貴重な土地が減少しているのだ。インディペンデント紙によると、人間の活動による環境の変化は「パラオの水域にも影響を与え、酸性化が進んでおり、サンゴや水産資源（乱獲によってすでに枯渇している）を脅かすおそれがある」[20]。

パラオは、世界的な気温上昇を抑えるためのパリ協定に調印した2番目の国だった。しかし米国を含む世界の超大国の支持が得られなければ、パラオの人々は、地球温暖化や気候変動によって引き起こされる問題に対して、独自に対応を進めなければならない。なかでも教育はきわめて重要な要素で、政治家や国民が貴重な水産資源をどのように保護するかについて、情報に基づいた選択をする一助となる。パラオではXRメディアを活用して、政策立案者が自分たちの直面している問題を体験できるようにしている。ナショナルジオグラフィック誌の記事によれば、地元民の多くは、スキューバダイビングなどの活動よりも釣りを好む。多くの場合、サンゴ礁の生態系の中で長い時間を過ごすのは観光客だが、彼らはパラオの珊瑚礁や野生生物への理解や関心を持ち合わせていないことが多い[21]。

スタンフォード大学のジェレミー・ベイレンソン博士率いる研究チームは、このような状態を野放しにしていると何が起こるかをパラオ政府の関係者に示したいと考えていた。「1枚の写真に1000の言葉の価値があるとすれば、VR体験には1000枚の写真の価値がある」とベイレンソンは言う。こうした考えから、彼は同僚と共に、観光客のグループが無自覚のうちにダイビングフィンでサンゴ礁の一部を破壊している状況にユーザーを置くVRを制作した。この破壊は実際に起きていることで、スタンフォードのチームはそれを撮影し、XRメディアに変換したのである。パラオの議員たちがVRヘッドセットを装着してこの映像を体験すると、彼らは愕然とした。

議員の一人は、観光客がシュノーケリング用の船に乗る前に、VRシミュレーションを体験することを必須にして、シュノーケリング中に何をしてはいけないかを知らせるべきだと提案した。別の議員は、学校でVRのデモンストレーションを行うことを提案した。そしてこの日、議員たちは熱意を持って、気候変動研究を海洋政策の一つと位置づけ、「科学的研究と従来の知識体系に基づいた評価を通じて、意思決定に役立つ情報を提供し、それを支援する」ための行動要請を可決した。(22)

このケースでは、VRは政治にポジティブな変化を促す強力なツールとなった。VRは、地位のあるパラオ人たちが自分たちの貴重で不安定な自然環境について新しい知識を得ることを可能にしたのである。

VRやARは、アーティストが美を創造したり、人々の間に思いやりを育んだり、権力を批判したりするためにも利用できる。雑誌ニューヨーカーのデイビッド・レムニックは「VR界のオーソン・ウェルズ」★10を探すことにしたが、まだそのような人物は存在しないことにすぐ気づいた。(23) VRはゴーグルというウェアラブル端末を着けて鑑賞する、「ウェアラブル映画」とでも呼ぶべき未来のコンテンツを生み出す可能性がある一方で、アーティストたちはXRツールのストーリーテリングの可能性をまだ真に理解していないと、彼は指摘している。ジョージア工科大学のジャネット・マレー教授は、この点について次のように説明している。「(VRは) いまのところ、単なる技術です。それはムービーカメラを発明したことに等しいですが、カメラができたからといって映画を発明したことにはなりません」(24)。この技術は過剰に宣伝されているが、その創造的な可能性が実現されるまでには、ロジスティクスや技術、創造面での障壁をいくつか克服する必要があるのだ。

同じことは、VRやその他のXRメディアをプロパガンダ目的で使用する場合にも言える。このようなプラットフォーム上で、計算されたプロパガンダがどのように現れるかはまだわからない。しかしディープフェイクやソーシャルメディアを使った既知のプロパガンダ事例に目を向けることで、VRのようなメディアを使って虚偽の流布や政治的嫌がらせがどのように行われるかという仮説を立て

★10　米国の映画監督・脚本家で、1938年に手掛けたラジオドラマ「宇宙戦争」がパニックを引き起こすほどの反響を得たことで一躍有名になった。

ることができる。プロパガンダ行為者は、ソーシャルVRプラットフォーム上でソフトウェアを構築するためのオープンなルートを余すところなく悪用しようとする可能性が高い。自分の作品をアップロードすることを可能にするオープンAPIの利用者を、入念に検査しなければならない。これらのプラットフォーム上でソフトウェア(たとえばVRボット)を構築できる機能がユーザーに与えられていなくても、XRを利用して、粗悪で危険な可能性すらある情報を広めようとする動きは起こるだろう。クリエイターや規制当局などの関係者は、このような事態が発生しないよう注意深く監視する必要がある。

スローXR

アレハンドロ・イニャリトゥのような映画制作者が、XRメディアの探求を始めているものの、ユーザーを真に引き込むXR体験をつくるための秘訣はまだ解明されていない。しかし時間が経過し、VRやARの機器が安価になり、モバイル化が進むにつれて、通常の映画と同じくらいの魅力を持ち、フェイスブックやインスタグラムと同じくらいの中毒性を持つVRがデザインされるようになるだろう。

小説『レディ・プレイヤー1』とその同名映画で描かれた「オアシス」のような社会空間を想像してほしい。そこでは人々が、人生の大半をシミュレーションの中で過ごしている。このデジタル空間の中で人々と出会い、交流し、恋に落ちることさえできる。常に、望んでいた人生を創り出すことができ、なりたい自分になることができ、見たいものを見ることができる。しかし彼らはまた、今日のソーシャルメディアにはない新たな課題に直面している。人々が没入している、視覚・聴覚・触覚を通してリアルに感じられる環境によって、「なりすまし」、つまりアバターの背後に自分の身元を隠す行為がこれまで以上に容易になっている。また危険な状況から逃れる手助けをする代わりにお金を要求してきたり、誰かのVR資産を盗んで身代金を要求してきたり、その他の未知の犯罪行為や悪用を起こしたりするなど、これまでには想像もつかなかった詐欺行為がいくらでも可能になるかもしれない。VRやARはまだ試行錯誤の初期段階にあり、こうしたおそれが現実のものとなる前に、私たちにはバーチャル・プロパガンダやハラスメント、人種差別、ヘイトなどの問題に対処するための賢明なツールを揃えておくことができる。新しいテクノロジーが生み出す問題に対して、それが発覚してから数年後に対処するという同じ愚を繰り返してはならない。

VRやARの急速な技術革新は、ユーザーが自分自身の経験の外にある状況、たとえば人種差別や性差別、その他の差別、ヘイトなどを理解するのに役立つ、画期的かつ社会的なテクノロジーとして結実してきた。しかしVRが人種差別と戦うために使われるならば、逆にそれを悪化させるためにも使われ得る。このツールがヘイトグループの主義を推進するために使えない理由はない。ただこのテクノロジー自体の中に、こうした悪質な利用に対抗する方法がいくつかある。VRが生み出す空間は、前述のオアシスのように、リアルタイムの社会的交流のために利用できる。また先に述べたように、歴史的な出来事の中にユーザーを置いたり、未来の可能性を見せたりするためにも使うことができる。スタンフォード大学の研究チームはVR技術を使い、パラオの人々に対していかにいま彼らの自然環境が破壊されつつあるかを見せた。それでは、地球温暖化対策をしないと20年後の世界がどうなっているか、VRで見せることができたらどうだろうか？自然環境にカメラを向けると、現在の汚染レベルや、特定の動植物の絶滅危惧種の状況を見せることができるARツールを開発したら？　私たちを取り巻く諸問題への警鐘として、VRを利用できるだろうか？　コンピューター・プロパガンダの危険性について、人々を訓練するためのVRを作成することもできるだろう。

一つはっきりしているのは、XRツールの潜在的な害を、潜在的な利益と同じくらい真剣に扱わなければならないということだ。ADLのレポートは、既にオンライン上でハラスメントが行われている点を強調している。そのような犯罪行為を軽々しく扱ってはならない。あらゆるソーシャルなXRメディア体験には、ユーザーが従うべき明確な行動規範を設けるべきだ。もしそれが守られない場合、違反したユーザーはプラットフォームから追放されるべきだろう。そしてユーザーがオフラインでの暴力をほのめかして脅したり、誰かをいじめたりした場合には、重い処分が科されるべきだ。ヘイトスピーチは決して許されない。また虚偽の拡散や、世論操作を伴う政治的キャンペーン（自動で動くボットやXRの「サイボーグ」ユーザーによるものを含む）は禁止されるべきである。

企業やプラットフォームは、いくつかの原則を守ることで、XRメディアの悪用を抑えることができる。[25] 第一に、企業は透明性について明確なルールを持つべきだ。これは特に、オープンなプラットフォームについて言える。そうしたプラットフォームはユーザーに身元を明らかにすることを要求し、同時にその情報がどのように保管され、共有されるかをオープンにしなければならない。ツイッターやレディットは、誰もが自由にアクセスできるソーシャルメディア、特に大量のニュースが流れるプラットフォーム上での匿名性が、深刻な荒らし行為や誤報につながる可能性があることを示した。人々は、オンライン上での自分の行為がもたらす影響を匿名性によって回避できると認識すると、悪意のある行動をとる可能性がはるかに高くなる。匿名性には、抑圧的な政府に対抗し、デジタルツールを使ってコミュニケーションを取ろうとする活動家を保護するといった、明確な目的があることは確かだ。しかしアイデンティティの透明性と匿名性は、必ずしも相互に排他的なものではない。たとえば企業は、ユーザーが自社のプラットフォームにアクセスして使用することを許可しながら、ユーザーの身元を非公開で審査することができる。

民主主義的な活動を保護することを目的としたXRプラットフォームを運営する企業は、ユーザーの身元が公開されない場合でも、それを確認するためにユーザーに関する情報を収集しなければならない。ソーシャルVR企業は、サードパーティーのセキュリティ会社や信頼できる民主主義政府と協力して、自社のサーバーからユーザーに関するデータを暗号化した上で取り出し、保存することもできる。データがどのように収集され、保存されるかにかかわらず、ユーザーの身元に関する情報を収集することで、企業はプラットフォームの原則に違反したユーザーの責任を問うことができる。匿名利用を許可する前の審査は、人々がお互いを実名で識別することができないプラットフォーム上ではなおさら必要だ。そうしたプラットフォーム上で、政府や他の強力な政治的アクターが、政治的な反対勢力を標的にするために結束することが多いためである。こうした審査をめぐる透明性確保の取り組みは、法的にもそれ以外の面でも決して簡単なものではないが、最終的にはユーザーと彼らの体験を悪意ある行為から保護するのに役立つだろう。

XRシステムの透明性の原則はまた、企業が収集、保管、共有、販売するユーザーデータについて明確にすることを義務付けている。企業は自らがデータを悪用したり、データから不当に利益を得たりしていないことをユーザーに保証するために、もう一つの原則である「信頼」を確立しなければならない。先ほど紹介した例のように、これは企業がユーザーの身元情報を収集して保管している場合には特に重要である。XR企業が収集するデータに関する利用規約は、簡潔で読みやすいものでなければならない。テクノロジー企業が理解不能なサービス利用規約を使い、透明性とユーザーからの信頼に応えることから逃げるのはもはや許されない。明確な条件を示すことは、実際には企業自体に利益をもたらす。そうした透明性があれば、ユーザーが自社のサービスを信頼し、そこに戻ってくる可能性が高くなるからである。

ユーザーから自社のプラットフォームとそのポリシーを信頼してもらえなかった場合にどのような問題が生じるのか、ツイッターが身をもって示している。ユーザーの増加は停滞し、資金が失われ、世論から反感を抱かれるようになるのだ。

フェイスブックやユーチューブさえ、このことをわかっているだろう。米国などの地域で喫煙率が低下した際に、フィリップ・モリス（現在のアルトリア）がアジアなどでのタバコ製品の普及に努めたのと同じように、彼らはこれまで手を伸ばしていなかった地域にまで自社のサービスを普及させるという競争を続けることができる。[26] しかしフィリップ・モリスと同様に、最終的に顧客を失うという結末が、テクノロジー企業にも訪れることになるだろう。誰からも信頼されなくなり、失敗してゆくのだ。XR企業はそれを心に留め、信頼と透明性の両方を単なる社是の一部分としてではなく、重要で測定可能な原則として組み込んだプラットフォームを構築しなければならない。

XRメディア（特にソーシャル機能を持つもの）を提供する企業にとってもう一つの核となる原則は、協調である。グーグル、フェイスブック、ツイッター、その他のソーシャルメディア企業は、コンピューター・プロパガンダやその他のプラットフォームの悪用によってもたらされる問題に対処するための連携において、深刻な失敗を犯してきた。これらの企業は、ユーザーがあるデジタルコミュニケーション・プラットフォームから別のプラットフォームへとひっきりなしに行き来している時代に、完全な不透明性という昔ながらのモデルに基づいて運営されている。偽情報は単に一つのプラットフォーム内に留まるのではなく、次から次へと拡散し、常に移動を続ける。プラットフォームが自社独自の情報を保護したいのは理解できるが、悪用を防ぐためにお互いに連携していないのは論外だ。VRプラットフォーム「オアシス」や、ケリーのARプラットフォーム「ミラーワールド」のように、他を圧倒する唯一の勝者が現れる可能性は低い。それよりも、ソーシャルXRがさまざまな形や規模で登場し、多くの企業が運営・所有することになる可能性の方が高い。民主的なメディアシステムの維持を促す独占禁止法が存在するため、これは避けられないだろう。明日のソーシャルメディア企業はこのことを念頭に置き、最初から情報操作やヘイトを防ぐために協力しなければならない。「仮想的な」体験を提供するものかどうかにかかわらず、これらのテクノロジーが現実を破壊するのを、私たちは許してはならない。

ここでもう一つの論点が浮かび上がる――VRは単なる人生のシミュレーションに過ぎない、という点だ。このテクノロジーが取り返しのつかないほどの中毒性を持ち、心理的な影響力を過度に持つようになるのを防ぐためには、三つの原則に従う必要がある。

第一に、企業は節度を優先すべきだ。これはコンテンツの監視や、プラットフォームの一般的な維持に関する節度という意味ではない（それも重要であることには違いないのだが）。それは企業が、プラットフォームが健全に使用されるように設計し、その節度を持った利用を優先すべきだという意味である。新しいソーシャルXRプラットフォームは、それが誤った形で使われていないかを明確に示す指標を提供すべきだ。ソーシャル・フィーバーやアップデトックスといった、テクノロジーの使いすぎを追跡して制限するスマートフォンアプリが、既に数多く市場に出回っている。こうしたアプリと似たような機能を新しいXRプラットフォームに組み込んで、ユーザーがデジタル体験にすべての時間を費やしてしまうことがないようにできるだろう。こうしたルールを実施するのは難しいかもしれないが、一定以上の時間を費やした人のためにプラットフォームをシャットダウンすることはでき、その場合、ユーザーはそれを受け入れなければならない。テクノロジー企業は、ユーザーからの注目を食い物にしてはならない。実際の話、人々を守るためには、アテンション・エコノミー（これはソーシャルメディア企業が、ユーザーが自社のサービス上で費やした時間をお金に換えるためのフレームワークであり、したがって彼らはその時間を最大化しようとする）を止める必要があるのだ。

第二に、XRプラットフォームは、提供する体験に対して説明責任を果たさなければならない。特にユーザーがニュースを消費しようとしているときには、虚構と事実を区別しなければならない。もちろん人々はVRゲームをプレイしていることや、他のＶＲファンタジーに参加していることを認識するだろうが、ソーシャルＸＲが進化するにつれ、オフラインの世界に関係する情報とそうでない情報を識別することは、より困難になるだろう。企業は問題のあるデータに受動的にフラグを立て、偽情報が拡散した後でそれをファクトチェックすることだけでなく、政治的な世論操作活動や組織的な荒らし行為による攻撃を追跡し、それが勢いを増す前に食い止めるシステムを構築することによっても、責任を果たさなければならない。

最後に、ＸＲプラットフォームは包括性の原則に基づいて運営されなければならない。あらゆる種類の人々に対し、ツールへの平等なアクセスを提供するだけでなく、社会的、民族的、宗教的なマイノリティー集団にもツールの公平性を与えるように努める必要がある。ＶＲやＡＲが民主的に、また多様な形で利用されるのを維持するためには、企業が差異と多様性を考慮してツールを設計することがきわめて重要になる。政治的に疎外されたコミュニティー（主流の政治的議論において発言権を持たない人々）は、オンラインでもオフラインでも、あらゆる民主主義システムの成功にとって不可欠だ。次世代のテクノロジーを設計する際、プラットフォームのリーダーや政府だけに頼り、彼らがすべての人々を代弁してくれると期待することなどできない。平等を優先し、情報を操作するような利用を防止できる新しいメディアツールを構築する際には、幅広い利害関係者が席に着き、平等に評価されなければならないのである。

人間と人間に似たもの

仮想現実と拡張現実は、生きた体験をシミュレートするための素晴らしいツールだ。大好きな映画のキャラクターになれるだけでなく、行ったことのない場所に旅したり、まったくの空想の世界で友人に会ったりすることもできる。XRとAIは、テクノロジーと人間がますます絡み合うようになる中で、人間であるということの境界を広げている。ボットはより人間らしくなっており、人間はよりボットらしくなってきている。時がたつにつれ、人間であることと機械であることの間には、両者が混ざり合ったものがさらに現れるだろう。

私たちのツールが私たちのようになる、あるいは私たちがツールのようになるのであれば、本物と偽物の境界線を引かなければならなくなる。より重要なことは、真実に対する私たちの認識を改めなければならなくなるという点だ。VRシミュレーション内の友人が最新のニュースを教えてくれた場合に、それが人間に似たボットであることは問題になるだろうか？　人間のようなボットが私たちに電話してきて、政治について話しだしたらどうなるだろうか？　人間の特性をテクノロジーに付与していけばいくほど、信頼性の高い情報とジャンクコンテンツを区別することが難しくなる。研究によれば、私たち人間は他人に説得されやすく、特に彼らの話を聞いたり姿を目で見たりすると、その傾向が強くなる。本物のように見え、聞こえ、感じられるＡＩツールが普及する時代が近づきつつあるいま、信頼と真実の基盤は揺らぎ始めている。

7 テクノロジーの人間らしさを保つ

したがって、最初の超インテリジェント・マシンは、人間が行わなければならない最後の発明になるだろう。しかしそれは、そのマシンが、自らを管理下に置く方法を人間に教えてくれるだけの従順さがあればの話だ。

——アーヴィング・ジョン・グッド

@Futurepolitica1

第1章では、私が初めて参加したＳＸＳＷのカンファレンスで不審な人物と会話したことについて書いた。その際に触れなかったことがある。それはこのイベントが、２０１６年の米大統領選真っ盛りの時期に開催されていたということだ。ヒラリー・クリントンとバーニー・サンダースの選挙対策チームのメンバーもそこに参加していた。バラク・オバマも登場し、あらゆる人々の話題をさらった。ニュースサイトのデイリービーストによれば、カンファレンスの間に開かれたDNC（民主党全国委員会）の資金調達パーティーで、オバマ前大統領はトランプについて厳しいコメントをした。彼はまだ当時大統領候補だったトランプを「過去10年以上にわたって（共和党の）党内で行われてきたことの凝縮」と評した[1]。私はちょうどそこで、友人や同僚と共に「ロボ大統領――アルゴリズム世界における政治[2]」と題されたパネルディスカッションで話をしていた。

パネルの中で行われた議論は、その後を予兆するものだった。私たちは選挙期間中から、政治ボットの存在に気づいていた。それはオンライン上でのコミュニケーションをコントロールしようとする試みに使われており、私はそれについて語った。またマイクロソフトによる失敗例であるツイッターボット「テイ[★1]」について議論し、ジャーナリズムを支援あるいは妨害しようとするボットについても語り合った。さらに聴衆の中にいた、ソーシャルメディア企業の社員から質問を受けた。私たちは、AI技術がより実用的な形でソーシャルボットに実装されるようになるのは時間の問題だと述べた。デジタル人形はさらに人間に似た存在になるだろう、というのが私たちの仮説だった。

ヴィクトリア&アルバート博物館のキュレーターから、最終的に「@

★1 第4章参照。

futurepolitica1」となるプロジェクトについて話を持ち掛けられたとき、[★2]彼からは具体的な質問を受けていた。それは「ボットがより人間的になれば、プロパガンダで政治家をターゲットにすることがかなり現実的になるのではないか?」というものである。当時私は、『コンピューター・プロパガンダ』[★3]という本のために米国の選挙について原稿を書いていて、その中で同僚のダグ・ギルボーと私が発見したことについて解説した。その発見とは、初歩的な政治ボットですら、米国の政治家にツイッター上で特定のコンテンツをリツイートさせたり、それについてコメントさせたりすることにかなりの成功を収めたというものである。政治家や専門家が再投稿したコンテンツの中には、誤った情報や虚偽が含まれているものもあった。そしてヴィクトリア&アルバート博物館のキュレーターから、近々開催される未来技術に関する展覧会のために政治ボットを制作し、人間のようなデジタル人形がどのように機能するかを教育目的で示すことができないだろうかと依頼されたのである。

数週間後、私は仕事のために英国に戻り、彼と改めてコンタクトを取った。私はプログラミングの専門家ではないため、エティック・ラボの創設者であるアレックス・ホーガンに、ボット開発に参加してもらった。私たちは意図的に、ボットを攻撃的ではなく、情報を提供するようなものにした。このボットは政治ボッ

★2　第一章参照。
★3　*Computational Propaganda*（未邦訳）

トに関する情報を発信し、他のツイッターユーザーと交流することもできた。そして開催された展覧会「未来はここから始まる（The Future Starts Here）」に訪れた人々は、ボットにメッセージを送り、画面上でボットが反応するのを見ることができた。このボットはまた、さまざまなツイッターユーザーに、テクノロジーや政治に関する問題について意見を求めることもできた。しかしこうしたやり取りを行うために、洗練された機械学習技術は使用されていない（アレックスはエティックのメンバーと共に、より「知的」なボットを作れると確信していたのだが）。マイクロソフトの「テイ」が示したように、ボットが悪いことをしたり、騙されて何か酷いことを言うように仕向けられたりする可能性が非常に大きかった。私たちは人間のようなボットを作ったが、人間的になりすぎないようにした。そしてボットが話した相手に、自分は研究と教育のために作られたボットだと正直に伝えるようにした。

２０１６年の時点ですら明らかだったのは、政治ボットはきわめて洗練されたＡＩを使って構築することもできるという点だった。いまよりもっと高価で、開発に時間もかかったが、それは可能だったのである。そして現在では、それがさらに容易になっている。そして前述の通り、一つの機械学習ボットを使うだけでなく、その一群を利用するのも簡単に行えるようになった。こうしたツールは、疑いを持たない政治家を騙して、核兵器や医療、外交問題に関する虚偽の情報、さらには潜在的に有害な情報を共有させるために利用される可能性がある。たとえばハワイでは、核兵器が島に近づいているというテキストメッセージが誤って全住民に発信され、たちまち深刻なヒステリーが発生した（すぐにこのメッセージは誤りで、爆弾などないと報じられたのだが）。ボットがソーシャルメディア上で同様の効果を生み出すことができるとしたら、どうなるだろうか？

人は機械を人間に似せ、人間のように話し、振る舞うように発展させたが、それが及ぼす影響はボットをはるかに越える。ＡＩは単なる新技術というわけではなく、それは人間の行動と寸分違わぬのになっていくのである。

マシンか人間か

多くの専門家が、間もなくシンギュラリティ[★4]、つまりＡＧＩ（汎用人工知能）の時代が到来するという考え方に懐疑的な姿勢を取っているものの、人と機械を隔てる境界線が日を追うごとに曖昧になっていることは否定できない。自由意思を持ち、人間と親密な関係を築くマシンはまだ存在しないかもしれないが、私たちは周囲の環境から学習するという、きわめて高度な技術を生み出しているので

★4　コンピューターの性能が上昇し続ける結果、近未来において、ＡＩの能力が人間の脳を超えるという予測、またそれが起きる時点を指す言葉。

ある。もちろん人工知能はそうした進化の根底にある。機械学習やディープラーニング、そしてそのさまざまな組み合わせや下位の分野は、ツールをより賢く、より効率的にする方法にも焦点を当てている。ニューヨーカー誌のタッド・フレンドが指摘するように、私たちはAIが組み込まれたツールに気づかないようになってきている。「いまやヤフーが提供する言語処理システムが皮肉を検知し、ポーカープログラム『リブラトゥス』がテキサス・ホールデム[★5]のエキスパートを打ち負かし、アルゴリズムが音楽を作曲し、絵画を描き、ジョークを言い、アニメ『原始家族フリントストーン』の新しいシナリオを作成している」[(3)]

それだけではなく、AI技術によって、人間のような見た目と印象を備え、人間のように話すことのできるツールを作ることが可能になっている。ただ、人間のように振る舞うことができるトランプゲーム用ロボットを開発するのと、人間のように見せかけ、人間のよう話せるロボットを開発するのはまったく別の話だ。音声認識および音声生成技術はますます人間に近づいていて、ロボットらしさは減ってきている。デジタルで生成された人間の顔の画像は、実際の人間の顔と区別することが難しくなってきている。さらに会話から学習し、人間のユーザーと長時間話すことができるソーシャルボットが登場している。現在開発されている物理的なロボットには、人間と同じような外見で、同じように動き、話すことが

★5　ポーカーの遊び方のひとつ。

できるものも多い。人間のようなちょっとした癖や、声の調子の変化がプログラムされていることさえある。(4)

この分野での仕事を通じて、私は共感力の高い技術者や投資家たちと何度も会話し、正式なインタビューを行ってきた。彼らの多くは、より高速なインターネット、事故防止デザインがなされた自動車、より高精細な写真や映像、データを圧縮するより優れた方法、気候変動を監視するために設計されたドローンなど、人々の生活を楽にする技術を作ることを第一の目標にしていると語っている。こうしたツールは、人間が自力だけでやると膨大な時間がかかってしまう仕事の処理速度を、デジタル技術の力で加速してくれ、さらには人間だけでは不可能だったことも可能にしてくれる。こうしたツールが、単に人間がやりたくないことをやらせるために開発される場合すらある。

しかしこうした技術者たちの多くが暗黙のうちに抱いている願望は、それほど人道的なものではない。多くの場合、彼らは単にイノベーションや進歩、創造を進めたいという思いに駆られている。そうした動機は悪いものではないが、人間のような外見と、人間的な特徴を備えたツールを設計し続けている以上、そうした擬人化されたツールが特定の目的に使用されることの倫理的意味について、もっと意識的にならなければならない。またどのようにテクノロジーが構築されるかによって、テクノロジーが事実や真実、現実を伝えるあり方に影響が及ぶことも意識しなければならない。ソフトウェアやハードウェアが人間に近いものであればあるほど、それが人間を模倣し、説得し、影響を与える可能性は高くなるのだ。

マシンとの関係構築

長年のアップルユーザーである私は、ますますシリに慣れてきている。他の多くの人々と同様に、私もこのデジタルアシスタントを擬人化する傾向がある。なかにはシリに怒鳴ったり、彼女と深い会話をしようとしたりする人もいる。アップルはこのことを理解していて、失礼な質問には生意気な返答を、不明確な質問にはそれに応じた不愛想な返答をするようにシリをプログラムしている。シリは工場出荷時の設定で、女性のように聞こえるようにプログラムされている。既に私は、先ほど無意識のうちに「彼女」という呼び方をしている。多くの研究者や論文が、シリやマイクロソフトのコルタナ、アマゾンのアレクサといったアプリケーションは「性差別主義によって女性の声に聞こえるようプログラムされている」と的確に指摘している。[5] これらのデジタルアシスタントは、古い性差別主義が具体化されたものだ。女性秘書やメイド、乳母といった女性たちの姿を再現しているのだ。事前にプログラムされたこれらの製品の音声は女性のように聞こえ、そして時間の経過と共に技術が進歩していき、ますます人間のように聞こえるようになる。

私たちがどのようにツールを構築し、そこにどのような性質を与えるかは、さまざまな理由から重要だ。一部の専門家や技術者は、ツールが人間らしいと感じられたり、ツールに礼儀正しさのような人間的な資質を感じたりすると、人はツールをより人間的に扱うようになると考えている[6]。反対に、ツールがロボットのように感じられると、それをより実用的な形で扱うようになると主張する[7]。自動電話システムに腹を立てたことのある人は多い（特にそれが本物の人間に電話をつなぐことを拒否した場合は）。自動電話システムに怒鳴る人もいるが、一方で自動のオペレーターに悪態をつけば、すぐに人間のオペレーターにつないでもらえる場合があることを理解している人もいるのだ[8]。

テクノロジーの人間らしさが増し、反対に機械らしさが少なくなることで、人間とテクノロジーとのやり取りが変化していく可能性がある。私たちの電話に搭載されたＡＩ音声は、より丁寧に（あるいはよりくだけたものに）なったり、バリエーションが増してより楽しいものになったりするかもしれない。確かなことは言えないが、その結果次第では、私たちはマシンを操作できるようになるかもしれないし、マシンが人間を操作するようになるかもしれない。この関係性が進化し続ける中で、これまで以上に有益なテクノロジーを創造しようとして、同時に世論操作や服従をさらに容易にするツールを開発してしまわないようにするには、考慮しなければならない問題がいくつかある。

さらに人間らしくなった次世代のＡＩは、どのように人々を混乱させ、性差別やヘイトを助長させるだろうか？　人間を装ったデジタル偽情報の拡散行為は、貧しい人々や虐げられている人々を食いものにする目的でどのように使われるだろうか？　コンピューター・プロパガンダは、人間らしさが増すと説得力も増すのだろうか？　もしそうだとしたら（調査ではそうなる可能性が高いことが示されている）、どうすれば悪用されるのを防げるだろうか？　上記のような影響は確実に起こるというわけではないものの、そうした危険性があるのは否めない。最近ソーシャルメディア上で繰り広げられたコンピューター・プロパガンダでは、技術者や一般の人々は、設計や実装に関する重要な決定が下されるまで、そうした問いに対する答えを知らなかった。将来のツールでも、それを当たり前のこととして受け入れる必要はない。

ソフトウェア技術者のグラディ・ブーチが示唆しているように、ＡＩの悪用を防いだり、今後非人道的なスーパーインテリジェンス・テクノロジーが生まれることを回避したりするためには、人間の最良の部分をツールに組み込む必要がある。[9] とはいえ、もしツールがより人間らしくなるなら、偽の情報で人間を騙すことがさらに上手になるのではないだろうか？　共感や思いやりを示して私たちに訴えかけることで、一段と苛烈な嫌がらせを広めたり、説得されやすい人々をさらに容易に騙したりすることができるようになるのではないか？　そして人々は、ソーシャルボットを使うのと同じように、こうした人間のように振る舞えるデジタル召し使いを使って、投票行動を左右したり反対意見を抑え込んだりするようになるのではないか？　ツールを構築する際、私たちは自分の中の最高の美徳をもってそれにあたることは重要だが、一方でマシンがそうした美徳を人間に備わるような形で模倣する必要があるかはわからない。ただ長期的には、マシンが人間や人間社会、自然環境にとって有益な存在になるようにすべきだ。

また技術者の善意が悪い結果につながらないように注意しなければならない。たとえばスマートフォンの音声を人間に近づけると、ユーザーが共感を抱き、コミュニケーションがより効果的になるように思われるかもしれない。しかし長期的に考えて、この技術がプロパガンダなどの情報操作に悪用される可能性はないと言えるだろうか？　誰かがグーグルアシスタントのアルゴリズムを悪用する方法を見つけ出して、それを危険なデマを拡散するためのツールにしてしまう可能性はないだろうか？　グーグルは「邪悪になるな」をモットーとしている。しかしそうした掛け声は、デザイナーがテクノロジーを公開する前に将来起こり得る問題について考えていなければ、何の意味もない。また企業が成長するにつれ、こうしたモットーを守ることが難しくなる場合もある。

人間らしい音声を越えて

これまでオフラインで多くのロボットが作られ、その多くは人間と同じように振る舞い、動き、会話してきた。そしてついに、人間と見分けのつかないロボットが開発されたとしよう。名前は「ミーボット」だ。それはリアルで人間とまったく同じように話し、ビヨンセを感動させるようなダンスを披露してくれる。しかし「スーパーインテリジェンス」は持っていない。また不気味の谷効果、つまり人間に非常に近いが人間そのものではないという感覚が不快感をもたらす認知的反応も、まだわずかに残っている。ただ長時間会話しなければ、十分に人間として通用する。何よりも、このロボットのメーカーに写真や映像、音声データを送ると、彼らはあなたそっくりのロボットを作ってくれるのだ。

ＡＩの進歩とより安価になったハードウェアによって、５０００ドル以下でミーボットを購入することが可能になった。開発者たちは、購入者がオンラインフォームで入力した詳細な情報を基にして、購入者の特徴をある程度までこのマシンに与えることができると主張している。人々はあらゆる目的にミーボットを活用している。犬の散歩といった簡単な用事をさせる人もいれば、「ナニーウェア™」と名付けられたプログラムを組み込んで、子供を家から学校まで送らせる人もいる。しかし何より、人々はこのロボットのドッペルゲンガーが身近にいると、それを使って友人にいたずらすることもある。ロボットのドッペルゲンガーが身近にいると、非常に奇妙で面白いことが起きるのだ。人々はミーボットと非常に好ましい関係を築いているように見えた――それだけ人間らしかったのである。

しかしある日、オハイオ州で匿名のグループが大量のミーボットをハッキングすることに成功する。ハッカーたちはボットが通常の作業を継続できるようにしているので、誰もそれに気づかない。しかし投票日――それも大統領選挙の投票日に事件が起きる。ハッカーたちはミーボットによって収集されたデータを分析することで、その所有者が今日投票を行う可能性が高いかどうか判断できる。またハッカーたちは、ミーボットが日常的な用事の最中に「悪事を働く」のに最適な時間も把握できる。その日オハイオ州にある、選挙結果を左右するきわめて重要な郡の一つで、1万2000台のミーボットが人間の代わりに投票に現れた。

そして投票率が高かったために、この静かな投票者の出現に気づく者はいなかった。

その年の選挙は接戦だった。人々は将来、この選挙と2000年のゴア対ブッシュの大統領選（この際はフロリダ州でのわずか数百票の差で勝敗が決した）を比べるだろう。今回の結果は、長年のスイングステート[★6]であるオハイオ州にかかっている。しかし後になって、当局は数千件の投票がミーボットによって行われたことを発見し、その投票が選挙結果を左右した可能性があると判断される。選挙監視員はどうしてロボット投票者に気づかなかったのだろうか、と誰もが疑問に思う。なぜ人間ではないことを示すために、ミーボットに何かしらのタトゥーや企業のマークを入れておかなかったのだろうか？　結局、最高裁は選挙結果が有効であるとの判決を下す。表向き、ロボットの投票がなくても結果は同じだったことをデータが示している、と当局は述べる。実際は、ミーボットが投票を行うという行為に対してどのように訴訟を起こせばいいのか、彼らにはまったくわからなかった。ロボット所有者のなかには、恥ずかしさから自分が投票したのだと言い張る者もいた――そうではないという証拠が残されているのだが。起こった混乱はこれがすべてで、ハッカーたちが捕らえられることはなかった。

★6　米大統領選において、二大政党である民主党と共和党の支持が拮抗しており、選挙のたびに勝利する政党が異なる州を指す。

この架空の話は少し突飛に思えるかもしれないが、人間に似たツールが政治や社会生活を捻じ曲げることに悪用される可能性があることを示している。人間の音声は非常に強力な説得ツールになり得るが、先ほどの架空のシナリオから明確なのは、私たちが考えなくてはならないのはシリやコルタナのような音声駆動型のテクノロジーだけではないことだ。

＊＊＊

私たちは五感を使って世界を体験しており、テクノロジーは聴覚だけでなく、そのすべての感覚を利用できる。ツールに視覚、味覚、触覚、嗅覚が取り入れられると、何が真実か、何に価値があるかという私たち認識に、どのような形で影響が現れるのだろうか？　人間のように見えるロボットによって、現実はどのように変化するのだろうか？　リアルに感じられる皮膚や髪の毛で覆われていたらどうか？　私たちに若かったころや最初のデート、大学に入学した初日などを思い出させてくれる香りを、一日の特定の時間に放ってくれるようにプログラムされたツールがあったら？　同じように何かを思い出させてくれる味を、食品に染み込ませるツールはどうか？　そうしたテクノロジーは、私たちの生活をより良くするために、あるいは私たちに何かを強要したり、支配したりするためにどのように使われるだろうか？

世の中には、まだ登場したばかりのテクノロジーもあれば、これから創られる、あるいは私たちの想像の中にしか存在しないテクノロジーもある。ツールがどのように利用されるかは、それをどう設計し、構築し、使用し、指示するかという人間の判断にかかっている。たとえばソーシャルボットは、ソーシャルメディア上で政治家の汚職を訴えることで権力を批判するために使われる可能性もあれば、選挙中にデジタル偽情報を拡散して野党に投票する人々の選挙権を奪い、権力を固めるためにも使われる可能性もある。これから登場するツールも例外ではないだろう。私たちが誇りに思えるようなテクノロジー、つまり人権や自由、平等を後押しするために使えるテクノロジーを創造したいのであれば、創造する前に考えなければならない。私はテクノロジーの将来を楽観視しているが、それは未来をより良いものにするための決断を、いま下せるからである。しかし道具を人間だと勘違いしたり、その逆の勘違いをしてしまったりすれば、そうはいかなくなってしまう。

人間の声が持つ説得力

私は研究を行っていた際、ジュリアナ・シュローダー博士に話を聞き、人が自分の知性を表現し、また他人の知性を評価する際に、言語から受ける影響を学んだ。シュローダーはカリフォルニア大学バークレー校のハース・ビジネススクールの助教授であり、サイコロジー・オブ・テクノロジー・インスティテュートの共同設立者でもある。彼女は、言葉の使い方の違いによって、人がどれほど賢く、または有能に、または人間的に見えるのかを研究している。[10] またその逆に、周りの人の目には、他の言語を使用している人が人間らしく映らないということがどうして起きるのか、ということも研究している。私は彼女に、これらの効果について質問した。話し方によって、その人の知性に対する人々の感じ方は変化するのか？　人間のような声を出せるテクノロジーは、人々からより共感を引き出せるのだろうか？　それは次世代のテクノロジーを使ったプロパガンダにおいて、何を意味するのか？

シュローダーは、その研究の成果が別の研究へとつながったと語った。それはソーシャルメディアのようなシステムを通じて発生する、さまざまなメディアを介した言語の活用（ウェブ媒体への書き込みや記事、音声の投稿、あるいは字幕付き動画のような文字と音声の組み合わせ）についての調査である。彼女は主に、言葉の伝達が口頭で行われるのか、そうでない（文字）かに注目している。そしてコミュニケーションの相手から見て、どちらがより人間的であるかを研究している。その結果、言語のどのような使い方が人間化または非人間化につながるかを明らかにする、明確な指標が得られた。

シュローダーによると、人々は相手が大きな声でコミュニケーションするとき（つまり音声を使うとき）、「コミュニケーションの相手がより知的で、有能で、思慮深いと感じる」傾向があるそうだ。逆に人々はコミュニケーション相手の書いた文章を黙って読んでいると、その人物が無能で知的ではないと感じる可能性が高くなる。興味深いことに、シュローダーたちが被験者にそうした文章を声に出して読むように指示すると、彼らは小馬鹿にした声でそれを読んだ。その傾向は、文章に被験者の考えとは異なる意見が含まれている場合に特に強かった。しかし事前に書かれた文章（先に書かれたものであることが明確にされている文章）を人が読んでいるのを聞いた場合、被験者はその人物を思慮深く合理的だと考える傾向が強くなった。いったい何が大きな要因となって、こうした違いをもたらすのだろうか？

さらにシュローダーによれば、それは単に聞くか読むかの違いではなく、「人間の声を聞くかどうか」なのだという。人間の声は「非人間化の影響を和らげる」のだ。しかし彼女は、声によって人間的な印象を伝えるためには、それが自然な人間の声でなければならないと注意する。知性があるように感じられるためには、声に変化と自然なリズムがなければならないのである。逆に硬直的で不自然なロボットの音声だと、相手から共感は引き出せない。しかしロボットの音声が、人間のように聞こえたらどうなるのだろうか？　たとえば時が進むにつれ、シリは単語の強弱を適切な場所に置くようになるなど、より人間らしく聞こえるようになってきている。[11]またグーグルアシスタントのような新しいツールにも同様のプログラミングがなされており、驚くほど人間らしく聞こえると衝撃を受ける人もいるだろう。[12]そのような場合、被験者は自分が聞いているメッセージが、書かれたものを読んでいるときよりも、知的で人間らしく共感できると思うようになると、シュローダーは述べている。

当然ながらシュローダーの発見は、世論操作における自動化された音声技術の使われ方について重要な意味を持つ。ロボットの音声が人間のように感じられると、人々はそれを合理的で知的なものと位置付けるため、自動化された音声を使って、政治に関する議論や、候補者や主張に対する人々の印象を操作する活動の規模を拡大できるようになる。そして人々からの質問に対し、説得力を持った回答を行うよう設計された機械学習システムは、そうした流れをさらに進めることになるだろう。

従来のロボコールを考えてみよう。ほとんどの人は、ロボットの声を聞いた途端に、メッセージの内容に関係なく電話を切ってしまっていた。しかし時代と技術の進歩に伴い、政治マーケティング担当者はこの行動に気づくようになった。そしていまでは、言葉や文法を間違えるがためにかえって人間らしく聞こえる声を事前に録音して利用するようになっている。こうした新しいマーケティングコールの音声は、最初にあなたが「もしもし」と言っても聞こえないふりをして、「もしもし……誰かいますか?」と応える。私自身、このような電話に引っかかったことが何度もある。しかしこうした人間の声のロボコールは、より自然に聞こえるにもかかわらず、人間と対話するようには構築されていない。もし電話の向こう側にいる「人」が、あなたの質問に関係なく、それに気づかず延々と話を続ければ、あなたはすぐに電話を切ってしまうだろう。

機械学習技術は、自動音声をより人間的に聞こえるようにする最近の技術革新と相まって、自動音声に対する人々の反応を変える可能性がある。たとえばより精巧なオンライン・チャットボットは、人間のユーザーと数行に渡って、リアルな会話を続けることができる。そうしたボットは、チューリングテスト——機械によるコミュニケーションが、知的で人間らしく感じられるように振る舞っているかどうかを分析するための試験——にも合格している[13](このテストはボットを特定のウェブサイトに近づけないようにする目的で、オンライン上で活用されることが多い）。しかしインターネット上で人間かどうかをテストするための会話や記号は、ツイッターや、テレグラムのようなチャットアプリ、銀行などで導入されている顧客サービス用チャットで見られるように、一般的には文字や画像だ。このような場合、ボットが会話から学習してコミュニケーションの方法を調整するように作られていても、応答する能力は限られたものだ。

私の経験では、もっとも洗練されたチャットボットであっても、5～6文程度でロボットらしさが出てくる。そのためチャットボットだけでは、人間を説得することは難しい。シュローダーの研究から考えると、チャットボットはコミュニケーションを文字で行うという点からも、人々に合理性や知性を感じさせそうにない（したがって説得力を持ちそうにない）ため、限界があると言えるだろう。多くの政治ボット開発者が、ツイッター上でボットネットを構築して、同じスパムや脅迫で活動家たちをあからさまに攻撃したり、トレンド・アルゴリズムを騙して、特定のハッシュタグが人気であるかのように見せたりしているのは、まさにそのためだ。人間らしいニュアンスを出せなくても、シンプルな攻撃で目標を達成できるのである。

機械学習が進化し、ロボットが出す声や書く文章が、人間のもののように思えるようになるにつれて、マーケティング担当者はそうしたツールに人々の意見を左右する効果があることに気づくだろう。そうしたイノベーションが起きるのはまだ数年先かもしれないが、現時点のツールでも、若者や高齢者、あるいは多様なメディアやテクノロジーをあまり利用できない地域に住む人々を騙すのに利用できる可能性がある。そうした人々を電話や、スカイプやズームのような音声ベースのデジタル・コミュニケーションツール上の会話を通じて操る目的で、自動化された音声システムはいますぐにでも利用されてしまう可能性はないだろうか？

グーグルが開発したツール「デュプレックス」は、レストランの電話予約を受けるといった類いの人間的な作業を実行することができ、その声はほとんど人間のものにしか聞こえない。ほとんどの人が自動音声だとわかっていてそれと会話するのだと考えると、その声を初めて聞くのは、薄気味悪い以上のものがある。デュプレックスは本当の人間が話しているかのような電話をかけるのに使うことができる。ジャーナリストや研究者の多くは、2018年春にデュプレックスの発表会が開催された直後から、この種のテクノロジーが悪用される危険性を指摘していた。このイベントに参加したガーディアン紙の記者によれば、「このロボットアシスタントは、『えーと』や『うんうん』といった、ためらいや肯定などの感情を含む自然な音声パターンを使用するため、本物の人間による通話と区別することは非常に困難だ[14]」。問題なのは、ツールの声が不気味ということだけではない。同じ記事によれば、デュプレックスが他の人間に電話をかけるデモンストレーションを行った際、「バーチャルアシスタントは自分の正体を明かさず、電話の向こう側から人間を騙そうとしているかのように感じられた」。

グーグルはこの点を改善すると述べているが、デュプレックスの音声がロボットの生成したものであると示すシグナルが存在していないことは、人間らしく感じられるよう設計された「スマート」システムがより大きな問題を抱えることを示唆している。こうしたシステムは、自動化されたものであることが明確に示されていない場合が多い。この点は、社会的な役割を持って使用される場合に特に問題となる。たとえば政治ボットの大きな問題の一つは、実際には本当の人間ではないことを他のユーザーに知らせずに、人間を真似ていることだ。そのような能力を持つボットは、トレンド・アルゴリズムを騙して、自らが人間で、自分たちのコンテンツはトレンドなどを把握する際にカウントされるべきだと思わせるために使われる。チューリングテストをすり抜けるために作られたボットと同様に、こうしたボットは（少なくとも部分的には）それを防ぐために設計されたシステムを欺いているのである。私たちはデュプレックスのような、人間が話しているように聞こえるよう作られた、自動化されたツールについても同じ問題に直面している。

グーグルがデュプレックスをお披露目した際には、それはデモとして美容院に電話して予約を取った。電話の向こう側にいた人物は、自分が本当の人間から散髪の予約を受けているのではないことに気づいている兆候を見せなかった。ここで示したような「ごまかし」は、大局的に見ればそれほど重大なものではないかもしれないが、似たようなツールがより害のある目的に使われる可能性は想像に難くない。こうしたツールが、詐欺を含む恐喝や、政治的な情報操作を目論むロボコールに利用されたらどうなるだろうか？

私が最初にコンピューター・プロパガンダの研究を始めたとき、私は同僚たちとともにそれを「ソーシャルメディアのプッシュポール」[★7]や「オンライン版ロボコール」などと呼んでいた。私たちが目の当たりにしている新しい事象を説明するために、既に理解されているメディアで喩えたのである。私が研究した、コンピューター・プロパガンダの最初の波では、ボットは人々に特定の候補を支持するよう誘導するために使われ、それはしばしば反対政党を攻撃するという形を取った。電話によるプッシュポールを行う場合、政治キャンペーンの担当者や、雇われたマーケティングコンサルタントは有権者に電話をかけ、アンケート質問と

★7　世論調査と称して有権者に電話をかけ、その際に特定候補を後押しするような情報を伝える選挙戦術。

いう形で反対政党への攻撃を行う。たとえば「ジョン・スミスは嘘つきで詐欺師として知られていて、怪しい商売をしていましたが、彼に投票しますか?」のような質問をするのだ。なかには自動電話システムを使って、無党派層の有権者に電話する場合もあった。

こうした初期の比較は、それほど的外れなものではなかったことが後に明らかになった。実際、今後数年のうちに、自動音声システムが選挙を操作するために使われるかもしれない。それはプッシュポールと、コンピューター・プロパガンダを組み合わせたようなものになる可能性がある。しかしその場合、有権者を操るために使われるロボットは、人間のような声を持ち、人間のように振る舞うようになるだろう。シュローダー博士の研究で明らかになったように、人間の声は共感を引き出し、コミュニケーションしている相手に知性を感じさせる。であれば、グーグルアシスタントのようなツールを使って、ある候補者に投票するよう有権者を操作した場合、何が起きるのだろうか?

音声認識技術もまた、人との対話から機械が学習することを可能にするツールである。機械学習と音声認識は相性が良い。いまや音声を聞いて学習し、それを利用することのできる人工知能システムを構築することが可能だ。そうした音声パターンを認識するツールは、これから社会的な用途に際限なく利用されるだろう。グーグルの人気アプリである「グーグル翻訳」は、音声認識を機能に組み込んでいるテクノロジーの一つだ。

グーグル翻訳を使用している人は、言語による程度の差はあれど、このツールの翻訳精度が常に向上していることに気づくだろう。いまやユーザーは、音声を使って翻訳ができるほどである。さらにグーグルは、同時通訳に近いものを実現できる「ピクセル・バッド」と名付けられたイヤホンまで開発している。[15] この新しいツールを「2018年のブレイクスルー・テクノロジー」の一つに選んだMITテクノロジーレビュー誌によれば、ピクセル・バッドはきわめてシンプルに機能するという。

一人がこのイヤホンを装着し、もう一人が電話を持つ。イヤホンを着けている人が自分の言語で何か話すと（デフォルトでは英語が選択されている）、アプリがそれを翻訳して、電話で再生する。そして電話を持つ人が返事をすると、その内容も翻訳され、イヤホンを通じて再生される。

携帯電話さえあれば、グーグル翻訳を使って他人と会話できるわけだ。小説『銀河ヒッチハイク・ガイド』に登場する、黄色い「バベルフィッシュ」[★8] の翻訳

★8 同小説に登場する架空の生物で、どんな言語でも一瞬にして翻訳してしまうとされている。

能力はもういらない、とMITテクノロジーレビューの記事は解説している。

こうした電話やアプリケーションは、いまやアクセントを理解するまでに進化している。あなたがエクアドル訛りのスペイン語を話しているとしても、電話はそれを理解し、さらには学習まで行う。私たちはこの技術を使って、壁を取り払い、潜在的な誤解を回避し、文化を越えたコミュニケーションをより効率的に行うことができる。しかしアクセントから発話パターンに至るまで、言語のニュアンスをより理解するために作られたテクノロジーの応用は、単なる翻訳を越えることがある。もし人が、自分に似た声や話し方をする人を信じる可能性が高いのだとしたら、人間らしい自動音声アシスタントを開発して、相手と同じアクセントや方言で話すようにしたらどうなるだろうか？　プロパガンダ行為者がグーグルアシスタントを使い、どんな言語や訛り、地域特有の話し方でも電話をかけることができるようになったら？　２０１６年の米国の選挙において情報操作を行った、ロシアのインターネット諜報部のような外国の勢力が、翻訳サービスを利用して説得力のある英文で書くだけでなく、その英語を話すことで工作活動が見破られるのを回避できるとしたらどうだろうか？

時間の経過と共に技術が進歩するにつれ、人間と同じように書き、話すよう構築されたプログラムは、必然的により人間らしくなっていくだろう。人工知能分野の研究が進むことにより、かつてはＳＦの世界の話だと思われていたような形で、機械が人間を模倣できるようになるはずだ。機械が本当に知性を宿したり、自分の意思で行動したり、人間のように感じたりすることはないかもしれないが、人間を操ったり騙したりする強力なツールになる可能性はある。

このようなＡＩアプリケーションは、デジタルで人間らしさを表現できる唯一の新技術ではない。そうした技術の他の例には、人間の顔のリアルな画像を生成できるソフトウェアが挙げられる。

人間の顔をデジタルで生成する

エヌビディアは、携帯電話や自動車向けのグラフィックス・プロセッシング・ユニット（ＧＰＵ）[★9]の設計を専門とするテクノロジー企業だ。同社の２０１８年のレポートを見て、多くのテクノロジー専門家たちが危機感を募らせている。なぜか？ それは同社が、信じられないほどリアルな人間の顔を、機械で生成するためのＡＩプログラムを開発したからだ。エヌビディアのチームは、ディープフェイクの章で紹介した「敵対的生成ネットワーク（ＧＡＮｓ）」と、ＡＩを活用して特定のイメージや絵画のスタイルを模倣する「スタイル・トランスファー」

★9 画像や映像の表示を行う際に必要な計算処理を行うプロセッサー。

を組み合わせて使った[16]。

エヌビディアの新技術によって生成された写真には、さまざまな意味と潜在的な用途が存在する。この点について、テクノロジー系ニュースサイトのマザーボードは次のように指摘している。

この技術によって、AIで生成された大量の画像が私たちを騙し、本物だと勘違いさせるようになるおそれがあるのは間違いない。しかしその一方で、これを実現するためには八つのエヌビディア製GPU「テスラ」を使い、1週間かけてAIをトレーニングする必要があった上、そのGPUは一つ数千ドルもして、普通のゲーム機には搭載されていないものだったことも指摘しておく価値があるだろう[17]。

だが大部分の技術と同様に、こうしたGPUも需要が拡大し、ツールが進化すれば安くなるだろう。では、機械で生成されたリアルな人間の顔は、どうやってコンピューター・プロパガンダやその他の非道な行為のために利用されるだろうか？　一つの可能性は、情報操作をするために偽のソーシャルメディア・アカウントを設置している人々が、他人のプロフィール写真を盗んだり適当な画像を拾ってきたりする必要がなくなるというものだ。実際、画像検索によって特定の画像の出所を探るといった、プロフィール画像の分析は、意図的な情報操作を検知するための重要な手段となっている。

オックスフォード大学の私のチームが、ブレグジットをめぐる国民投票、および2016年の米国選挙の際に、コンピューター・プロパガンダと政治ボットがどのように使用されたかについて調査を始めたとき、興味深いパターンに気づいた。私たちがボットによるものだと判断したプロフィールや、偽情報や政治的攻撃の拡散に関わっていたプロフィールの多くが、同じプロフィール写真を何度も繰り返し使っていたのである。このパターンは、こうしたアカウントが偽物である可能性が高いことを示し、悪意のあるアカウントをツイッターに報告して削除してもらうための正当な理由になるものだった。

他にも、特定のツイッター・アカウントやフェイスブック・アカウントの使用している写真がストックフォト[★10]であると疑われる場合や、何らかの方法で別の場所から取得されたものであると考えられる場合があった。私たちはグーグルの画像検索[★11]を使い、そうした疑わしい画像で検索してみることで、それが別のコンテンツに紐付いていないかどうかを確認できた。多くの場合、そうしたアカウントはプロパガンダのために使われており、実在の人物の写真を盗用しているか、ス

★10　有償または一定の条件下で無償で提供される写真素材で、利用者は設定された条件の範囲内で、その写真を好きな目的で使用できる。

★11　テキストでの検索も行えるが、ウェブサイト上の特定の画像を指定したり、任意の画像をアップロードしたりして、それに似た画像が他の場所に存在していないかを検索することもできる。

トックフォトを使用しているかだった。ＡＩが人間の顔写真を生成するようになれば、このような調査方法は役に立たなくなるだろう。しかしエヌビディアの技術と似たようなものを使うなどして、そのような画像を検知するための、より優れた手段を見つけることができるかもしれない。

ＡＩが人間の顔写真を生成することに伴うもう一つの問題は、特定のトピックに関して、人々がどの情報をどのようにシェアするかを操作する一方で、オンライン上での嫌がらせに使われる可能性があるという点だ。過去には過激派の政治団体や人種差別主義者の組織が、操作しようとしている（しかし自分自身は所属していない）グループのメンバーになりすまして、特定の状況や社会、人種、宗教に関する偽情報を信じさせようとしたケースもあった。またイスラエルを擁護する、あるいは攻撃するために、個人がネット上でユダヤ人になりすまし、コミュニティーに分断の種を蒔こうとするというケースもあった。

このなりすまし戦術が有効な理由は単純だ。もしグループの他のメンバーが、侵入者のことを自分たちのグループの一員であると信じるならば（実際は侵入者はこのグループを批判している）、あるいはグループの一員で、かつ別のグループを批判していると信じるならば、彼らは侵入者を信頼できる、あるいは独自の情報源として見る可能性が高い。たとえば、この種の世論操作を目的としたアストロターフ型政治活動を継続的に展開しようとする者は、アフリカ系アメリカ人の顔写真をデジタル技術で生成し、研究者やテクノロジー企業によって検知されるリスクを減らした上で、ソーシャルメディア上での「ブラック・ライヴズ・マター」[★12]の会話に侵入することができるだろう。また、実際の人間と区別がつかず、検知も不可能な女性のフェイク写真を使って、女性の妊娠や出産に関する会話に参加することだってできる。

そして最後に、こうしたＡＩが生成する画像は、司法制度における写真に基づく証拠の扱い方に害を及ぼすために利用される可能性がある。(18) ディープフェイク・ビデオが、実在の人物の顔や体を使って、実際には言っていないことを言わせたり、やっていないことをさせたりするのと同じように、人工的に生成された顔写真もまた、何が真実か、何が本当かという認識を混乱させるために使われる可能性があるのだ。犯罪者の体に、加工したことがわからないように偽の顔を貼り付けることができる。そしてこの画像は、容疑者が犯罪の現場にいなかったことや、犯罪に関わっていなかったこと、つまり別の（偽の）人物が真犯人であること示す証拠として提示される可能性がある。このような可能性や、先ほど解説した偽のプロフィール画像の問題を考えると、そうした自動生成される画像によって、一般の人々のオンライン・コンテンツに対する信頼は揺るぎこそすれ、強

★12　アフリカ系アメリカ人の差別撤廃を訴える社会運動。

まることはないだろう。そしてＡＩが生成する画像は、人々がより新しく、より洗練された形で匿名での活動を行うのに利用されるだろう。

デジタル画像生成と表裏一体の関係にある顔認識技術は、プライバシーや知的財産などを気に掛ける人々にとっても懸念材料である。ソフトウェアを使って画像や映像の中にある人間の顔を特定するこの技術は、誤った目的で使われれば、真実と人々の幸福の両方に害を及ぼす可能性がある。近年、研究者や専門家、一般市民の間で、顔認識の利点について多くの議論が交わされている。政府は、こうしたツールを使えば、自国に入国しようとするテロリストや犯罪者を識別できると主張している。実際に現在、多くの空港において、税関を通過する際に外国人旅行者の身元を確認する手段として、顔のスキャンが行われている。軍や法執行機関は、ドローンを使って遠隔地から敵を識別したり、犯罪の映像と顔を照合して容疑者を捕まえたりするなど、公共の安全のために同様のツールを利用できると主張している。

しかし顔認識技術の使用が、人々のプライバシーをどのように侵害する可能性があるかについても、さまざまな関係者の間で重要な対話が行われてきた。たとえば政府はこの技術を、犯罪もしくは軍事的な脅威の有無にかかわらず、自国民の監視にも使うことができる。事実、空港で行なわれているスキャンはほとんどこれだ。そしてこの技術を利用できるのは、政府に限定されないかもしれない。犯罪組織からテロリストグループに至るまで、悪意のある人々が将来の犠牲者を特定するためにスキャンを利用する可能性があるのではないだろうか？　またこの種のツールを使用する際、人々からの同意をどのように得て、どのように管理すればいいのだろうか？　ＡＩで強化された監視カメラが自分の顔を追跡することを許可するには、どこに署名すればいいのだろうか？　こうした問いは、いわゆる「ビッグブラザー」[★13]のイメージや、警察国家への恐怖を想起させるだろう。

これについては賛否両論あるだろうが、私個人は、メリットよりもデメリットの方が大きいと考えている。偽情報やプロパガンダに関心を持つ者として、私は顔認識ツールには他にも潜在的に有害な利用法があるのではないかと考えている。そのような危険性の一つは、政府のスパイ行為に密接に関係しているものだ。外国の敵対勢力やその他の強力な為政者が、顔認識技術を利用して、国家が後押しする荒らし行為や、その他の悪質なデジタルの政治攻撃のターゲットを特定する可能性があるのだ。２０１８年の終わりに、フェイスブックはまさにそのような事態に直面した。同社はニューヨークタイムズ紙に、ロシア政府の依頼で顔認識ツールを開発した組織と、そのツールを使用していた組織に関連のあった60以上のアカウントを削除したと語った[19]。問題となった複数の企業に宛てた停止通知書

★13　ジョージ・オーウェルの小説『１９８４年』に登場する監視国家の独裁者で、転じてそうした独裁者や、行動が厳しく監視・管理される社会を指す言葉として使われる。

の中で、フェイスブックは次のように説明している。「当社には、貴社が政府のために行っていた作業の一部として、個人の特定を行う目的で、ソーシャルメディアの個人アカウントから得た写真の照合が行われていたと信じるに足る理由がある」

いったん特定されてしまうと、国家が後押しするデジタル攻撃のターゲットは、迫害から逃れるのが非常に困難になる。ソーシャルメディアのアカウントや、個人向けのオンラインサービス上だけでなく、銀行や空港、病院といった重要な場所において、被害者の居場所を突き止めることが可能になるのだ。この種の監視行為でカバーできる範囲は、社会のほぼ全域に及ぶ可能性がある。

さらに詳しく調べていると、こうしたロシア企業が4年以上前からフェイスブックや他のウェブサイトで活動していたことが判明した、とニューヨークタイムズ紙は報じている。このニュースは、ロシア政府のために顔認識を目的としたグーグル画像検索も行ったことを一部の企業が認めたこととあわせて、これらの組織があらゆる国々の市民から非常に多くの画像を収集できたことを示唆している。ロシアがジャーナリストや反体制派、学者たちに厳しい目を向けていることを考えると、「注意すべき人物」のデータベースを構築するために、このような画像を使用していたとしても不思議ではない。こうした活動のためにフェイスブックから追い出された企業のなかに、ソーシャルデータハブという会社がある。ニューヨークタイムズ紙も報じているが、同社のウェブサイトのバナーには「私たちはあらゆる人々のあらゆることを知っています」と書かれている。

2018年の夏、社会的・政治的に問題のある顔認識技術の利用について、新たな話が浮上した。アマゾンの顔認識ソフトが、28人の議員について誤った特定を行ったのだ。[20] 米国自由人権協会（ACLU）によれば、同社のツール「レコグニション（Rekognition）」は、米国の政治家の顔写真と犯罪者の顔写真を誤って照合していた。さらに問題だったのは、誤認が起きた割合が、有色人種の政治家に偏っていたという点だ。[21] この顔認識技術には偏見が埋め込まれていたのだろうか？ ACLUはそのような見解を抱いており、多くの専門家も同意している。MITメディアラボとマイクロソフトの研究によると、市販の顔認識ソフトウェアは、有色人種や女性に対して精度が低い場合が多いことが判明している。[22] これが示唆しているのは、そうしたソフトウェアが白人の顔写真だけを使って学習していたか、あるいは単に発売前の開発と検査が不十分だったか、そのどちらかだ。もし権力者でない人々が顔認識ソフトウェアによって、犯罪行為と誤って結び付けられたらどうなるのだろうか？ ACLUやメディアがそれに気づかず、その人物は刑務所に入ることになるかもしれない。

マシンが親切に振る舞うようにする

　自動音声システムのように人間らしさを再現できるツールによって、世論が操作されたり、他人に危害を加えようと考えている人が実行に移しやすくなったりすることがないように、ハイテク企業や政治家、活動家、ジャーナリストはもちろん、一般の人々にもできることはいくつかある。今後は私たちが既に知っていることや、現在私たちが経験しているコンピューター・プロパガンダを研究して、偽情報やその他の真実を歪める手段に対してもっとも弱い立場にいる人々を守ることができるはずだ。オンライン上のデジタル偽情報キャンペーンを追跡する方法について既にある大量の知識、特にソーシャルボット・ネットワークの検出について行われた研究成果は、人間らしさを生み出すＡＩ技術が将来悪用されることを防止するために活用できる。

　社会的な用途を持つ自動化技術全般については、設計者と技術者による技術的な制作物が、人工知能や機械学習技術を使用して作られたり、自動化されたりしていると明示することはきわめて重要だ。ツイッターは現在、同社のプラットフォームのＡＰＩを使ったサードパーティーのソフトウェアを開発・発売しようと考える人々全員に対し、登録を義務付けている。これにより、ツイッター上で悪意のあるスパム行為を行うボットが使用されることを大幅に防ぐことができた。同様に、人間のように聞こえる音声システムについても、電話をかけたり、コミュニケーションしたりする相手に対し、自らがデジタル技術によって作られたものであると明確に通知することを要求すべきだ。またこうしたツールを選挙活動や商取引に利用することを希望する政治団体や企業が、その意図についてFEC(米連邦選挙委員会)やFCC(米連邦通信委員会)、もしくはそれに相当する各国の機関に登録を行うようにすべきだろう。

エヌビディアのような企業に対しては、特定の画像が機械で生成されたものであるかどうかを追跡もしくは検知する方法を開発するよう要請すべきだ。コンピューターで生成した顔写真の使用が厳格に規制され、プロパガンダ行為者や証拠を捏造しようとする人々が、そうした目的のためにソフトウェアを利用できないようにしなければならない。顔認識技術は既に市場に出回っており、政府や企業によって広範囲に使用されているが、プライバシーに関する懸念だけでなく、悪意のある人間が、自分の意見に同意しない、あるいはその他の理由で気に入らない個人を追跡したり、危害を加えたりする可能性があることを考慮して、その是非について再考する必要がある。この技術に偏見が含まれる可能性があること、また刑事司法制度において誤用される可能性があることは既に証明されており、そのおそれを軽減しなければならない。また、顔をスキャンされることに同意するかどうかを決める権利もあってしかるべきだ。

政治家やテクノロジー企業の幹部にすべきことがある一方で、一般の人々には単に、オンライン上でどんな写真や音声をシェアするかについて慎重になるという方法がある。母親や上司に見られたくないものは、オンライン上で公開してはいけないということは、誰でも知っている。しかし自分の情報や画像を公開することで、政治的な目的を持つ荒らし行為や偽情報の拡散、あるいはさまざまな詐欺の被害者になる可能性があるため、注意する必要があることに気づいている人は少ない。あなたの顔や声が加工され、ディープフェイクに使われたり、政治ボットのプロフィールの元として使われたりする可能性さえある。一般の人々が自分のデータを守ることには、自分自身と、自分に関する真実の両方について守るという意味があるのである。

8 結論——人権に基づいたテクノロジーの設計

オンライン上の虚偽や、政治的な情報操作がもたらす問題への解決策を考えるのは、一筋縄ではいかない作業だ。デジタル情報の世界は広大であり、その情報を追跡したり、食い止めたりするのは私たちの現状の能力を超えている。さらにインターネットは、日々その規模を拡大している。２０１７年にソフトウェア会社のＤＯＭＯが発表したレポート（複数の企業やメディアが行った詳細な研究をまとめたものだ）によれば、私たちは毎日２５０京バイトの情報を生み出している。さらに5年前のレポートと比べ、インターネット利用者数は10億人増加し、アクティブユーザー数は合計37億人に達した。[1] また２０１８年のフォーブス誌の記事によれば、世界中で利用可能なオンラインデータの90パーセントが、過去2年間に生成されたものだった。[2] オンラインツールを使って世論を翻弄したり、社会的・政治的抑圧を強めたりしようと活動している人々にとって、これは潜在的なターゲットについて想像を絶する量のデータが利用可能であること、さらに1ミリ秒[★1]ごとにそこに新しい情報が追加されているということを意味する。また彼らは、多くの潜在的なターゲットにアクセスできる上、オンラインの匿名性、自動化、ネットの圧倒的な規模を利用して、ほとんど追跡不可能なままでいることもできるのである。

工作員が有能だった場合、彼らを見つけることはほぼ不可能だ。それに加えて、倫理的および法的な懸念事項があるため、起訴はコンピューター・プロパガンダを根絶する戦略としてはあまり有効ではない。その代わりに、私たちは社会全体として対応していかなければならない。次のテクノロジーの波こそは、人権を念頭に置いて、何度も計画を重ねて生み出していくべきだ。

押し寄せるコンピューター・プロパガンダの潮流に対抗する策を考える際には、短期・中期・長期の対応に分けて考えることが役に立つ。今日のテクノロジーにかけられている期待は現実的でないということを踏まえ、私は通常、ツールやテクノロジーに基づいた対応を短期的なものと位置付けている。そうした対応の多くは、絆創膏（ばんそうこう）を当てるようなアプローチであり、ウェブ2・0（ソーシャルメディアのインターネット）のインフラに関係する、きわめて重大な問題や見落とし

★1　1000分の1秒。

に対する措置に優先的に対応することに焦点を当てている。そうした対策には、ソーシャルメディアのニュース・アルゴリズム★2や、トレンドを把握するプログラムの微調整、その他の既存ツールに対する修正などが含まれる。またジャンクニュースを識別するための一時しのぎのアプリケーションや、政治広告を追跡して整理するブラウザ用プラグイン★3も含まれている。これらの取り組みはそれなりに有用だが、オンライン上の情報操作の戦術は常に進化している。ツイッター上で偽情報やボットを追跡するための手法で、現在機能しているものでも、1年後には役に立たなくなっているかもしれない。実際、このような目的のために作られたアプリケーションの多くは、ソーシャルメディア企業によるプログラムの変更、資金難や維持管理の不足、あるいはプロパガンダ行為者が簡単な対策を見つけることによって、すぐに使えなくなってしまう。

この種のツールとして使えるものには、ロブハット社のボットチェック(BotCheck)やサーフセーフ(SurfSafe)といった製品がある。これらはブラウザに組み込まれ、ツイッター上のコンピューター・プロパガンダを検知し、偽ニュースをチェックする。しかしこうしたプログラムは常に更新され、他のプラットフォームにも対応するようにしなければ、その有用性を保つことができない。それは偽情報の脅威をユーザーに警告するツールとしては有望なスタート地点で

★2　個々のユーザーに対してどのようなニュースコンテンツを表示するかを決定するアルゴリズム。

★3　ウェブブラウザに最初から搭載されている機能ではなく、ユーザーが自分の判断で後から追加する機能で、ブラウザの開発者だけでなく第三者によって開発・提供されているものも多い。

あると言えるが、それが真に効果を発揮するには、テクノロジー企業、政府、報道機関といった組織の行動と組み合わされなければならない。プロパガンダを検知する仕組みのもう一つの例は、「ハミルトン68」と名付けられたダッシュボード★4で、これはジャーマン・マーシャル財団（GMF）の「民主主義を守るための連合（ASD）」によって立ち上げられた、ロシアのツイッター・アカウントを追跡するためのプロジェクトから生まれたものだ(3)。悪意のある、あるいは自動化されたアカウントを特定して報告することは重要であり、また偽のニュースを見ている可能性があることをユーザーに通知するのも重要だが、そうした行為は受動的に過ぎる上、将来のコンピューター・プロパガンダの対抗策としては、あまりにユーザー側に寄ったものだ。さらには事後のファクトチェックでは十分機能しないこと、またソーシャルメディア企業がいま、ボット、サイボーグ、人間による情報操作の革新的な手法を検知し、排除するという絶え間ない戦いに従事していることを、多くの研究が証明しているという点を覚えておくのも重要だ。

何よりも私が伝えたいのは、まだ行き詰ってしまったわけではないという点である。世界中の研究者、政策立案者、市民団体だけでなく、テクノロジー企業もデジタル・プロパガンダの流れを止めるために戦っている。フェイスブックの社員は、さまざまな話題（ペイデイローン★5からどの政治家に投票すべきかに至るま

★4　関連する情報を一か所に集めて一覧できるようにするツールや機能。

★5　契約者の次の給料を担保にして貸し付けを行う小口のローンで、高い金利を設定するなど一部で問題化している。

で）に対応して表示される、閲覧者を引っ掛けるような虚偽的な広告を排除しようと努力している。グーグル社員は、軍用ドローンの研究や製造に関する怪しげな取引には毅然とした態度で臨んでいる。また大手テクノロジー企業が、自分たち自身のサービスと向き合わなければならないことも明らかだ。いまや彼らはメディア企業であり、ニュース提供者であり、情報のキュレーターであり——そう、真実の裁定者なのである。彼らは民主主義と自由市場の両方に報いるべきで、後者に忠誠を誓っているからといって、前者を無視できるわけではない。

既存ソーシャルメディアの窮地

現在フェイスブック、ユーチューブ、ツイッターは、トレンドを基にしたアルゴリズムとソーシャルネットワーク構造を修正して、ボットや偽のニュースに対する脆弱性の改善に取り組んでいる。この試みは、プログラムやテクノロジーをベースとした短期的な対策のなかでも、特に重要なものだ。上手くいけば、この修正によってユーザーは自分が騙されているのがわかるようになる。さらに理想的な状態になれば、これらのプラットフォームは特にニュースに関係したトレンド把握アルゴリズムを開発し、自動化されたアカウントに騙されたり、操作されたりしないようになるだろう。もっとも、そもそも彼らが「真実を裁定する」ようなアルゴリズムを開発しなければよかったわけだが。

しかし現実はそれほど甘くない。ソーシャルメディア企業は、欠陥のあるレコメンデーション・システムを修正しようとしてきたが、それは場当たり的なものだった。その理由はおそらく、過去10年から15年の間に、何十万人ものエンジニアがこれらのアルゴリズムに気まぐれな微調整を行ってきたためだ。このような長期にわたるアルゴリズムの複雑な変化を解きほぐすのは難しい。ソーシャルメディア上の偽情報が、民主的なコミュニケーションの基盤を揺るがすことになってしまった過ちの責任が誰にあるのかを、特定の企業や経営者のさらにその向こうに踏み込んで解明するのはもっと難しい話だろう。こうした企業は「新しい」メディアになったが、それと同じくらいの速さで、「過去の」ソーシャルメディアになるおそれがある。技術者たちがそのプログラムを書いていた頃には、倫理や人権がソーシャルメディア企業の主な関心事ではないことが多かった。サービスの拡大、広告の販売、自社プラットフォーム上でのユーザー滞在時間の最適化が、彼らを動かしていたのである。フェイスブックを支えるプログラムを変更することがいかに困難か、想像してほしい。いまや同プラットフォーム上のアルゴリズムだけでも、20億人がそのサービスにログインしたときに目にするものに影響を与えているのである。ツールやソフトウェアで解決しようとするのはある意味では有用だが、ソーシャルメディアのインフラは複雑化しているため、それだけでは十分ではない。

前述の通り、多くの技術的な修正は、バグが発見されたり、企業が傾いたり、ユーザーの欲求や市場が変化したりして、導入してから半年も経たないうちに役に立たなくなってしまう。しかしツールに頼る解決策で心配なのは、その単純さよりも、それが体系的で多面的なものではなく、断片的で一方向的になる傾向があることだ。医療に喩えて言えば、それは機能不全を予防するというよりも、機能不全を見つけてからそれを治すことを目的としている。こうした解決方法では、悪意のある人物が悪用するデジタル・プラットフォームやツールに、実際的、もしくは根本的な設計の見直しが行われることはふつうない。

ソーシャルメディア企業やファクトチェッカーによるこれらの取り組みや、その他の取り組みが抱える最大の問題点は、ユーザーに権限を与えることで、問題解決の負担をユーザーに転嫁していることにある。なぜ数十億ドルもの規模を持つ企業や、政府ではなく、問題に圧倒されているユーザーたちが悪意のある情報を排除する責任を負わなければならないのだろうか？　ユーザーに対する透明性を保つのは良いことだが、そうした取り組みは、デジタルデータの海にさらに情報を増やすことになりかねない。私たちはみな、電子メールやテキストメッセージ、通知の山に埋もれている。数か月前に目にしたインチキなニュース記事について、ファクトチェックの結果が出たとか、それがロシアのプロパガンダと判明したといった情報を送られても、対応するのは難しい。さらにスタートアップ企業は粘り強く、そして非営利団体であれば無私無欲で、コンピューター・プロパガンダに対抗するためのソフトウェアの修正に粘り強く取り組むことができるが、変更を続けるソーシャルメディア企業に実際の変更範囲を開示するよう要求することなどできない。その結果、彼らは自分たちのサービスの有効性を保つための取り組みを休みなく続けなければならない。グーグルやフェイスブックのような企業の間で、ましてやそうした巨大企業と中小企業のイノベーターや市民団体との間で、コンピューター・プロパガンダという広がり続ける問題に対処するための協調的な取り組みはほとんど行われていない。

中長期的に必要とされるのは、プロパガンダに対するより積極的な防御策と、現在のソーシャルメディア・プラットフォームを体系的に、そして透明性を担保して分解修理することである（断片的な微調整ではなく）。私たちは、新しいソーシャルメディア・プラットフォームと新しい企業を必要としているのだ。そしてコンピューター・プロパガンダの問題を、より組織的に解決する方向に向かわなければならない。このテーマに関してガーディアン紙に掲載された記事の中で、私は同僚であるマリナ・ゴルビスと共に、デジタル詐欺やプロパガンダに対する早期警告システムの必要性を主張した。[4] 特にソーシャルボットや自動化されたシステムによって実行されている場合で、それは容易に追跡することが可能だ。科学者が海底の動きを監視することで地震や津波を追跡していることに言及しながら、私たちは次のように主張した。「海を監視することでそれができるなら、同じことをソーシャルメディア・プラットフォームに対してもできるはずです。原理は変わりません。複数のデータの流れを集約し、そのデータを透明化して、パターンを明らかにし、最高の分析と計算ツールを用いて、変化のシグナルを検出するのです」。このようなアプローチは、技術的・定量的であるだけではない。社会に蓄積された知識、人間によるオフライン作業、政策立案、定性的研究なども組み込まなければならない。

デジタル虚偽の潮流の中で身を守るための既知の方法を用いて、私たちは社会に「情報レジリエンス（回復力）」、つまり一種の認知的な免疫を培う必要がある。そしてデータとテクノロジーの両方を検証するにあたっては、民主主義と人権に備わる価値を一番に考えなければならない。また、社会におけるさまざまな層の人々を保護し、彼らに力を与えるためにできることもある。複数の戦略を用いて、オンラインおよびオフラインにおける、デジタルのつながりやネットワークを促進すると共に、彼らに自らの独自性と、質の高い情報源を持つ権利を再認識させることで、ジャンクニュースや偽科学に対する「予防接種」を行うのである。さらに政府は、メディアリテラシー、ニュースリテラシー、情報リテラシー、デジタルリテラシーなど、呼び名は何であれそれらに本気で取り組むべき時に来ている。ダナ・ボイドのような専門家たちが指摘しているように、メディアやデータについて人々を教育するための既存のシステムは、多くの修正が必要だ。ボイドはそうしたアプローチが、「過去30年間に私たちが生み出してきた、情報消費という文化的な背景を考慮に入れる」ことに失敗してきたと指摘している。[5] 私たちはデジタル時代に向けて、メディアリテラシーを育む、柔軟で取り組みやすく、文化的な背景に沿った公共政策を実施しなければならない。

　コンピューター・プロパガンダの問題と、デジタルの政治的情報操作に対する長期的な解決策はアナログで、オフラインで行われるものだ。私たちは社会に投資し、社会集団の間に生じた亀裂を修復するために行動しなければならない。そして私たちが反対したり、議論したり、戦ったりした相手が名誉を挽回できるようにする方法を考え出す必要がある。さらに、自分自身の情報習慣も不完全であることを受け入れ、それを改善しようとし、必要な時には許しを請わなければならない。いつも完璧な情報をシェアできる人間などいないし、常に合理的でいられる人間もいない。国の内外を問わず、二極化とナショナリズム、グローバル化、そして過激主義が、かつてはわずかな差しかなかった人々の間に大きな隔たりを生み出している。こうした問題に対処することは可能だが、主な解決策は、教育システムへの投資から、かつては不変だと考えられていた法律や社会通念の改革に至るまで、社会的なものになるだろう。テクノロジーは私たちを助けてくれるが、最先端の機械やソフトウェア・システムであっても道具であることに変わりはない。それはその開発と実行の背後にある人々と、彼らが抱く動機が揃うことで有用になるのである。

結局のところ、テクノロジーにより多くのテクノロジーで対抗し続けることはできない。社会的解決に向けた検討を行うためには、二極化、ナショナリズム、グローバル化、過激主義が現在の世界の根本的な問題であり、虚偽やプロパガンダはそれらの問題の症状であることを受け入れる必要がある。とはいえそうした症状が激しくなると、その裏にある基礎疾患を悪化させてしまう場合がある。ツイッター上の偽情報のように、小さな存在が二極化のような大きな問題を回り回って煽ってしまうこともある。しかし私たちは何に取り組もうとしているのか、いつ、どのようにして取り組むのか、真剣に考えなければならない。そしてソーシャルメディアやその他のテクノロジーが悪意ある情報操作に使われたことによって生じた問題を修復するべく、体系的に取り組んでいかなければならない。さらにこれらの行為によって弱体化してしまった、社会的なつながりを修復しなければならない。

テクノロジーについての社会調査の価値

私は、シリコンバレーなどにあるテクノロジー企業の現役あるいは元社員たちと、コンピューター・プロパガンダの問題について、数えきれないほどの会話を交わしてきた。その中で彼らは、デジタル偽情報への誤った認識が広まっていることに対して、定性的研究を行う研究者やジャーナリストたちに責任があると、たびたび非難していた。インタビューやフィールドワークを通じて人々の経験について研究し、知見を得る人々のせいで、「フェイクニュース」という問題を孕(はら)むと言葉で知れ渡っている現象に、一般の人々がひどい誤解を持っていると、さんざん聞かされてきた。ジャーナリストや、私のような研究者は、偽情報の蔓延を大げさに吹聴し、人々を煽り、そのくせ実際に起きていることに関する「現実のデータ」を入手できないというのだ。私自身、定性的研究を行っているため、こうした批判に特に敏感なのかもしれない。しかし私は実利主義者でもあるので、社会技術的な問題を完全に理解し、対処するためには、いくつかの異なるタイプの調査が必要であると考えている。

シリコンバレーの言語は数字や数学、定量分析、計算だ。シリコンバレーや世界にある他のテクノロジー拠点に変化を起こすためには、企業に具体的な数字を示す必要があるだろう。私が尊敬し、頻繁に共同研究している人たちも同じように語っている。しかも彼らは、世界中にあるグーグルやフェイスブックのような企業がアクセスできる行動データ（特に定量的研究者にとって貴重なものだ）は、彼らが独自に所有するものであるということを十分に理解した上で、そう言っている。またユーザーが何を見るか（偽情報であれ最新ニュースであれ）、そしていつ見るか、その優先度を決めるアルゴリズムについても同様だ。これらのデータなしで、意味ある研究をするのは難しい。しかし私は、虚偽やそれが個人や社会に与える影響、そして潜在的な解決策について結論を出すには、数字を見るだけでは十分ではないと固く信じている。

フェイスブックなどの企業は、選挙中に自分たちのプラットフォーム上で見られた人々の行動に関するデータを整理した上で、期限を付けて共有するようになっている。[6] ユーチューブはユーザーが陰謀論の動画に誘導されるのを止める取り組みを始めている。[7] ビッグデータの研究には、単純化されて細部が削ぎ落されたり、誤解を招いたり、現実を有効な形で表すことができなかったりするおそれがあるという、よく知られた問題がある。それでもまだ、こうしたプラットフォームを定量的に分析する必要はある。また、ソーシャルメディアに対する有志による諜報活動が活発化している一方で、たとえ歯がゆいほど時間がかかるにしても、ソーシャルメディア企業が引き続き、より多くのデータを研究者と共有する可能性が高いことも事実である。ただもっとも重要なのは、研究者やテクノロジー・ジャーナリストに対する攻撃は、偽情報と同じくらい危険なものだという点である。

定性的な社会科学は、思慮の欠けたテクノロジーのデザインやインターネットが情報操作に利用されることによって引き起こされる、多くの社会政治的問題を表面化させる上で大きな役割を果たしてきた。そうした批判的研究の多くは、女性研究者が主導してきた。ルーシー・サッチマン、ナンシー・ベイム、ダナ・ボイド、アネット・マーカム、ケイト・クロフォード、ジーナ・ネフ、メアリー・グレイなど多くの現代の研究者たちは、インターネットや新しいメディアシステムのさまざまな側面を構築・使用する際に働く「力のシステム」を次々に明らかにしている。

デジタル偽情報の理解をどのように前進させるかについて、二項対立的な思考をすることには問題がある。作為的な情報操作の広がりを把握し、ジャンクニュースの拡散と世論の間にある関係を洗い出し、政治ボット・キャンペーンに伴って行動が変化するかどうかを判断するためには、定量的な研究が必要となる。しかしそうした試みは、定性的な研究によって補完されなければならない。AIナウ[★6]の共同創設者であるケイト・クロフォードがかつて私に語ったように、デジタルツールが社会に与える影響を理解するためには、テクノロジーを構築する人々やグループを理解しなければならないのだ。人々の規範、価値観、信念の定性的な理解と、テクノロジーの利用に関する定量的な情報を切り離すことはできない。

★6 AIが社会にもたらす影響を調査している研究機関。

拡大する世界規模の問題

プロパガンダの新たなフロンティアに対して、何らかの法的介入が必要であることは疑いの余地がない。外国政府は敵国の選挙に影響を与えようと、デジタル・コミュニケーションツールを使用してきたし、今も使用し続けている。さらにロシアや中国といった政府は、そうした攻撃を外国との競争のためだけでなく、同盟国や自国民を搾取するためにも利用している。しかしこうした問題を懸念するあまり、既に発生している攻撃の技術的な洗練度を過大評価してはならない。繰り返しになるが、２０１０年以降のコンピューター・プロパガンダのほとんどは、洗練された技術を使ったものではない。攻撃の大半は、世論をハッキングするための試みであって、コンピューター・プロパガンダではなかった。

２０１６年のロシアによる米国選挙介入から、シリア内戦における同国政府によるオンライン上の抗議活動の鎮圧に至るまで、コンピューター・プロパガンダはソーシャルメディア技術を使い、まさにそうした技術が目的としていることを行った。情報を拡散させ、社会生活についてコミュニケーションし、トレンドを生み出したのである。それを行った者たちは、人々を解放するためではなく、支配するためにフェイスブックやツイッターなどのプラットフォームを利用した。それは明らかに、ソーシャルメディア企業にとってショッキングな出来事だった。しかし彼らは、強い力を持つ政治家や、場合によっては一般人でさえ、民主化のために使われるプラットフォームを弾圧にも使おうとすることを十分に予見できたはずだ。

前述の通り、ツイッターの登場以来、ソーシャルボットは最新のニュースやありふれた広告だけでなく、陰謀やプロパガンダを瞬時に投稿するために使われてきた。２０１１年のアラブの春、２０１２年のメキシコ選挙、２０１３年のボストンマラソン、2014年のトルコ選挙など多くの事件や出来事において、人々がソーシャルメディアを使って危険な噂やデマ、政治的な攻撃を広める状況が起き、シリコンバレーの企業に対して、彼らの技術が強者によって弱者を操るために利用されているという警告が次々と発せられた。攻撃の大部分は、それを手掛けたのがボットなのか、人間あるいはサイボーグなのかを問わず、かなり単純なものだった。それらは人工知能や機械学習、ディープラーニングを使ったものでもなかったし、ディープフェイクやその他の人間に見せかける技術を使ったものでもなかった。

しかし、よりスマートなテクノロジーが使用される時代がすぐそこまで来ている。電子メールによる詐欺が、脈略のないスパムメッセージやナイジェリアの王子を騙るメールから洗練されたフィッシング攻撃[★7]へと進化したように、こうした人々を騙す活動はますます高度化するだろう。ソーシャルメディアを情報操作に用いる基本的な方法（たとえば大量のアカウントを使って作為的に政治的なトレンドを生み出すなど）が知られるようになればなるほど、プロパガンダ行為者はさらに賢くなる。一般的に、あらゆる種類のソフトウェアは進化し続ける。機械学習やディープラーニングは、かつては現実というよりも理論上のものだったが、最近では一般的な目的にも使えるようになり、ますます安価になってきている。

★7　インターネットを通じて、特定のユーザーや企業からパスワードやクレジットカード情報など、価値のある情報を引き出そうとする詐欺行為。

人工知能ツールが活用される可能性が高まっていることで、オンライン上のテキストや画像、音声、さらには触覚を利用したコミュニケーションにも影響が生まれている。ソーシャルボットはよりインタラクティブになり、ディープフェイクはよりそれらしく見えるようになり、シリやコルタナといった人工音声は、いまやかなり人間らしく聞こえるようになっている。

こうしたイノベーションに伴い、またデジタル偽情報に対する一般の理解が高まっているのと並行して、悪意のある広告会社や不正を働く政治コンサルタント、その他のコンピューター・プロパガンダを利用する多くのグループは、その戦術を変えつつある。彼らはコンテンツの拡散が操作されていることを検知するアルゴリズムを混乱させるために、レガシーなソーシャルメディア上での作戦を変え、人間がよりボットのように、ボットがより人間のように振る舞うようにしているのだ。こうしたグループは、有権者を脅したり混乱させたりするために、ワッツアップやテレグラムといった他のプラットフォーム上でも偽のニュースの種を蒔き、育てている。若者や高齢者など、特に弱い立場にあると思われる人々を新たな場所や方法でターゲットにし、ティックトックでは偽科学を、インスタグラムでは恐怖を煽っている。そしてここ5年ほどの間、ブラジル、フランス、インド、南アフリカ、米国、英国では、インターネット上のプロパガンダ行為者が右派の有権者をターゲットにしてきたが、これも変化しつつある。2018年の米中間選挙期間中に、社会問題などの問題解決に取り組むグループをターゲットとした操作行為について私が行った研究によって、左派の人々もこうした活動の対象になるケースが増えていることがわかった。

米国の2020年の選挙では、たとえばロシア政府が共和党よりも民主党に攻撃の焦点を絞り、党の中道派とその民主的社会主義陣営の間の分裂といった、既存の対立を標的にするおそれが非常に高い。2016年には、共和党の有権者が「ヒラリー・クリントンは腐敗していて不誠実である」というフェイクストーリーを聞かされていたが、2020年の有権者は、ジョー・バイデンのような中道派の候補者の評判を落とすストーリーや、エリザベス・ウォーレンのような候補者が株式市場を破壊しようとしているなど、恐怖を煽るストーリーを聞かされる可能性がある。こうしたストーリーは、2020年初頭にトップ候補として浮上した人物を特にターゲットにする可能性が高く、おそらく2位か3位の候補者やハワード・シュルツのような無所属の候補者に票を流すことになるだろう。

左派の票を分散させるという、別の戦略も考えられる。米国内の左派における特定の小集団が、極左候補者の立候補が主流派の民主党に奪われたと信じ込まされれば、彼らはまったく投票しなくなる可能性が高い。2016年の選挙について研究していた際、この種の活動が右派と左派の両方に対して行われている証拠を山のように見た。フェイスブックが共有した、同社のプラットフォーム上におけるロシアの世論操作に関するデータがこれを裏付けている。ロシア関係者は世論操作を目的として、「ブラック・ライヴズ・マター」[★8]のページを作ったり、イスラム教支持派のグループとキリスト教支持派のグループを設置したり、実際のユーザーをそこに導くことでこれらのページやグループを拡大させたりした。その目的は人々を騙すこと、そして分裂を促し、人々を支配することだった。

しかし2016年にソーシャルメディアを使って世論を操ることに成功したのは、ロシア政府だけではない。そしてこれから新しいテクノロジーを同じ目的で使おうとするのは、外国政府だけではないだろう。政治的なキャンペーンでも、先端技術が活用されるようになると考えられる。2016年の選挙に先立つ12か月間、トランプ陣営はクリントンを含む他のどの候補者よりもソーシャルメディアに多くの支出をしていた。トランプはフォロワー数やオンライン調査などの指標を、自分が勝っている証拠として指摘していた。私はこれらの数字が水増しされたものであることを知っていたため（何百万というフォロワーがフェイクのアカウントだった）、彼の発言に頭(かぶり)を振った。しかし彼は正しかった。いくらトラ

★8　ブラック・ライヴズ・マターを受け、警察官に対する抗議が広がったことで、逆に警察官の人権を守ることを訴えた社会運動。

フィックが偽物であったとしても、それは重要な働きをした。それは本物の有権者の間にバンドワゴン効果[★9]をもたらし、非主流派だと思われていたものが実際は多くの支持を得ているのだと思わせることに成功した。その結果、内容はどうであれ、そこでシェアされるものをジャーナリストはより真剣に受け止めなければならなくなり、彼らの報道によって、トランプの話（その中にはフェイクも含まれていたことが後に判明する）がさらに広く拡散されることになったのである。

それに加えて、私が接した共和党のデジタル政治コンサルタントは、その競争相手よりもはるかに賢くなっていた。そしてオンラインでの会話を支配するための最新のツール（倫理的なものもあればそうでないものも含まれていた）を使ったり、実験したりすることにはるかに積極的だった。ボットは彼らの戦略の一部に過ぎず、「ミメティクス（情報のパターン）」や候補者のライブストリーミング映像（それは候補者の誠実さを示すものだと彼らは言った）、ダーク広告（ソーシャルメディア上で特定の人々に対してのみ表示される広告で、受け手の興味に基づいて内容が決められる）、そして何よりも偽ニュース（クリントンを独裁者として描くもの）などにも力を入れていた。

こうした活動が行われている間、民主党はオンライン・データベースを使って無党派層に電話をかけ、フェイスブックのコンテンツではなく地元のテレビ広告

★9　いわゆる「勝ち馬に乗る」ことで、ある選択肢を大勢の人々が支持していると考えられる際に、自分もその選択肢を選ぼうとする心理状態。

に数億ドルを費やすという、時代遅れのオバマ時代のシステムに頼っていた。共和党はフェイスブックやグーグルの社員（彼らはトランプ陣営のデジタル部門に常設のデスクを構えていたが、クリントン陣営にはなかった）が直接提供する、信じられないほど粒度の細かいオンラインデータを使って、有権者に密かにリーチする実験をしていた。研究者のダニエル・クライスやシャノン・マクレガーが説明しているように、企業がサービスを提供しようとトランプに接触したとき、トランプは彼らをコンサルタントのように扱った。彼らがクリントンに接触したとき、クリントンは彼らをベンダー[★10]のように扱った。(8) 彼女のデジタルチームは、自分たちには助けは必要ないと考えていたのである。

　これはおそらく、クリントン陣営が犯した最大の過ちだろう。デジタル・プロパガンダを少し脇に置いて、フェイスブックが米国民の4分の3以上の個人情報を持っていたという事実を考えてみよう。そしてフェイスブックは、完全に合法的な形でそれを利用して、トランプ陣営がスイングステートの有権者に接触し、彼の支持基盤を強化して、対立候補を中傷するのを助けた。政治的コミュニケーションは突如として、そして明らかに、フェイスブックやツイッター、ユーチューブのビジネスモデルの大きな割合を占めるようになった。選挙は毎年、そして世界中で行われる。そしてこれらの企業は、広告を売り、データをシェアするこ

★10　ハードウェアやソフトウェアを製造・開発・販売する企業。

とができる。VRソーシャルメディアのプラットフォームや、新しいメディアテクノロジー企業は、今後数年の間に選挙をどのようにビジネスモデルに織り込んでいくのだろうか？　そうした企業のCEOは何を優先させるのか？　誰を顧客として選ぶのだろうか？

コインテルプロ

ロシア政府や他の組織がコンピューター・プロパガンダを拡散するために用いている手法は、過去の諜報活動やプロパガンダにおいて既に確立されている戦術と重なる部分もある。長い歴史を持つ「コインテルプロ（COINTELPRO）[★11]」は、今日のコンピューター・プロパガンダと関連がある。コインテルプロの工作員は、ブラックパンサー党[★12]や反ベトナム戦争活動家グループ、アメリカインディアン運動やフェミニスト運動などの組織の中で反対意見の種を蒔き、組織を内部から破壊するために活動した。現在では、オンライングループもこのような戦術を使っている。たとえばジャーナリストのサム・グリーンスパンの論じているところでは、コインテルプロの戦術やオンライン上での組織化戦術がレディットのようなオンラインコミュニティー上で、社会から取り残されたコミュニティーの安全な

★11　COunter INTELligence PROgrams の略語。米国の初代FBI長官であるエドガー・フーヴァーが開始したプログラムで、国内の反対勢力を弱体化させるために非合法活動を行った。

★12　1960年代後半から70年代にかけて、米国で黒人解放闘争を展開した急進的政治組織。

空間を攻撃するために使われている。[9]

コンピューター・プロパガンダの世界では、もう一つ新たな動きが生まれている。世論操作を目的としたグループが、偽ニュースなど争いを生むような政治的コンテンツを含む広告を、中小のサイトに掲載し始めているのである。グーグルとフェイスブックが政治広告を規制し始めたいま（広告枠の購入者は、特定の広告に誰が料金を支払ったかを明確に通知するなど、一定の基準を守らなければならない）、プロパガンダ行為者が次に狙うのは、広告主や出稿方法に関する規制のほとんどない、特定の利害を持つコミュニティー向けのソーシャルメディアやウェブサイトだ。

もっとも脆弱な立場にある人々に対する攻撃や中傷キャンペーンを防ぐために、私たちはマイノリティーをオンラインの情報操作活動から守る規制や政策を作らなければならない。新しい法律では、ソーシャルメディア企業が、そうしたグループをターゲットにして政治的な誤報や虚偽を掲載するような広告を販売することを、より明確に違法とするべきだ。主流のソーシャルメディア・プラットフォームは、これらのグループに安全なオンライン空間を提供し、またそれを保護・管理することによって、日常的な利用を容易にすべきである。フェイスブックのグループページや、ツイッターのフィード、あるいはこれから登場するデジタル空間のような開かれた場所は、ヘイトスピーチと情報操作の両方について、より積極的に取り締まるべきだ。ソーシャルメディア企業や他のテクノロジー企業が、コンピューター・プロパガンダに場当たり的に対処し、メディアからの注目を大きく集めるケースにのみ真剣に対応することは受け入れられない。既に社会から疎外されているグループ——私がここで指しているのは、社会に声が届いていない宗教的、民族的、社会的少数派であり、自分たちが疎外されていると考えているが、実際には現状維持のために活動しているグループ（いわゆる男性の権利活動家のようなもの）ではない——の保護は、ソーシャルメディアやその他の新しい社会指向技術の基盤となるべきである。

若者と未来のテクノロジー

コンピューター・プロパガンダに関する研究の過程で、私はかなりの時間を割いて、さまざまな年齢層の成人と話をしているが、彼らの多くは若者、特に18歳以下の人々のテクノロジー利用について懸念している。ソーシャルメディア上で誤ったニュースや情報を共有するのは高齢者であることが多いと判明していることを考えると、その懸念は皮肉なものだ。若者はオンライン上のプロパガンダに弱いこともあるかもしれないが、彼らはオンライン上で育ってきたので、デジタル情報操作の影響を受けにくいと多くの人々が主張している。言い換えれば、彼らは「デジタルネイティブ」なのだ。

そうとはいえ、プロパガンダ行為者は、若者を操作する新しい方法を常に探している。他人を威圧し、騙そうとする者が、携帯電話やコンピューター、その他のネットに接続する端末を通じて子供たちをターゲットにすることは理にかなっている。彼らは年配の世代に比べ、これらのテクノロジーに慣れ親しんでいるからだ。しかしソーシャルメディア・プラットフォームは、若者の間に操作を意図した情報を拡散する空間であり続けており、さらに最近の研究によれば、一部の人々の考えに反して、彼らは「フェイク」ニュースと本物のニュースを見分けるのが特に苦手であることが明らかになっている。[10] ある研究は中学生、高校生、大学生を対象にテストを行い、８０００人近くの回答を集めた。そして次のように報告している。「多くの人々は、若者はソーシャルメディアに精通しているので、そこで見つけたものについても同じようによく心得ていると思い込んでいる。しかし私たちの研究は、それとは逆の結果を示している」

では将来、虚偽が拡散される際、若者に対してどのような手法が取られるのだろうか？　若者を教化したり、誤解させたりするために、既存のそしてこれから開発されるテクノロジーはどのような役割を果たすのだろうか？

若者は年配の人々よりも、画像主体のテクノロジーを使いたがる傾向があることがわかっている。特に彼らは、写真や動画、さらにはその瞬間のストリーミング映像を共有できるアプリケーションに惹かれている。ピュー・リサーチ・センターが２０１８年に発表したレポートによると、米国の十代の若者の間では、インスタグラム、スナップチャット、ユーチューブが圧倒的に人気のあるプラットフォームだった。[11]一方で、フェイスブックとツイッターは若者の間で人気が低下している。調査対象者の95パーセントがスマートフォンをしょっちゅう使用しており、45パーセントが「ほぼ常に」ネットを使っていると回答している。テレグラムやワッツアップといったモバイル・インスタントメッセンジャーも、世界中の若者の間で人気が高まっている。古い技術を新しくしたアプリケーションについても同様だ。ミートミー、オメグル、ユボなどは、チャットルームのような空間で人々と交流できるサービスで、いずれも十代の若者に人気がある。程度に違いはあれ、これらが持つ匿名性は明らかな問題を引き起こす可能性がある。常にではないにせよ、十代の若者は他人と定期的につながっており、主要なコミュニケーション手段としてソーシャルメディアを活用している。

これらのアプリケーションの多くは、ペアレンタルコントロールが内蔵されているが、そうでないものも存在する。さらに多くの十代の若者たちは、親には理解できないような形でソーシャルメディアを使っている。研究者のダナ・ボイドが言うように、ネットワークに接続したティーンエイジャーたちの生活は「複雑なものだ」[12]。しかし若者たちのソーシャルメディアに対する深い知識のせいで、彼らだけでなく高齢者など脆弱な立場にいる人々を、悪意や情報を操作しようという意図を持ってソーシャルメディアを使う人々から守るような、新しいツールの設計が妨げられてはならない。ソープAIのようなスタートアップ企業は、十代の若者のレベルに合わせて彼らにニュースや情報を提供するアプリケーションを開発している[13]。これらのアプリケーションは、退屈でも使いにくいものでもなく、メディアリテラシーの促進に役立つ。たとえば政治や科学の情報に加えて、エンターテインメントやスポーツに関するニュースなどを取り入れている。

倫理的なオペレーティングシステム

デジタル技術を使って人々に思想を植え付けたり、操ったりする行為の歴史はまだ浅いが、それを基に将来について理解を深めることができる。これから訪れるコンピューター・プロパガンダに効果的に対抗するには、まずは現在のシステムの欠陥に対処することが欠かせない。ソーシャルメディアや新しい技術プラットフォームの上でどのような自動化や匿名性が実現されるのかについて、慎重に検討する必要がある。私たちは「匿名を許すことで、彼らを暴君から守ることができるのか？　それとも彼ら自身が暴君になることを許してしまうのか？」と問わなければならない。この問いには明確なイエスもノーもなく、個別に答えを考えなければならない。また、「自動化によって、私たちはより良い情報を得られるようになるのか、それとも単にノイズが増えるだけか？」という問いも考えなければならない。コンピューター・プロパガンダがどのように作られ、拡散されるのかについての知識がいまも増え、人々の間に広まっていることが、技術的な不正行為（それは政府の政策や、市民団体が対応できる範囲を超えて急速に進行しつつある）に対する最大の防御となる。情報に精通した市民は民主主義の中核を成す存在であり、デジタル独裁主義に対する私たちの最強の盾となるかもしれない。

デジタル・インテリジェンス・ラボ[★13]の倫理的オペレーティングシステム（エシカルOS）は、コンピューター・プロパガンダがもたらす問題を解決する技術を構築する人々と、それ活用する人々とが協力するための一つの手段になっている。ボット追跡のような特定の問題に対処するために、既存のソフトウェアや政策に

★13　米国のシンクタンクである未来研究所（IFTF）の下部組織、第4章参照。

よる解決策を整備するだけでなく、次世代のソフトウェアデザイナーや学生たちと協力して、彼らが先人たちの過ちから学ぶようにしなければならない。私の同僚であるジェイン・マクゴニガルは次のように記している。

私たちが技術者として、自分たちの技術が世界をどのように良い方向に変えていくのかを考えることに多くの時間を割くのは当然のことです。これは素晴らしいことでしょう。みな明るい話が好きなのです。しかしある意味で、「グラスの半分は空だ」と悲観的に考える方が有益かもしれません。自分の技術がどのように世界を救うのかを空想することに加えて、それがもしかしたら、ひょっとしたら、場合によっては、事と次第によっては、すべてを台無しにしてしまうかもしれないと考えることに少し時間を割いてみるのはどうでしょうか？　明日がどうなるかを正確に予測することは誰にもできません（技術の世界のどこかで、誰かがそれに取り組んでいることは間違いないのですが）。したがって、未来を予知してくれるアプリが手に入るまでの間、私たちにできる最善のことは、今日私たちが開発した技術が長期的に社会に与える影響や、その予期せぬ用途を予測することです。[14]

私たち全員、特に技術者たちは、作ったツールによって引き起こされ得るダメージを、それを作る前に（作ったずっと後ではなく）予見する必要がある。

私たちのチームは、エシカルOSの八つのリスクゾーン――真実・虚偽・プロパガンダ、中毒とドーパミン経済、経済的・資産的不平等、機械倫理とアルゴリズムのバイアス、監視国家、データ管理とマネタイズ、暗黙の信頼とユーザーの理解、憎悪に満ちた犯罪者――について、要点を整理している。目の前の問題に効果的に対処するためには、現在および将来の技術者や政策立案者を含む私たち全員が、それぞれのリスクゾーンについて徹底的に学ばなければならない。またテクノロジー企業やその関連企業は、全従業員に対して、テクノロジーの誤用の可能性に関する講習を義務付けるべきだ。さらにソフトウェアエンジニアが、何よりも先に「害を及ぼさない」というエンジニア版のヒポクラテスの誓い[★14]をしなければならない、と説得力を持って主張している人もいる[(15)]。

人工知能と量子コンピューターによって強化されたツールを開発する、未来の技術クリエイターたちが、ソーシャルメディア初期の匿名性や自動化といった機能を優先すると決まったわけではない。身元情報を基礎とした評価基準は、偽情報を抑制する次の手段になるかもしれない。私たちはツールに身元情報の確認をどのように組み込むかを真剣に考える必要がある。前述の通り、デジタル世界に

★14　医師が守るべき倫理や任務をまとめたもので、医学校の卒業式等で読み上げられることがある。

は匿名性が守られている場所が依然として存在している。生きながらえるためにそれを必要とする人々もいる。ブロックチェーン、あるいは出所や身元を確認するための他の新しいツールによって、ユーザーの個人情報を守りながら、彼らが本物か、あるいは悪意がないかを識別することが可能になっている。とはいえ、オープンなインターネットという時代遅れの思想や、絶対に匿名性が必要だという考えを、妄信することはできない。匿名性は諸刃の剣だ。私たちは、この機能を利用して弱者を保護するシステムを構築すると同時に、悪意のある行為者が匿名性を利用して、人々を攻撃したり操作したりするのを防ぐツールを構築することができるだろう。

多くのソーシャルメディアやテクノロジー企業は、ユーザーの信頼を維持するために、透明性といった価値観を守るための新しいガイドラインを打ち出している。透明性の背後にある考えは、技術システムに関する情報を、人々に多く提供すればするほど（たとえその失敗についてであっても）、すべての人にとってより良い結果につながるということだ。しかし透明性だけでは十分ではない。フェイスブックとグーグルが、特定の問題に関するデータや、特定のアルゴリズムによる決定の背後にあるコードで、ユーザーを圧倒するようなことはあってはならない。また、何か問題が起きたときだけ透明性を優先させ、事実が判明してから情報を提供するという態度を取るべきではない。透明性を自社の製品や、企業倫理の中に組み込むべきなのだ。さらに重要なのは、一般のユーザーでは解読できない情報の解釈を優先して行うことである。こうした企業は、第三者の研究者や専門家と協力して、ユーザーの体験にとって重要な情報や、彼らの社会的・政治的な営みに関連する情報を解読しなければならない。テクノロジー企業から独立した公平な組織が、プログラムやアルゴリズムを監査し、差別や誤った意思決定、その他の問題を解決することに取り組まなくてはならない。

崩壊した現実を立て直す

希望はどこにあるのか？

米国では、成人の4分の1がほぼ常に何らかの形でネットに接続している。[16] インターネットの普及率は世界中で上昇を続けており、さらに今後はそれに拍車がかかるだろう。インドではネットに接続しているのは、13億人の人口のうちわずか22パーセントだが、その率は伸び続けている。[17] 将来的には数十億人の人々がネットを利用するようになると予測されているが、彼らのネット体験は、1990年代半ばにネットを使い始めた人々の体験とは大きく異なるものになるだろう。

テクノロジーの進展はあまりに急激なものであり、それが情報操作に利用される流れは止められないのだろうか？　状況が急速に変化しているために、テクノロジーの悪用による影響を抑えることは難しいのだろうか？　私はそうは思わない。古くなった技術のあり方を修正し、倫理的な配慮を行った新製品を開発し、目の前にある社会政治的な問題に取り組むことは、まだ可能だと私は信じている。しかし、いま行動を始める必要があるのだ。

不透明なアルゴリズムに支配されたソーシャルメディア・サイトは、それゆえに偽情報の拡散に悪用されている。そうした古いシステムは徹底的に見直す必要があるが、それは連携して行われなければならない。フェイスブックやグーグルのような企業が、各社独自に取り組み、自分たちのテクノロジーをブラックボックス化して、面子を保つために事実を隠すなどということはもはや許されないのだ。オンライン領域を統治し、保護するための新しい政策、特に選挙等の大きなイベント期間にインターネットが悪用されるのを防ぐ法律が必要である。ドイツからブラジルに至るまで世界中の国々では既に、インターネット技術やデータ収集の間違った運用や、問題のある側面を防止するための法律が制定されている。しかし新しい法律には、テクノロジーを理解している人、政策を理解している人、社会を理解している人の意見が必要だ。公共の利益を重んじる技術者に投資し、オンライン上の情報の流れと、将来の技術の潜在的な誤用を抑制する優れた法律を立案できるように彼らを後押しする必要がある。各国の政府は、コンピューター・プロパガンダがその性質上、プラットフォームを越えた問題であると同時に、国境を越えた問題でもあることを受け入れ、協力していかなければならない。

匿名性と自動化を一掃しなければならないとは思わないし、できるかどうかもわからない。どちらも平等、プライバシー、言論の自由に役立つ用途を持っており、そしてどちらもインターネットのある部分にとってはインフラも同然であることは間違いない。最近の法案には、ソーシャルメディア上のすべてのボットの廃止を求めたり、政治的なボットを排除しようとしたりするものがあるが、それに対しては真剣に議論を重ね、細部に注意を払うことが必要だ。XRから音声システムに至るまで、新たなツールの悪用がもたらす潜在的な脅威をどう制御するかを考える場合、私たちは発言の自由とプライバシーを保護しなければならない一方で、同時にヘイトスピーチや嫌がらせ、選挙権の侵害、医療に関する危険な偽情報の拡大、あるいは特定の人物や集団の思想を広めるためのシステムの悪用を防がなければならない。将来のソーシャルメディア・ネットワークがノートパソコンを使おうと、あるいはVRヘッドセットを通じてアクセスするものになろうと、偽ニュースの巣窟になることは許されない。私たちはイノベーションを守りながら、儲けと進歩を何よりも優先する自由放任主義に歯止めをかけることができるのである。

人々は既に、コンピューター・プロパガンダの問題に対処し始めている。たとえばデジタル・インテリジェンス・ラボでは、州や連邦議会の議員、テクノロジー企業、大学生、市民団体、ベンチャーキャピタリストなどにエシカルOSを提示してきた。それはスタンフォード大学のデザインスクールや、同校の「コンピュータサイエンス入門」コースで教えられるようになり、他の大学も使い始めている。サンフランシスコのベイエリアにある大手テクノロジー企業のなかには、社員教育に利用しているところもある。ツールに欺瞞（ぎまん）や増長ではなく、人間の良い部分を焼き付けることができれば、将来発生する問題を防ぐことができるかもしれない。

新しい法律が成立し、新しい倫理的なツールが開発される一方で、世界各地でソーシャルメディアを運営しているテクノロジー企業は、コンピューター・プロパガンダの問題に対処することができる。そうした組織の多くは、偽ニュース、政治的動機による荒らし行為、疑似科学の拡散を抑制する措置を、既に実施し始めている。彼らは組織の一部を刷新して、誰かを操作することを目的とした情報を共有したり、人道に反する意図を支援したりすることのないようにしている。

グーグル社員は米軍用ドローンプロジェクトである「プロジェクト・メイヴン」に抗議し、その結果、同社は取引から手を引いた。[18] フェイスブックとグーグルの社員は、消費者を食い物にするペイデイローンの広告に反対を表明し、両社はその販売を停止した。[19] またこうした企業は、偽情報の流通を阻止するためにアルゴリズムの改良を行っている。[20] しかし、まだやるべきことは山積みだ。

グーグルやフェイスブックのような企業は、これらの問題に断片的に対処するだけでいいはずがない。民主主義と人権を確固たるものにするために、彼らはあらゆる種類のコンピューター・プロパガンダと同様に、情報操作の試みに対して毅然とした態度を取らなければならない。現在、ほとんどのソーシャルメディア企業のビジネスモデルは、ユーザーに注目してもらう、個人データを収集する、コンテンツの創造と広告のターゲティングを促進する不透明なアルゴリズムを構築するという三本柱でできている。この三つの優先事項を変えなければならない。企業は金儲けのためにユーザーの幸福や健康、平穏な暮らしを犠牲にし続けることはできない。いまや何十億人もの人々にそのサービスを利用されているそうした企業は、自分たちの理想や考えに基づいて、私たちが目にする情報を修正したり、変えたりすることに対して責任を負っている。彼らは利益を追求するだけでなく、民主主義が成功するようにビジネスモデルを変えていかなければならない。

あまりに速く動き、あまりに多くのものを破壊することで生じた混乱を解決しようという取り組みが行われる中で、多くの人々が反トラスト法による解決を提唱してきた。その賛成派は、グーグルやアップルのような企業があまりにも大きくなりすぎ、あまりにも多くのものを多くのレベルでコントロールするようになってしまったと主張している。言い換えれば、彼らは独占企業であり、分割されなければならないというわけだ。現在、オンラインの世界では、ごく少数のテクノロジー企業に強大な力が集中しているのは確かだが、反トラスト法による解決策で現在の危機に関連した問題がすべて、あるいはほとんど解決するなどとは、私には思えない。

企業を解体することは、何らかの理由で必要な措置かもしれないが、コンピューター・プロパガンダを理解しようとしている人々の助けになるとは限らない。こうした企業とその製品は、既に無秩序で複雑なものであり、問題の一端に対する彼らの対処は効果をあげ始めたばかりだ。仮に彼らが早々に、あるいは不用意に解散してしまったら、民主的な情報システムを構築するために、最初からやり直さなければならなくなるかもしれない。真実を捻じ曲げるために使われてしまったツールを開発した会社を解散させる前に、問題を解決するために彼らに責任を取らせる必要がある。フェイスブックの解散や、グーグルの独占状態の解消を要求するだけでは十分ではない。これらの企業は、世界でもっとも優秀な人々を雇っており、彼らの多くは目の前の問題を解決するのに貢献したいと考えている。さらにこうした企業は、ハードウェアなどの資産も有しており（そこには豊富な資金も含まれる）、それはコンピューター・プロパガンダに対処する上できわめて重要になるだろう。

こうしたテクノロジー企業は、自社のツールを情報操作の目的で使用することで生じる無数の問題に対処する一方で、新しいルールや基準を効果的に調整、監視、適用できる人間を見極めるというタスクも負っている。多くの企業は、こうしたタスクの管理を、外部の組織や請負会社に依頼するようになっている。しかし私は、大手ハイテク企業が自社の生み出した混乱に対処するために、コンピューター・プロパガンダをほとんど理解していない外部の組織を雇うことに対して非常に懐疑的だ。近年明らかになった事実によって、これらのサイトでコンテンツの監視を行っている人々は十分な報酬や訓練もなく、潜在的な影響に対するしかるべき配慮がなされないまま、恐ろしい画像やコンテンツにさらされていることがわかってきたからだ。[21] 多くの場合、インドなどの国々に住む人々が、米国で生み出されたコンテンツを解読し、そのさじ加減をしようとしている。こうした労働者にとって、インドと米国の文化の違いがもたらすハードルは負担となるだけでなく、米国の労働者に比べて賃金がはるかに低いという事実にもつながっている。

私たちは、こうした監督業務の外部委託や自動化を進めなければならないという意見を、当然のこととして受け入れるべきではない。どこで作業が行われようと、このようなトラウマを生み出すような仕事に対して、企業は公正な賃金を支払わなければならない。またそうしたモデレーターや、コンピューター・プロパガンダを止めようとする人々が、彼らが防ごうとしている現象についてきちんとした訓練を受け、公平な雇用と質の高い心理的ケアを得られるようにしなければならない。私たちは政治的なコンテンツや嫌がらせ、荒らし行為を抑制できる優れた新しい方法と、誤った情報が広まった場合にそれを追跡できる新しいツールを必要としている。また情報操作の活動を、それが本格化してしまう前に追跡する新しいシステムを必要としている。テクノロジー企業は、こうしたツールの作成や政策の策定を主導しなければならず、政府はそれらを規制し、維持する法律を制定しなければならない。

オンライン・プラットフォームに対しては、プライバシーの保護、悪意のある自動化ソフトウェアの特定と排除、オンライン上でのプロパガンダの拡散の阻止など、多くの作業が求められる。また彼らは、これから登場するテクノロジーの誤用も防がなければならない。一方で、政府にも多くの責任がある。米国をはじめとする多くの国々で、オンラインでの政治的コミュニケーションに対処するための法律がほとんどないことには、憤怒を禁じ得ない。米国の法制度は、ソーシャルメディアのようなより具体的な問題はもちろん、オンライン全般の問題に対処するという点では、暗黒時代にある。過去の選挙において、膨大な数の米国民が政治目的で騙されており、議員たちは自国民を守るために行動しなければならない。米国政府にはシリコンバレーを規制する責任があり、そこで数社の独占企業が我が物顔で振る舞うことを傍観していてはならない。インターネットの劣化や将来のテクノロジーの悪用を防ぐためには、テクノロジーの仕組みを実地に理解している人々の専門知識を取り入れ、新しい規制を作ることが求められる。

私はアン・ラベル、ハムシニ・スリダランと共に執筆した最近の論文で、デジタル詐欺の影響を抑制するためにすぐに実行できる、賢明でシンプルな政策を解説している[22]。また、未来のデジタル・プラットフォームの悪用を防ぐためにできる、いくつかの体系的な改革についても提案している。そしてスリダランとラベルが以前発表したレポートを基にして、コンピューター・プロパガンダと選挙資金とが関わる問題を明らかにするために、米国が次のような政策を採ることを推奨している。

①デジタルの政治広告における資金の流れを透明化するために、主要な技術プラットフォーム（ソーシャルメディアやスマートフォンなど）に対して、政治広告に関する情報開示を義務付ける「正直な広告法案」を可決する。提供されるデータがプラットフォーム間で標準化され、それにより、ターゲットとなる視聴者および広告費について、十分に詳細な情報が開示されるようにする。またその記録は、法の執行を円滑にするために、数年間は公に閲覧可能な状態に置かれるべきである。

②「選挙運動通信」[★15]の定義を拡大して、オンライン広告も含まれるようにし、「選挙運動」の範疇に入るコミュニケーションを広げる。選挙運動通信とは、選挙に近い時期に放送される、注目を集めるテーマに関する広告で、特定の候補者について触れるものの、その候補者に賛成か反対かは明確にされない。そうした広告には情報開示義務が設けられているが、適用されるのはテレビ、ラジオ、印刷物の広告であり、オンライン広告は除外されている。さらに、選挙運動通信の定義を満たすオンライン広告は規制されるべきである。政治広告が選挙サイクルの早い時期に実施されるようになったことから、オンライン広告に対する選挙規則の適用期間を広げることが重要である。

★15　選挙期間やその前の時期に、特定の候補者に言及する形で行われる放送等のコンテンツ。

③有料の意見広告に対する情報開示義務の内容を拡大する。そうした意見広告は、暗黙のうちに特定の候補者を支援あるいは攻撃していたり、政治的な行動を誘発することを目的としていたりするが、ほとんど監視されていない。これについては、裁判所の言論の自由の解釈によって、政府の行動は妨げられているが、テクノロジー企業が介入すれば上手くいく可能性がある。

④すべての政治行動委員会に対して、下請け業者への支出に関する情報の連邦選挙管理委員会（ＦＥＣ）への開示を求めることで、デジタル広告の仕組み全体の透明性を高める。現在、政治行動委員会はコンサルタントや請負業者への支払いを報告しなければならないが、広告の掲載や制作、有権者についてのデータの取得、その他の購入に対してコンサルタントや請負業者が行った支払いについては、開示が義務付けられていない。その結果、デジタルでなされた多くの活動が闇の中となっている。カリフォルニア州では、コンサルタントや請負業者が政治行動委員会に代わって行った５００ドル以上の支払いをすべて報告することを義務付けている。同様の規則を連邦レベルでも採用すべきである。

⑤広告内において、「この広告の料金は〜が支払っています」という情報を開示する義務を、デジタル広告にも適用する。デジタル政治広告は、広告であ

ることが明確に示され、その料金を支払った人物の名前も示されていなければならない。またそこには、より詳細な開示情報（その広告が誰をターゲットにしているのかに関する情報を含む）へ容易にアクセスできる、ハイパーリンクやポップアップ画面のような仕組みが組み込まれていなければならない。広告のサイズによる例外は設けない。物理的なメディアを使った広告とは異なり、テクノロジー企業は法的要件を満たすようにデジタル広告のサイズを変化させることができるからである。

⑥デジタル政治活動における資金の流れを調査する権限を与えられた、独立した機関を創設する。これは米国の金融取引業規制機構（ＦＩＮＲＡ）に相当する組織で、本当の資金源がどこかを調べることで、ＦＥＣが違反や違法行為を特定し、罰則を科すことを容易する。

こうした取り組みによって、より透明で欺瞞の少ないデジタル空間が生まれるだろう。ソーシャルメディア広告の透明性を高め、デジタル政治活動をより徹底的に調査し、オンラインにおける政治活動のあり方についてより多くの説明責任が果たされることを要求する法律を制定することで、私たちはより民主的なオンライン世界を構築できるのだ。

しかしそれは、ソーシャルメディア空間を規制するために新しい法律や政策が求められる多くの領域の、ほんの一部に過ぎない。データの使用とプライバシー、自動化と偽アカウント、プラットフォームの責任、多部門にまたがるインフラがもたらす問題に対して、解決策が必要となる。そうした解決策には、その発案と実行の両方において、デジタル詐欺の問題についてさらに有効な国際協力やより優れた研究開発がなされ、メディアや社会教育の取り組みの透明性を高めることが求められる。テクノロジー業界に対する反トラスト法訴訟や、コミュニケーション（特に政治的コミュニケーション）を監督するある種のグローバルな委員会など、デジタル・プラットフォーム上において試すべき戦略は数多くある。コンピューター・プロパガンダはさまざまな資源を使って実行することができ、健全な民主主義のエコシステムを構築したいのであれば、それぞれのプロパガンダに見合った固有の方法で対処しなければならないことは明らかだ。

どんな組織や政府も、コンピューター・プロパガンダや現実を捻じ曲げようとする世界的な試みに単独で対処することはできない。また一つの政策や法律、ソフトウェアや新しいツールだけでは、虚偽や偽ニュースの世界的な広がりを止めることはできない。真実が破壊されてしまうのを防ぐには、すべての主要なソーシャルメディアやテクノロジー企業、そして多くの中小の企業が協調して行動する必要があるだろう。もし米国の議員たちが、「オルタナティブ・ファクト」を良しとしないのであれば、彼らも行動を開始しなければならない。日本からスウェーデンに至るまで、世界中の国々の政策立案者に倣って、より活気に満ち、平等で自由なオンライン空間を構築するための法案を支援し、一方でオンライン空間を操作しようとする試みを抑える政策を取るべきだ。連邦議会の議員たちは、カリフォルニア州やニューヨーク州、ワシントン州といった州議会の議員にも目を向け、彼らから法的な解決策についてのアイデアを得ることができるだろう。

究極的には、本書で解説されているような変化を起こし、危機を回避するようにこれらのグループに働きかける力は、皆さんと私の手の中にある。今日のソーシャルメディアを利用する人々と、明日のソーシャルメディアに相当するものを利用しようとする人々の声が合わさることで、なぜ私たちがテクノロジーを開発する方法を変えなければならないのか、そしてそれをどのようにすべきかについて、説得力のある議論を生み出すことができるのである。

民主主義を再構築する

私を含む多くの人々が、コンピューター・プロパガンダやその他のテクノロジーの悪用が台頭したことで、民主主義が深刻なダメージを受けたと語っている。さらにソーシャルメディア企業は、この問題を公の場で議論している。フェイスブックで市民的社会参画担当プロダクトマネージャーを務めるサミド・チャクラバルティは、自身のブログに「フェイスブックはもともと、友人や家族をつなぐために設計された――そしてそれに秀でている」と記している。「しかしかつてないほど多くの人々が、このメディアに彼らの政治的エネルギーを注ぎ込んでおり、その過程でフェイスブックの想定外の利用法が生まれ、予想もしなかった社会的な影響も生まれている」[23]。さらにチャクラバルティは、「2016年、私たちフェイスブックは、悪意のある人々がこのプラットフォームをどのように利用しているのかを把握するのがあまりに遅すぎた。私たちは現在、このリスクを取り除くために懸命に取り組んでいる」と述べ、同社を代表して責任の一端を認めている。

本書の冒頭で述べたように、ソーシャルメディア・プラットフォームは民主主義の原則を蝕んだ最初のメディアツールではない。またそれが最後になることもないだろう。私たちの世界には、他者を支配することで権力を構築し、維持しようとする人々が常に存在する。彼らはこの目標を達成するために、必要とあらば、新しいテクノロジーも含む利用可能なあらゆる手段を使う。ソーシャルメディア・プラットフォームは非常に人気があり、何十億人もの人々に利用されているため、情報を操作しようとする個人や組織はいま、このプラットフォームを利用して、自分たちの目標にできるだけ多くの人々を巻き込もうとしている。しかし彼らにとって最新のテクノロジーが有益なのは、大勢の人々へのアクセスを提供してくれるためだけではない。それが強力なのには、自動化され、匿名化され、ますます賢くなりつつあるためという理由もある。動画やVR、AR、音声合成システム、人間らしさを実現するテクノロジーといった新しい手段が登場すると、権力者たちは真実を自分たちに有利なように捻じ曲げるためにそれを利用しようとするだろう。

ある意味では、こうしたシナリオは人類が紡ぐ物語の一部に過ぎない。人間が社会的にも技術的にも進歩するにつれ、私たちは古い統治や思考のあり方から脱却してゆく。私たちは前に進むし、時には後退もする。あらゆる世代において、私たちは民主主義をつくり替えるという課題に取り組むことを余儀なくされてきた。これは古代ローマが滅亡して以来の永遠の戦いであり、時代によっては民主主義は何世代にもわたって頓挫したこともある。だからといって、私たちの時代にそのようなことが起きるのを許してはならない。私たちは現在の社会的・技術的問題に取り組み、人権と自由を優先するシステムが実現された、より強い世界をつくることができる。米国のパークレンジャーであり、作家でもあるベティー・リード・ソスキンが言うように、「民主主義は決して固まらないもの」であり、「私たちはみな、より完璧な団結を実現する責任がある」[24]。私たちが経験していることは、現在進行形の対立であり、それに対応するのは私たち全員の役割だ。

私が政治とテクノロジーの問題に取り組み始めたとき、2016年の米大統領選挙のような瞬間を経験するとは思いもしなかった。それはかつて私たちが、民主主義や自由な情報の流れにとって有望だと期待していた手段が、政府や他のさまざまな団体によって利用され、嘘や嫌がらせ、事実の歪曲が拡散されるという出来事だった。またソーシャルメディア・プラットフォームが、世界中の国々での選挙戦や重大な出来事の際に、強制的で問題の多い形で使われるのを見ることになるとも思っていなかった。私は恐れからコンピューター・プロパガンダの研究を始めたわけではなく、実際はその反対というのが真実に近い。私は悪用や搾取の可能性を懸念していたが、それと同じくらい、自由を推進するための新しいメディアツールの可能性に興奮していた。

私はそれ以来、ソーシャルメディアのツールが――さらにはまだ地平線上にある、これから登場するすべての新しいテクノロジーが――人間の最良の部分を前進させることに、非常に役立つだろうと信じている。ここ数年、私たちは道を見失ってしまっていたが、方向感覚を取り戻すことはできる。ソーシャルメディア企業は既に、自分たちが構築したツールやデバイスが引き起こした問題を解決する責任を取り始めている。世界中の政策立案者たちは、政治的な操作や標的型の嫌がらせ、その他の新しいメディア上やそれを介して発生した問題を抑制するための法律を制定している。ジャーナリストは事実と証拠に基づいて真実を追求し、報道し続けている。私たちはみな、普通の人として、またグローバルな集合体として、クエーカー教徒と彼らの「権力に対して真実を語る（Speaking truth to power）」姿勢★16を見習うことができる。(25)

この取り組みはまだ終わっていない。実際のところ、それが完了することは決してないだろう。私たちは常に、すべての人々の権利と声を優先する民主主義を維持するために戦わなければならない。不公平は常に存在し、権力はしばしばごく少数の人々の手に集中するものだが、私たちは自分たちを支配するために使われているのと同じテクノロジーを使って、その支配に対抗することができる。私たちは手を取り合って、テクノロジーを人権に配慮し設計するように要求できる。私たちは、社会は民主主義を中心に回るべきであると主張できるのだ。

★16　Speaking truth to powerとは非暴力的な政治戦術の一つを指し、1955年にあるクエーカー教徒が出版した本のタイトルが語源になっているとの説がある。

訳者あとがき

本書は２０２０年１月に発売された、サミュエル・ウーリー博士による*The Reality Game: How the Next Wave of Technology Will Break the Truth*（リアリティ・ゲーム——次のテクノロジーの波が真実を破壊する）の邦訳である。ソーシャルメディアやＶＲ（仮想現実）、ＡＩ（人工知能）といった先進テクノロジーのプロパガンダへの利用によって、私たちが真実を把握するのが難しくなっていること、それが民主主義を危機に陥れていることを描き、そうした現状にどう対処すべきかを考察している。

新しいテクノロジーがプロパガンダに利用されるというのは、これまでの歴史においても幾度となく繰り返されてきた。15世紀にヨハネス・グーテンベルクによって完成された印刷技術は、カトリック教会の権威を批判する人々を後押しし、その後の宗教改革をもたらす一因になったと言われている。20世紀に何度も発生した戦争は、ラジオやテレビといった放送技術を駆使した宣伝合戦と無縁ではなかった。そうしたパターンが、21世紀における最先端テクノロジーの分野でも起きようとしているわけである。

本書はその新しいプロパガンダの姿を「コンピューター・プロパガンダ」と称し、さまざまな事例を解説している。人間のアカウントのふりをして、ソーシャルメディア上に膨大なメッセージを投稿し続けるボット（自律的に行動するプログラム）や、VR技術を使って仮想空間内で行われる思想教育、そして本当は起きていないことを、実際に撮影されたかのような映像として生成することのできるAI――その中には、過去において現実に行われたものも、将来的に起きる可能性のあるものも含まれているが、まるでSFのようだと驚かれるのではないだろうか。

しかしそれらは決して妄想などではなく、著者のサミュエル・ウーリー博士が丹念な研究と取材に基づいてまとめたものだ。彼は現在、テキサス大学オースティン校ジャーナリズム学部で助教を務めているが、以前はオックスフォード大学に在籍し、そこでコンピューター・プロパガンダを調査・研究するプロジェクトを率いてきた。本書で語られているように、彼は世間がこの問題に注目するようになる前から、テクノロジーとプロパガンダの関係を長年にわたって研究してきたのである。いわばこの新たなプロパガンダの登場から発展まで、最前線で追い続けてきた人物と言えるだろう。

それだけに彼は、この問題を安易に煽って終わりにはしていない。新たな脅威に危機意識を持つよう促す一方で、本書の後半部分において、その解決策を模索している。そしてそこで彼が訴えているのは、単なる技術の規制ではない。彼は「オンライン上の虚偽や、政治的な情報操作がもたらす問題への解決策を考えるのは、一筋縄ではいかない作業だ。デジタル情報の世界は広大であり、その情報を追跡したり、食い止めたりするのは私たちの現状の能力を超えている」と認め、先進テクノロジーを開発・活用する企業の取り組みや、政府など公的機関による積極的な対応など、複合的な施策を示している。

その中で重要な要素となっているのが、私たち一人ひとりの姿勢だ。ウーリー博士は冒頭において、本書を書こうと思った理由の一つに、人々に力を与えることを挙げている。自らに有利な世論をつくり出そうとする人々が新しい技術に注目するのは、それによって、これまでなかったプロパガンダ戦術が可能になるためだ。しかし「そうした戦術を知っている人が増えるごとに、その効果は落ちる。そしてジャンクニュースや不正なデータ収集行為の拡散を防ぐための賢明な解決策を支持する人が増えていけば、私たち全員にとって良い結果となるだろう」と彼は訴える。敵の手の内を知り、それに備えること、そのための一冊が本書というわけだ。

本書が主に扱っているのは欧米諸国の事例だが、私たち日本の読者にとっても、コンピューター・プロパガンダの脅威は対岸の火事ではない。朝日新聞が2018年に報じたところによると、ドイツのエアランゲン・ニュルンベルク大学の研究チームが、14年に行われた日本の総選挙を対象に、投票日の前後に54万件のツイート（ツイッター上の投稿）を分析した。するとツイートの8割がボット等によるもので、その多くが当時の安倍政権を支持するメッセージを拡散するものだったという。またプロパガンダの事例ではないが、本書でも取り上げられている「ディープフェイクによるアダルトコンテンツ制作」は日本でも発生しており、20年10月には初の逮捕者（合成動画を作成した大学生とシステムエンジニアの2名）が出ている。本書ではまだ可能性の段階として考察されている事例も、これから私たちの身の回りで現実のものとして発生してくるだろう。

また警戒すべきなのは、政治や思想に関する情報だけではない。カーネギーメロン大学「情報に基づく民主社会・社会サイバーセキュリティセンター（IDeaS）」のキャサリン・M・カーリー教授らが行った調査によれば、新型コロナウイルスの流行に関して、誤った情報を発信する多くのボットが登場しているそうである。

カーリー教授らは、２０２０年1月以降に新型コロナウイルス、あるいは新型コロナウイルス感染症（COVID-19）について発言したツイートおよそ2億件を収集して分析。そしてこうした情報を発信するアカウントの、実に45〜60パーセントがボットと考えられると結論付けた。その多くがデマを発信するボットであり、また残念なことに、発信された内容を通じてデマをリツイート（ツイッター上に投稿されたメッセージを自分のアカウント上でそのまま再投稿すること）していた人も大勢いたそうだ。

こうしたボットがなぜデマを拡散しようとするのか、虚偽の内容であることに気付いていないのか、あるいは理解した上で意図的にフェイクを流そうとしているのか（社会的な分断を煽るなどの理由で）は分からないが、いずれにせよ何が事実なのかを判断するのが非常に困難な時代が到来していると言えるだろう。まさに「テクノロジーの波が真実を破壊」しようとしているわけだ。

しかし前述の通り、新しいテクノロジーがプロパガンダに利用されるというのは21世紀特有の現象ではない。そのテクノロジーを取り込んだ上で、私たちは新たな秩序を構築してきた。本書は冒頭で、「どんな世代の人々であろうと、自分たちの時代が来た時には、民主主義を再構築しなければなりません。民主主義は決して固まらないものだからです」というベティー・リード・ソスキンの印象的な言葉を引用している。そう、どんな時代であろうと、私たちはそのとき目の前にある材料を使って他者との関係を築くしかない。何百年も手を加える必要がないような、完璧な社会秩序などというものはそもそも存在しないだろう。壊れた真実を再構築して、少しでも長続きするような仕組みや制度は何かを模索するしかないのだ。

ウーリー博士の議論は、私たちがいま置かれている、あるいは向かおうとしている環境を正しく理解し、次の一歩を踏み出す際のアドバイスを与えてくれるだろう。本書がコロナ禍という、予想だにしなかった混乱で幕を開けた２０２０年代を迷わず進むための、ひとつの道標として活用されることを願っている。

小林啓倫

17. Jacob Poushter, Caldwell Bishop, and Hanyu Chwe, "Social Media Use Continues to Rise in Developing Countries but Plateaus across Developed Ones," Pew Research Center, *Internet & Technology*, June 19, 2018, www.pewglobal.org/2018/06/19/social-media-use-continues-to-rise-in-developing-countries-but-plateaus-across-developed-ones/.
18. Lee Fang, "Google Won' t Renew Its Drone AI Contract, but It May Still Sign Future Military AI Contracts," *Intercept*, June 1, 2018, https:theintercept.com/2018/06/01/google-drone-ai-project-maven-contract-renew/.
19. Camila Domonoske, "Google Announces It Will Stop Allowing Ads for Payday Lenders," *The Two-Way*, NPR, May 11, 2016, www.npr.org/sections/thetwo-way/2016/05/11/477633475/google-announces-it-will-stop-allowing-ads-for-payday-lenders.
20. Daniel Funke, "Four Major Tech Companies Take New Steps to Combat Fake News," Poynter, July 12, 2018, www.poynter.org/fact-checking/2018/four-major-tech-companies-take-new-steps-to-combat-fake-news/.
21. Andrew Arsht and Daniel Etcovitch, "The Human Cost of Online Content Moderation," *Harvard Journal of Law and Technology*, March 2, 2018, https:jolt.law.harvard.edu/digest/the-human-cost-of-online-content-moderation.
22. Ravel, Sridharan, and Woolley, "Principles and Policies to Counter Deceptive Digital Politics."
23. Samidh Chakrabarti, "Hard Questions: What Effect Does Social Media Have on Democracy? " *Facebook Newsroom*, January 22, 2018, https:newsroom.fb.com/news/2018/01/effect-social-media-democracy/.
24. Betty Reid Soskin and Luvvie Ajayi, interview at Makers conference, 2018, www.makers.com/videos/5a79ff2d44a64b138fefea2d.
25. Jade Greear, "Speaking Truth to Power," *Huffington Post*, December 22, 2015, www.huffpost.com/entry/speaking-truth-to-power_b_8824094.

Fairness, Accountability, and Transparency, Proceedings of Machine Learning Research 81 (2018): 77–91, http:proceedings.mlr.press/v81/buolamwini18a.html.

8 結論――人権に基づいたテクノロジーの設計

1. "Data Never Sleeps 5.0," DOMO, 2018, www.domo.com/learn/data-never-sleeps-5.
2. Bernard Marr, "How Much Data Do We Create Every Day? The Mind-Blowing Stats Everyone Should Read," *Forbes*, May 21, 2018, www.forbes.com/sites/bernardmarr/2018/05/21/how-much-data-do-we-create-every-day-the-mind-blowing-stats-everyone-should-read/.
3. "Hamilton 68 Version 2.0," Alliance for Securing Democracy, https:securingdemocracy.gmfus.org/hamilton-68/.
4. Samuel Woolley and Marina Gorbis, "Social Media Bots Threaten Democracy. But We Are Not Helpless," *Guardian*, October 16, 2017, www.theguardian.com/commentisfree/2017/oct/16/bots-social-media-threaten-democracy-technology.
5. danah boyd, "Did Media Literacy Backfire?," *Data & Society: Points*, January 5, 2017, https:points.datasociety.net/did-media-literacy-backfire-7418c084d88d.
6. Social Science One, https:socialscience.one/home (accessed February 11, 2019).
7. Fruzsina Eordogh, "YouTube Stops Recommending Conspiracy Videos, Finally," *Forbes*, January 28, 2019, www.forbes.com/sites/fruzsinaeordogh/2019/01/28/youtube-stops-recommending-conspiracy-videos-finally/.
8. Kreiss and McGregor, "Technology Firms Shape Political Communication."
9. Sam Greenspan, Bellwether, https:bellwether.show/ (accessed June 19, 2019).
10. Sam Wineberg et al., Stanford History Education Group, "Evaluating Information: The Cornerstone of Civic Online Reasoning: Executive Summary," Stanford University, November 22, 2016, https:stacks.stanford.edu/file/druid:fv751yt5934/SHEG%20Evaluating%20Information%20Online.pdf.
11. Monica Anderson and JingJing Jiang, "Teens, Social Media, and Technology," Pew Research Center, *Internet & Technology*, May 31, 2018, www.pewinternet.org/2018/05/31/teens-social-media-technology-2018/.
12. danah boyd, *It' s Complicated: The Social Lives of Networked Teens* (New Haven, CT: Yale University Press, 2014)〔『つながりっぱなしの日常を生きる――ソーシャルメディアが若者にもたらしたもの』(草思社)〕.
13. ソープAIに関する情報は次を参照。Crunchbase, www.crunchbase .com/organization/soap-ai (accessed February 20, 2019).
14. Institute for the Future, "Ethical OS: A Guide to Anticipating the Future Impact of Today' s Technology," https:ethicalos.org/.
15. Cherri M. Pancake, "Computing' s Hippocratic Oath Is Here," *Fast Company*, August 9, 2018, www.fastcompany.com/90215922/why-we-spent-two-years-rewriting-the-code-of-ethics-for-computing.
16. Andrew Perrin and JingJing Jiang, "A Quarter of Americans Are Online Almost Constantly," Pew Research Center, *Internet & Technology*, March 14, 2018, www.pewresearch.org/fact-tank/2018/03/14/about-a-quarter-of-americans-report-going-online-almost-constantly/.

never-waste-time-automated-phone-menus-2162409.
9. Booch, "Don' t Fear Superintelligent AI."
10. 特に次を参照。Juliana Schroeder and Nicholas Epley, "The Sound of Intellect: Speech Reveals a Thoughtful Mind, Increasing a Job Candidate' s Appeal," *Psychological Science* 26, no. 6 (June 1, 2015): 877–891, https:doi.org/10.1177/0956797615572906; Juliana Schroeder and Nicholas Epley, "Mistaking Minds and Machines: How Speech Affects Dehumanization and Anthropomorphism," *Journal of Experimental Psychology: General* 145, no. 11 (2016): 1427–1437.
11. David Pierce, "How Apple Finally Made Siri Sound More Human," *Wired*, September 7, 2017, www.wired.com/story/how-apple-finally-made-siri-sound-more-human/.
12. Olivia Solon, "Google' s Robot Assistant Now Makes Eerily Lifelike Phone Calls for You," *Guardian*, May 8, 2018, www.theguardian.com/technology/2018/may/08/google-duplex-assistant-phone-calls-robot-human.
13. Yongdong Wang, "The Chatbot That' s Acing the Largest Turing Test in History," *Nautilus*, February 4, 2016, http:nautil.us/issue/33/attraction/your-next-new-best-friend-might-be-a-robot (accessed August 12, 2016).
14. Solon, "Google' s Robot Assistant Now Makes Eerily Lifelike Phone Calls for You."
15. "You' ll Want to Keep an Eye on These 10 Breakthrough Technologies This Year," *MIT Technology Review* (March/April 2018), www.technologyreview.com/lists/technologies/2018/.
16. Ian J. Goodfellow, Jean Pouget-Abadie, Mehdi Mirza, Bing Xu, David Warde-Farley, Sherjil Ozair, Aaron Courville, and Yoshua Bengio, "Generative Adversarial Networks," Cornell University, Statistics: Machine Learning, June 10, 2014, http:arxiv.org/abs/1406.2661; Vincent Dumoulin, Jonathon Shlens, and Manjunath Kudlur, "Supercharging Style Transfer," *Google AI Blog*, December 26, 2016, http:ai.googleblog.com/2016/10/supercharging-style-transfer.html.
17. Jordan Pearson and Natasha Grzincic, "These People Are Not Real—They Were Created by AI," *Motherboard*, December 14, 2018, https:motherboard.vice.com/en_us/article/mby4q8/these-people-were-created-by-nvidia-ai.
18. James Vincent, "These Faces Show How Far AI Image Generation Has Advanced in Just Four Years," *The Verge*, December 17, 2018, www.theverge.com/2018/12/17/18144356/ai-image-generation-fake-faces-people-nvidia-generative-adversarial-networks-gans.
19. Jack Nicas, "Facebook Says Russian Firms 'Scraped' Data, Some for Facial Recognition," *New York Times*, November 26, 2018, www.nytimes.com/2018/10/12/technology/facebook-russian-scraping-data.html.
20. Natasha Singer, "Amazon' s Facial Recognition Wrongly Identifies 28 Lawmakers, ACLU Says," *New York Times*, July 27, 2018, www.nytimes.com/2018/07/26/technology/amazon-aclu-facial-recognition-congress.html.
21. Jacob Snow, "Amazon' s Face Recognition Falsely Matched 28 Members of Congress with Mugshots," American Civil Liberties Union, July 26, 2018, www.aclu.org/blog/privacy-technology/surveillance-technologies/amazons-face-recognition-falsely-matched-28.
22. Joy Buolamwini and Timnit Gebru, "Gender Shades: Intersectional Accuracy Disparities in Commercial Gender Classification," *Proceedings of the First Conference on*

change-south-pacific-global-warming-sea-levels-a7829786.html.
21. Jeremy Bailenson, "Virtual Reality Can Help Politicians Make Responsible Decisions about the Environment," *National Geographic Society Newsroom*, October 25, 2017, https:blog.nationalgeographic.org/2017/10/25/virtual-reality-can-help-politicians-make-responsible-decisions-about-the-environment/.
22. Bailenson, "Virtual Reality Can Help Politicians Make Responsible Decisions."
23. David Remnick, "Episode 87: Virtual Reality, and the Politics of Genetics," *New Yorker*, June 16, 2017, www.newyorker.com/podcast/the-new-yorker-radio-hour/episode-87-virtual-reality-and-the-politics-of-genetics.
24. Janet Murray, "Who' s Afraid of the Holodeck? Facing the Future of Digital Narrative Without Ludoparanoia," lecture delivered May 22, 2017, University of Utrecht and HKU Interactive Narrative Design (the Netherlands), www.youtube.com/watch?v=zQpaM0kEf70.
25. Several of these principles are drawn from Ravel, Sridharan, and Woolley, "Principles and Policies to Counter Deceptive Digital Politics."
26. Michael Santoli, "It Could Become 'Facebook Thursday,' Akin to Infamous 'Marlboro Friday' Plunge," CNBC, July 26, 2018, www.cnbc.com/2018/07/26/facebook-shares-may-rebound-after-plunge-just-likephilip-morris-in-ea.html.

7　テクノロジーの人間らしさを保つ

1. Marlow Stern and Jen Yamato, "SXSW 2016' s Biggest Stars: President Obama, Atlanta Hip-Hop, and More," *Daily Beast*, March 20, 2016, www.thedailybeast.com/articles/2016/03/20/sxsw-2016-s-biggest-stars-president-obama-atlanta-hip-hop-and-more.
2. "RoboPresident: Politics in an Algorithmic World," SXSW Schedule 2016, https:schedule.sxsw.com/2016/events/event_PP49943 (accessed February 23, 2019).
3. Tad Friend, "How Frightened Should We Be of AI?," *New Yorker*, May 7, 2018, www.newyorker.com/magazine/2018/05/14/how-frightened-should-we-be-of-ai.
4. Monica Nickelsburg, "That' s One Smooth-Talking Robot: Google' s WaveNet AI Program Produces Human-like Speech," *GeekWire*, September 12, 2016, www.geekwire.com/2016/thats-one-smooth-talking-robot-googles-wavenet-ai-program-produces-human-like-speech/.
5. Jessi Hempel, "Siri and Cortana Sound Like Ladies Because of Sexism," *Wired*, October 28, 2015, www.wired.com/2015/10/why-siri-cortana-voice-interfaces-sound-female-sexism/.
6. Danielle De La Bastide, "Researchers at MIT Just Created a Very Polite Robot," *Interesting Engineering*, September 4, 2017, https://interestingengineering.com/researchers-at-mit-just-created-a-very-polite-robot.
7. Aviva Rutkin, "Not Like Us: How Should We Treat the Robots We Live Alongside?," *New Scientist*, October 6, 2015, www.newscientist.com/article/dn28293-not-like-us-how-should-we-treat-the-robots-we-live-alongside/.
8. Larry Bartleet, "Swearing at Your Phone Gets You Better Customer Service in America," *NME*, November 22, 2017, www.nme.com/blogs/nme-blogs/hilarious-hack-americans-

February 12, 2019, www.wired.com/story/mirrorworld-ar-next-big-tech-platform/.
6. David Gelernter, *Mirror Worlds: Or the Day Software Puts the Universe in a Shoebox... How It Will Happen and What It Will Mean* (New York: Oxford University Press, 1993)〔『ミラーワールド――コンピューター社会の情報景観』（ジャストシステム）〕.
7. Emory Craig, “Marc Andreessen: VR Will Be ‘1,000’ Times Bigger than AR,” *Digital Bodies*, January 7, 2019, www.digitalbodies.net/virtual-reality/marc-andreessen-vr-will-be-1000-times-bigger-than-ar/.
8. Rebecca Hills-Duty, “China’ s Communist Party Uses VR for Loyalty Tests,” *VRFocus*, May 9, 2018, www.vrfocus.com/2018/05/chinas-communist-party-uses-vr-for-loyalty-tests/.
9. Gideon Resnick and Ben Collins, “Palmer Luckey: The Facebook Near-Billionaire Secretly Funding Trump’ s Meme Machine,” *Daily Beast*, September 23, 2016, www.thedailybeast.com/articles/2016/09/22/palmer-luckey-the-facebook-billionaire-secretly-funding-trump-s-meme-machine.
10. Nick Wingfield, “Oculus Founder Plots a Comeback with a Virtual Border Wall,” *New York Times*, December 22, 2017, www.nytimes.com/2017/06/04/business/oculus-palmer-luckey-new-start-up.html.
11. Tom Huddleston Jr., “Oculus Co-Founder Palmer Luckey Wants to Build a ‘Virtual’ Border Wall,” *CNBC Make It*, January 15, 2019, www.cnbc.com/2019/01/15/oculus-co-founder-palmer-luckey-wants-to-build-a-virtual-border-wall.html.
12. “Hate in Social VR,” Anti-Defamation League, www.adl.org/resources/reports/hate-in-social-virtual-reality (accessed February 18, 2019).
13. Jessica Outlaw, “Virtual Harassment: The Social Experience of 600+ Regular Virtual Reality (VR) Users,” *The Extended Mind*, April 4, 2018, https:extendedmind.io/blog/2018/4/4/virtual-harassment-the-social-experience-of-600-regular-virtual-reality-vrusers.
14. Casey Newton, “People Older than 65 Share the Most Fake News, a New Study Finds,” *The Verge*, January 9, 2019, www.theverge.com/2019/1/9/18174631/old-people-fake-news-facebook-share-nyu-princeton.
15. Samuel Woolley and Philip Howard, “Computational Propaganda: Executive Summary,” University of Oxford, Oxford Internet Institute working paper (June 2017).
16. Anti-Defamation League, “Reverend Patricia Novick, PhD, DMin, ” www.adl.org/reverend_patricia_novick%2C_ph.d.%2C_d.min (accessed February 19, 2019).
17. Andy Brownstone, “Can Virtual Reality Reduce Racism?” *BBC News*, November 28, 2013, www.bbc.com/news/av/science-environment-24929089/reducing-ingrained-racism-with-virtual-reality.
18. Tyler Young and Ankita Rao, “This VR Founder Wants to Gamify Empathy to Reduce Racial Bias,” *Motherboard*, July 20, 2018, https:motherboard.vice.com/en_us/article/a3qeyk/this-vr-founder-wants-to-gamify-empathy-to-reduce-racial-bias.
19. Zillah Watson, “VR for News: The New Reality?,” Reuters Institute for the Study of Journalism, Digital News Project, 2017, https:reutersinstitute.politics.ox.ac.uk/our-research/vr-news-new-reality.
20. Umberto Bacchi, “On the Frontline of Climate Change in the South Pacific, ” *Independent*, July 7, 2017, www.independent.co.uk/news/world/australasia/climate-

Fake Face Videos by Detecting Eye Blinking," Cornell University, Computer Science: Computer Vision and Pattern Recognition, June 7, 2018, http:arxiv.org/abs/1806.02877.
38. Siwei Lyu, "Detecting 'Deepfake' Videos in the Blink of an Eye," *The Conversation*, August 29, 2018, http:theconversation.com/detecting-deepfake-videos-in-the-blink-of-an-eye-101072.
39. Francesco Marconi and Till Daldrup, "How the Wall Street Journal Is Preparing Its Journalists to Detect Deepfakes," *Nieman Lab*, November 15, 2018, www.niemanlab.org/2018/11/how-the-wall-street-journal-is-preparing-its-journalists-to-detect-deepfakes/.
40. Lily Hay Newman, "A New Tool Protects Videos from Deepfakes and Tampering," *Wired*, February 11, 2019, www.wired.com/story/amber-authenticate-video-validation-blockchain-tampering-deepfakes/.
41. Matthew Field, "Hacker Claims He Will Live-Stream Deleting Zuckerberg' s Facebook Profile," *Telegraph*, September 28, 2018, www.telegraph.co.uk/technology/2018/09/28/hacker-claims-will-live-stream-deleting-zuckerbergs-facebook/.
42. Helen Chen, "Fortnite Gamer Accused of Live Streaming Domestic Violence Assault Granted Bail," *SBS Your Language*, November 12, 2018, www.sbs.com.au/yourlanguage/mandarin/en/article/2018/12/11/fortnite-gamer-accused-live-streaming-domestic-violence-assault-granted-bail.
43. Kathleen Chaykowski, "Terrorism Suspect' s Use of 'Facebook Live' Stream Highlights Challenges of Live Video," *Forbes*, June 15, 2016, www.forbes.com/sites/kathleenchaykowski/2016/06/15/terrorist-suspects-use-of-facebook-live-stream-highlights-challenges-of-live-video/.
44. Bruce Sterling, "Disinformation Digest," *Wired*, November 20, 2016, www.wired.com/beyond-the-beyond/2016/11/disinformation-digest/.
45. Sheryl Sandberg, "Facebook Chief Operating Officer Sheryl Sandberg' s Letter to New Zealand," *New Zealand Herald*, March 30, 2019, www.nzherald.co.nz/business/news/article.cfm?c_id=3&objectid=12217454.
46. マーク・ザッカーバーグは、同社の未来は「プライベート」にあり、フェイスブックはニュースフィードモデルから離れると公言している。ただプライバシーへの移行は、単に研究者や法執行機関が監視できない隔離された空間を増やすだけではないかと危惧する声もある。次の記事を参照のこと。NickStatt, "Facebook CEO Mark Zuckerberg Says the 'Future Is Private,'" *The Verge*, April 30, 2019, www.theverge.com/2019/4/30/18524188/facebook-f8-keynote-mark-zuckerberg-privacy-future-2019.

6 XRメディア

1. Jakob Verbruggen, "Men Against Fire," *Black Mirror*, Netflix, October 10, 2016, www.imdb.com/title/tt5709234/.
2. "Kengoro, the Most Advanced Humanoid Robot Yet," *RobotsVoice*, March 8, 2018, www.robotsvoice.com/kengoro-advanced-humanoid-robot-yet/.
3. For more on IFTF and the Emerging Media Lab, visit iftf.org.
4. Kangpan, "Bright Spots in the VR Market."
5. Kevin Kelly, "AR Will Spark the Next Big Tech Platform—Call It Mirrorworld," *Wired*,

22. Limelight Networks, "The State of Online Video 2018," www.limelight.com/resources/white-paper/state-of-online-video-2018.
23. Cisco, "Cisco Visual Networking Index: Forecast and Trends, 2017–2022: White Paper," updated February 27, 2019, www.cisco.com/c/en/us/solutions/collateral/service-provider/visual-networking-index-vni/white-paper-c11-741490.html (accessed February 13, 2019).
24. Gara, "It' s Not Fake Video We Should Be Worried About."
25. Robert Mackey, "Fake Interview with Alexandria Ocasio-Cortez Was Satire, Not Hoax, Conservative Pundit Says," *Intercept*, July 24, 2018, https:theintercept.com/2018/07/24/conservative-network-says-fake-interview-alexandria-ocasio-cortez-satire/.
26. Alexandria Ocasio-Cortez (*@AOC*), tweet of July 24, 2018, https:twitter.com/AOC/status/1021750530249568257?ref_src=twsrc%5Etfw%7Ctwcamp%5Etweetembed%7Ctwterm%5E1021750530249568257&ref_url=https%3A%2F%2Ftheintercept.com%2F2018%2F07%2F24%2Fconservative-network-says-fake-interview-alexandria-ocasio-cortez-satire%2F.
27. 3M, "Polishing Your Presentation," 3M Meeting Network, November 2, 2000, http:web.archive.org/web/20001102203936/http%3A3m.com/meetingnetwork/files/meetingguide_pres.pdf.
28. Christina J. Howard and Alex O. Holcombe, "Unexpected Changes in Direction of Motion Capture Attention," *Attention, Perception, and Psychophysics* 72, no. 8 (2010): 2087–2095, https:doi.org/doi:10.3758/APP.72.8.2087.
29. Melanie Green and Timothy Brock, "The Role of Transportation in the Persuasiveness of Public Narratives," *Journal of Personality and Social Psychology* 79, no. 5 (2000): 701.
30. Kelly Born, "Disinformation Threatens 2020 Election," *Morning Consult*, April 29, 2019, https:morningconsult.com/opinions/disinformation-threatens-2020-election/ (accessed May 1, 2019).
31. Rebecca Lewis, "Alternative Influence: Broadcasting the Reactionary Right on YouTube," Data & Society Research Institute, September 18, 2018, https:datasociety.net/wp-content/uploads/2018/09/DS_Alternative_Influence.pdf.
32. Michael Nuñez, "YouTube Announces Sweeping Changes to the Way It Handles Breaking News, " Mashable, August 9, 2018, https:mashable.com/article/youtube-announces-changes-breaking-news-video-search/.
33. Kreiss and McGregor, "Technology Firms Shape Political Communication."
34. Louise Matsakis, "YouTube Will Link Directly to Wikipedia to Fight Conspiracy Theories," *Wired*, March 13, 2018, www.wired.com/story/youtube-will-link-directly-to-wikipedia-to-fight-conspiracies/.
35. John Herrman, "YouTube May Add to the Burdens of Humble Wikipedia," *New York Times*, June 8, 2018, www.nytimes.com/2018/03/19/business/media/youtube-wikipedia.html.
36. Sarah T. Roberts, "Commercial Content Moderation: Digital Laborers' Dirty Work," in *The Intersectional Internet: Race, Sex, Class, and Culture Online*, ed. Safiya Umoja Noble and Brendesha M. Tyne (New York: Peter Lang Publishing, 2016).
37. Yuezun Li, Ming-Ching Chang, and Siwei Lyu, "In Ictu Oculi: Exposing AI Generated

7. “The Big Question: How Will ‘Deepfakes’ and Emerging Technology Transform Disinformation?” National Endowment for Democracy, October 1, 2018, www.ned.org/the-big-question-how-will-deepfakes-and-emerging-technology-transform-disinformation/.
8. Drew Harwell, “Fake-Porn Videos Are Being Weaponized to Harass and Humiliate Women: ‘Everybody Is a Potential Target,’” *Washington Post*, December 30, 2018, www.washingtonpost.com/technology/2018/12/30/fake-porn-videos-are-being-weaponized-harass-humiliate-women-everybody-is-potential-target/.
9. Cade Metz, “Google Just Open Sourced the Artificial Intelligence Engine at the Heart of Its Online Empire,” *Wired*, November 9, 2015, www.wired.com/2015/11/google-open-sources-its-artificial-intelligence-engine/.
10. Tom Simonite, “Will ‘Deepfakes’ Disrupt the Midterm Election?,” *Wired*, November 1, 2018, www.wired.com/story/will-deepfakes-disrupt-the-midterm-election/.
11. Oscar Schwartz, “You Thought Fake News Was Bad? Deep Fakes Are Where Truth Goes to Die,” *Guardian*, November 12, 2018, www.theguardian.com/technology/2018/nov/12/deep-fakes-fake-news-truth.
12. Samantha Cole and Emanuel Maiberg, “Pornhub Is Banning AI-Generated Fake Porn Videos, Says They’re Nonconsensual,” *Motherboard*, February 6, 2018, https:motherboard.vice.com/en_us/article/zmwvdw/pornhub-bans-deepfakes.
13. James Vincent, “Watch Jordan Peele Use AI to Make Barack Obama Deliver a PSA about Fake News,” *The Verge*, April 17, 2018, www.theverge.com/tldr/2018/4/17/17247334/ai-fake-news-video-barack-obama-jordan-peele-buzzfeed.
14. Kim Hyeongwoo et al., “Deep Video Portraits,” in *ACM* [Association for Computing Machinery]*: Transactions of Graphics* 37, no. 4 (August 2018).
15. Jennifer Langston, “Lip-Syncing Obama: New Tools Turn Audio Clips into Realistic Video,” *UW News*, July 11, 2017, www.washington.edu/news/2017/07/11/lip-syncing-obama-new-tools-turn-audio-clips-into-realistic-video/.
16. “A Faked Video of Donald Trump Points to a Worrying Future,” *The Economist*, May 24, 2018, www.economist.com/leaders/2018/05/24/a-faked-video-of-donald-trump-points-to-a-worrying-future.
17. Tim Hwang, “Don’t Worry about Deepfakes. Worry about Why People Fall for Them,” *Undark*, December 13, 2018, https:undark.org/2018/12/13/how-worried-should-we-be-about-deepfakes/.
18. Chris Cillizza, “Why Fact-Checking Doesn’t Change People’s Minds,” *Washington Post*, February 23, 2017, www.washingtonpost.com/news/the-fix/wp/2017/02/23/why-fact-checking-doesnt-change-peoples-minds/.
19. Brendan Nyhan and Jason Reifler, “When Corrections Fail: The Persistence of Political Misperceptions,” *Political Behavior* 32, no. 2 (June 1, 2010): 303–330, https:doi.org/10.1007/s11109-010-9112-2.
20. Kevin Roose, “Here Come the Fake Videos, Too,” *New York Times*, June 8, 2018, www.nytimes.com/2018/03/04/technology/fake-videos-deepfakes.html.
21. Tom Gara, “It’s Not Fake Video We Should Be Worried About, It’s Real Video,” *BuzzFeed*, January 24, 2019, www.buzzfeednews.com/article/tomgara/fake-video-isnt-the-future-of-propaganda-real-video-works.

of-independence-hate-speech.
44. Ali Breland, "How White Engineers Built Racist Code—and Why It' s Dangerous for Black People," *The Guardian*, December 4, 2017, sec. Technology, www.theguardian.com/technology/2017/dec/04/racist-facial-recognition-white-coders-black-people-police.
45. Christian Sandvig, Kevin Hamilton, Karrie Karahalios, and Cedric Langbort, "Automation, Algorithms, and Politics: When the Algorithm Itself Is a Racist: Diagnosing Ethical Harm in the Basic Components of Software," *International Journal of Communication* 10 (October 12, 2016): 19; James Zou and Londa Schiebinger, "AI Can Be Sexist and Racist—It' s Time to Make It Fair," *Nature* 559, no. 7714 (July 2018): 324, https:doi.org/10.1038/d41586-018-05707-8.
46. Oren Etzioni, "No, the Experts Don' t Think Superintelligent AI Is a Threat to Humanity," *MIT Technology Review*, September 20, 2016, www.technologyreview.com/s/602410/no-the-experts-dont-think-superintelligent-ai-is-a-threat-to-humanity/.
47. Andrew Myers, "Artificial Intelligence Index Tracks Emerging Field," *Stanford News*, November 30, 2017, https:news.stanford.edu/2017/11/30/artificial-intelligence-index-tracks-emerging-field/.
48. Christopher Mims, "Without Humans, Artificial Intelligence Is Still Pretty Stupid," *Wall Street Journal*, November 12, 2017, www.wsj.com/articles/without-humans-artificial-intelligence-is-still-pretty-stupid-1510488000.
49. Grady Booch, "Don' t Fear Superintelligent AI," TED Talk, November 2016, www.ted.com/talks/grady_booch_don_t_fear_superintelligence.

5 フェイクビデオ——まだディープではない

1. Kyle Swenson, "How CNN' s Jim Acosta Became the Reporter Trump Loves to Hate," *Washington Post*, November 8, 2018, www.washingtonpost.com/nation/2018/11/08/how-cnns-jim-acosta-became-reporter-trump-loves-hate/.
2. Erin Durkin and Ben Jacobs, "White House Backs Down in Fight with CNN over Jim Acosta—as It Happened," *Guardian*, November 19, 2018, www.theguardian.com/us-news/live/2018/nov/19/white-house-jim-acosta-trump-latest-us-politics-live.
3. Naomi Lim, "CNN' s Acosta Denies 'Placing His Hands on' White House Intern," *Washington Examiner*, November 8, 2018, www.washingtonexaminer.com/news/cnns-acosta-denies-placing-his-hands-on-white-house-intern.
4. Associated Press, "White House Bans CNN Reporter Jim Acosta after a Confrontation with Trump," CNBC, November 8, 2018, www.cnbc.com/2018/11/08/white-house-bans-cnn-reporter-jim-acosta-after-a-confrontation-with-trump-.html.
5. Drew Harwell, "White House Shares Doctored Video to Support Punishment of Journalist Jim Acosta," *Washington Post*, October 8, 2018, www.washingtonpost.com/technology/2018/11/08/white-house-shares-doctored-video-support-punishment-journalist-jim-acosta/.
6. Allison Chiu, "Kellyanne Conway on Jim Acosta Video: 'That' s Not Altered. That' s Sped Up. They Do It All the Time in Sports,'" *Washington Post*, November 12, 2018, www.washingtonpost.com/nation/2018/11/12/kellyanne-conway-acosta-video-thats-not-altered-thats-sped-up-they-do-it-all-time-sports/.

30. Marc Owen Jones, "Someone in Saudi Has Taken over the Verified Twitter Account of a Dead American Meteorologist—and There' s More . . . ," February 9, 2019, https:marcowenjones.wordpress.com/2019/02/09/someone-in-saudi-has-taken-over-the-verified-twitter-account-of-a-dead-american-meteorologist-and-theres-more/.
31. OSoMe, "Botometer: An OSoMe Project," https:botometer.iuniiu.edu.
32. Tessa Lyons, "Increasing Our Efforts to Fight False News," *Facebook Newsroom*, June 21, 2018, https:newsroom.fb.com/news/2018/06/increasing-our-efforts-to-fight-false-news/.
33. Petter Bae Brandtzaeg, Asbjørn Følstad, and María Ángeles Chaparro Domínguez, "How Journalists and Social Media Users Perceive Online Fact-Checking and Verification Services," *Journalism Practice* 12, no. 9 (October 21, 2018): 1109–1129, https:doi.org/10.1080/17512786.2017.1363657; R. Kelly Garrett, Erik C. Nisbet, and Emily K. Lynch, "Undermining the Corrective Effects of Media-Based Political Fact Checking? The Role of Contextual Cues and Naive Theory," *Journal of Communication* 63, no. 4 (August 1, 2013): 617–637, https:doi.org/10.1111/jcom.12038.
34. Daniel Funke, "Snopes Pulls Out of Its Fact-Checking Partnership with Facebook," *Poynter*, February 1, 2019, www.poynter.org/fact-checking/2019/snopes-pulls-out-of-its-fact-checking-partnership-with-facebook/.
35. Sandra E. Garcia, "Ex–Content Moderator Sues Facebook, Saying Violent Images Caused Her PTSD," *New York Times*, December 28, 2018, www.nytimes.com/2018/09/25/technology/facebook-moderator-job-ptsd-lawsuit.html.
36. Casey Newton, "The Trauma Floor: The Secret Lives of Facebook Moderators in America," *The Verge*, February 25, 2019, www.theverge.com/2019/2/25/18229714/cognizant-facebook-content-moderator-interviews-trauma-working-conditions-arizona.
37. Nicole Karlis, "Facebook' s Shift to 'Privacy-Focused' Company: Earnest Change or Cynical PR Move?" *Salon*, March 8, 2019, www.salon.com/2019/03/07/facebooks-shift-to-privacy-company-earnest-change-or-cynical-pr-move/.
38. James Vincent, "Facebook Is Using Machine Learning to Spot Hoax Articles Shared by Spammers," *The Verge*, June 21, 2018, www.theverge.com/2018/6/21/17488040/facebook-machine-learning-spot-hoax-articles-spammers.
39. Eliza Strickland, "AI-Human Partnerships Tackle 'Fake News,'" *IEEE Spectrum: Technology, Engineering, and Science News*, August 29, 2018, https:spectrum.ieee.org/computing/software/aihuman-partnerships-tackle-fake-news.
40. Terry Collins, "Facebook Vows to Do Better Combating Hate Speech," *CNET*, June 27, 2017, www.cnet.com/news/facebook-its-hard-handling-hate-speech/.
41. Emily Sullivan, "Twitter Says It Will Ban Threatening Accounts, Starting Today," *The Two-Way*, NPR, December 18, 2017, www.npr.org/sections/thetwo-way/2017/12/18/571622652/twitter-says-it-will-ban-threatening-accounts-starting-today.
42. Brett Samuels, "Facebook Apologizes to Texas Newspaper for Part of Declaration of Independence Being Labeled Hate Speech," *The Hill*, July 5, 2018, https:thehill.com/policy/technology/395583-facebook-apologizes-for-labeling-part-of-declaration-of-independence-as.
43. Sam Wolfson, "Facebook Labels Declaration of Independence as 'Hate Speech,'" *Guardian*, July 5, 2018, www.theguardian.com/world/2018/jul/05/facebook-declaration-

propaganda-machine.
15. Vyacheslav Polonski, "How Artificial Intelligence Conquered Democracy," *The Conversation*, August 8, 2017, http:theconversation.com/how-artificial-intelligence-conquered-democracy-77675.
16. Vyacheslav Polonski, "Artificial Intelligence Has the Power to Destroy or Save Democracy," Council on Foreign Relations, *Net Politics*, August 7, 2017, www.cfr.org/blog/artificial-intelligence-has-power-destroy-or-save-democracy.
17. Samuel Woolley, "Manufacturing Consensus: Computational Propaganda and the 2016 United States Presidential Election," PhD diss., University of Washington (2018).
18. Philip N. Howard and Bence Kollanyi, "Bots, #StrongerIn, and #Brexit: Computational Propaganda during the UK-EU Referendum," Cornell University, Computer Science: Social and Information Networks, June 20, 2016, http:arxiv.org/abs/1606.06356.
19. Shawn Musgrave, "'I Get Called a Russian Bot 50 Times a Day,'" *Politico Magazine*, August 9, 2017, http:politi.co/2viAxZA.
20. Chris Elliott, "The Readers' Editor on . . . Pro-Russia Trolling below the Line on Ukraine Stories," *Guardian*, May 4, 2014, www.theguardian.com/commentisfree/2014/may/04/pro-russia-trolls-ukraine-guardian-online.
21. Juliana Gragnani, "Inside the World of Brazil's Social Media Cyborgs," December 13, 2017, www.bbc.com/news/world-latin-america-42322064.
22. Samuel Woolley and Katie Joseff, "Computational Propaganda and the 2018 US Midterms: Executive Summary," Institute for the Future, Digital Intelligence Lab working paper (forthcoming).
23. Jeremy Hsu, "Why 'Uncanny Valley' Human Look-Alikes Put Us on Edge," *Scientific American*, March 4, 2012, www.scientificamerican.com/article/why-uncanny-valley-human-look-alikes-put-us-on-edge/.
24. Kevin Kelly, *The Inevitable: Understanding the 12 Technological Forces That Will Shape Our Future* (New York: Penguin Books, 2017)〔『〈インターネット〉の次に来るもの——未来を決める12の法則』(NHK出版)〕, 13.
25. Lisa-Maria Neudert, "Future Elections May Be Swayed by Intelligent, Weaponized Chatbots," *MIT Technology Review*, August 22, 2018, www.technologyreview.com/s/611832/future-elections-may-be-swayed-by-intelligent-weaponized-chatbots/.
26. George Dvorsky, "Hackers Have Already Started to Weaponize Artificial Intelligence," *Gizmodo*, https:gizmodo.com/hackers-have-already-started-to-weaponize-artificial-in-1797688425 (accessed May 1, 2019).
27. Matthew Jagielski, Alina Oprea, Battista Biggio, Chang Liu, Cristina Nita-Rotaru, and Bo Li, "Manipulating Machine Learning: Poisoning Attacks and Countermeasures for Regression Learning," Cornell University, Computer Science: Cryptography and Security, April 1, 2018, http:arxiv.org/abs/1804.00308.
28. Kalev Leetaru, "What if Deep Learning Was Given Command of a Botnet?," *Forbes*, January 11, 2017, www.forbes.com/sites/kalevleetaru/2017/01/11/what-if-deep-learning-was-given-command-of-a-botnet/.
29. Gaby Galvin, "How Bots Could Hack Your Health," *US News & World Report*, July 24, 2018, www.usnews.com/news/healthiest-communities/articles/2018-07-24/how-social-media-bots-could-compromise-public-health.

Donald Trump Elected," *Vox*, November 11, 2016, www.vox.com/2016/11/11/13596792/facebook-fake-news-mark-zuckerberg-donald-trump.
2. Chris Prentice, "Zuckerberg Again Rejects Claims of Facebook Impact on US Election," Reuters, November 13, 2016, www.reuters.com/article/us-usa-election-facebook-idUSKBN1380TH.
3. Sheera Frenkel et al., "Delay, Deny, and Deflect: How Facebook' s Leaders Fought through Crisis," *New York Times*, November 30, 2018, www.nytimes.com/2018/11/14/technology/facebook-data-russia-election-racism.html.
4. Carla Herreria, "Mark Zuckerberg: 'I Regret' Rejecting Idea That Facebook Fake News Altered Election," *Huffington Post*, September 28, 2017, www.huffingtonpost.com/entry/mark-zuckerberg-regrets-fake-news-facebook_us_59cc2039e4b05063fe0eed9d.
5. Shannon Liao, "11 Weird and Awkward Moments from Two Days of Mark Zuckerberg' s Congressional Hearing," *The Verge*, April 11, 2018, www.theverge.com/2018/4/11/17224184/facebook-mark-zuckerberg-congress-senators.
6. Drew Harwell, "AI Will Solve Facebook' s Most Vexing Problems, Mark Zuckerberg Says. Just Don' t Ask When or How," *Washington Post*, April 11, 2018, www.washingtonpost.com/news/the-switch/wp/2018/04/11/ai-will-solve-facebooks-most-vexing-problems-mark-zuckerberg-says-just-dont-ask-when-or-how/.
7. Tom Simonite, "AI Has Started Cleaning Up Facebook, but Can It Finish?," *Wired*, December 18, 2018, www.wired.com/story/ai-has-started-cleaning-facebook-can-it-finish/.
8. Harwell, "AI Will Solve Facebook' s Most Vexing Problems, Mark Zuckerberg Says."
9. Will Knight, "A New AI Algorithm Summarizes Text Amazingly Well," *MIT Technology Review*, May 12, 2017, www.technologyreview.com/s/607828/an-algorithm-summarizes-lengthy-text-surprisingly-well/; Kyle Wiggers, "Microsoft Develops Flexible AI System That Can Summarize the News," *VentureBeat*, November 6, 2018, https:venturebeat.com/2018/11/06/microsoft-researchers-develop-ai-system-that-can-generate-articles-summaries/.
10. Katyanna Quach, "Look Out, Wiki-Geeks. Now Google Trains AI to Write Wikipedia Articles," *The Register*, February 15, 2018, www.theregister.co.uk/2018/02/15/google_brain_ai_wikipedia/.
11. Tanza Loudenback, Melissa Stranger, and Emmie Martin, "The 13 Richest People in Tech," *Business Insider*, February 3, 2016, www.businessinsider.com/richest-people-in-tech-2016-1.
12. "GDP (current US$)," World Bank national accounts data, https:-data.worldbank.org/indicator/NY.GDP.MKTP.CD?view=map (accessed February 13, 2019); "Asian and European Cities Compete for the Title of Most Expensive City," *The Economist*, March 15, 2018, www.economist.com/graphic-detail/2018/03/15/asian-and-european-cities-compete-for-the-title-of-most-expensive-city.
13. Scott Shackelford, "Facebook' s Social Responsibility Should Include Privacy Protection," *The Conversation*, April 12, 2018, http:theconversation.com/facebooks-social-responsibility-should-include-privacy-protection-94549.
14. Berit Anderson and Brett Horvath, "The Rise of the Weaponized AI Propaganda Machine," *Scout*, February 9, 2017, https:scout.ai/story/the-rise-of-the-weaponized-ai-

31. Carolina Rossini, "New Version of Marco Civil Threatens Freedom of Expression in Brazil," Electronic Frontier Foundation, November 9, 2012, www.eff.org/deeplinks/2012/11/brazilian-internet-bill-threatens-freedom-expression; "Europe Bets Its Data Law Will Lead to Tech Supremacy," *Financial Times*, April 30, 2018, www.ft.com/content/f77c3b3a-4c44-11e8-97e4-13afc22d86d4.
32. Christopher Paul and Miriam Matthews, "The Russian 'Firehose of Falsehood' Propaganda Model: Why It Might Work and Options to Counter It," Rand Corporation, 2016, www.rand.org/pubs/perspectives/PE198.html.
33. Marco della Cava, "Oculus Cost $3B Not $2B, Zuckerberg Says in Trial," *USA Today*, January 17, 2017, www.usatoday.com/story/tech/news/2017/01/17/oculus-cost-3-billion-mark-zuckerberg
-trial-dallas/96676848/.
34. Andy Kangpan, "Bright Spots in the VR Market," *TechCrunch*, December 2018, http:social.techcrunch.com/2018/12/02/bright-spots-in-the-vr-market/.
35. Jon Bruner, "Why 2016 Is Shaping Up to Be the Year of the Bot," O' Reilly Media, June 15, 2016, www.oreilly.com/ideas/why-2016-is-shaping-up-to-be-the-year-of-the-bot.
36. Kareem Anderson, "Microsoft CEO Satya Nadella Says Chatbots Will Revolutionize Computing," On MSFT, July 11, 2016, www.onmsft.com/news/microsoft-ceo-satya-nadella-says-chatbots-will-revolutionize-computing.
37. Ann Ravel, Hamsini Sridharan, and Samuel Woolley, "Principles and Policies to Counter Deceptive Digital Politics," Maplight and the Institute for the Future, February 12, 2019, https:s3-us-west-2.amazonaws.com/maplight.org/wp-content/uploads/20190211224524/Principles
-and-Policies-to-Counter-Deceptive-Digital-Politics-1-1-2.pdf.
38. Nadine Strossen, *HATE: Why We Should Resist It with Free Speech, Not Censorship* (New York: Oxford University Press, 2018).
39. Jessica Leinwand, "Expanding Our Policies on Voter Suppression," *Facebook Newsroom*, October 15, 2018, https:newsroom.fb.com/news/2018/10/voter-suppression-policies/ (accessed February 13, 2019).
40. Nancy Scola, "Experts Warn the Social Media Threat This Election Is Homegrown," *Politico*, November 5, 2018, https:politi.co/2ANTw0T.
41. Gabriel J. X. Dance, Michael LaForgia, and Nicholas Confessore, "As Facebook Raised a Privacy Wall, It Carved an Opening for Tech Giants," *New York Times*, December 18, 2018, www.nytimes.com/2018/12/18/technology/facebook-privacy.html.
42. Andrew Arnold, "Do We Really Need to Start Regulating Social Media?," *Forbes*, July 30, 2018, www.forbes.com/sites/andrewarnold/2018/07/30/do-we-really-need-to-start-regulating-social-media/; Amelia Irvine, "Don' t Regulate Social Media Companies—Even if They Let Holocaust Deniers Speak," *USA Today*, July 19, 2018, www.usatoday.com/story/opinion/2018/07/19/dont-regulate-social-media-despite-bias-facebook-twitter-youtube-column/796471002/.

4 人工知能——救いか破滅か？

1. Kurt Wagner, "Mark Zuckerberg Says It' s 'Crazy' to Think Fake News Stories Got

14. Dennis Prager, "If You Want a Conservative Child," *The Dennis Prager Show*, November 12, 2013, www.dennisprager.com/want-conservative-child/.
15. Joseph Bernstein, "Teach Them Right: How PragerU Is Winning the Right-Wing Culture War Without Donald Trump," *BuzzFeed News*, March 3, 2018, www.buzzfeednews.com/article/josephbernstein/prager-university (accessed April 30, 2019).
16. Monaco and Nyst, "State-Sponsored Trolling."
17. Samuel Woolley and Katie Joseff, "Computational Propaganda, Jewish-Americans, and the 2018 Midterms: The Amplification of Anti-Semitic Harassment Online," Anti-Defamation League, November 2018, www.adl.org/resources/reports/computational-propaganda-jewish-americans-and-the-2018-midterms-the-amplification.
18. Jevin West and Carl Bergstrom, "Calling Bullshit: Data Reasoning in a Digital World," https:callingbullshit.org/syllabus.html (accessed January13, 2019).
19. "What Is 2017' s Word of the Year?" *BBC News*, November 2, 2017, www.bbc.com/news/uk-41838386.
20. Solon Barocas, Sophie Hood, and Malte Ziewitzは次の論文において、この点およびそれに関係する考え方について、素晴らしい整理と批評を行っている。"Governing Algorithms: A Provocation Piece," March 29, 2013, https:papers.ssrn.com/sol3/papers.cfm?abstract_id=2245322.
21. Michelle Nijhuis, "How to Call BS on Big Data: A Practical Guide," *New Yorker*, June 3, 2017, www.newyorker.com/tech/annals-of-technology/how-to-call-bullshit-on-big-data-a-practical-guide.
22. Gallup, "In Depth: Confidence in Institutions," https:news.gallup.com/poll/1597/Confidence-Institutions.aspx (accessed January 14, 2019).
23. Cary Funk, "Mixed Messages about Public Trust in Science," *Issues in Science and Technology* 34, no. 1 (Fall 2017), https:issues.org/real-numbers-mixed-messages-about-public-trust-in-science/.
24. Uri Friedman, "Trust Is Collapsing in America," *Atlantic*, January 21, 2018, www.theatlantic.com/international/archive/2018/01/trust-trump-america-world/550964/.
25. "Freedom in the World 2018: United States Profile," Freedom House, January 5, 2018, https:freedomhouse.org/report/freedom-world/2018/united-states.
26. Tom McCarthy, "Is Donald Trump an Authoritarian? Experts Examine Telltale Signs," *Guardian*, November 18, 2018, www.theguardian.com/us-news/2018/nov/18/is-donald-trump-an-authoritarian-experts-examine-telltale-signs.
27. Shanthi Kalathil and Taylor C. Boas, *Open Networks, Closed Regimes: The Impact of the Internet on Authoritarian Rule* (Washington, DC: Brookings Institution Press, 2010).
28. Associated Press, "FEC Won' t Regulate Most Online Political Activity," *NBC News*, March 27, 2006, www.nbcnews.com/id/12034995/ns/technology_and_science-tech_and_gadgets/t/fec-wont-regulate-most-online-political-activity/.
29. Senator J. James Exon (D-NE) and Senator Gorton Slade (R-WA), "Communications Decency Act of 1995," S.314, 104th Cong. (1995–1996), www.congress.gov/bill/104th-congress/senate-bill/314/cosponsors.
30. Emily Dreyfuss, "German Regulators Just Outlawed Facebook' s Whole Ad Business," *Wired*, February 7, 2019, www.wired.com/story/germany-facebook-antitrust-ruling/.

https:newsinitiative.withgoogle.com/.

3 批判的思考から陰謀論へ

1. Eric Lubbers, "There Is No Such Thing as the Denver Guardian, Despite That Facebook Post You Saw," *Denver Post*, November 6, 2016, www.denverpost.com/2016/11/05/there-is-no-such-thing-as-the-denver-guardian/.
2. Laura Sydell, "We Tracked Down a Fake-News Creator in the Suburbs. Here' s What We Learned," *All Things Considered*, NPR, November 23, 2016, www.npr.org/sections/alltechconsidered/2016/11/23/503146770/npr-finds-the-head-of-a-covert-fake-news-operation-in-the-suburbs.
3. Robert Gorwa and Douglas Guilbeault, "Unpacking the Social Media Bot: A Typology to Guide Research and Policy," *Policy and Internet*, August 10, 2018, https:doi.org/10.1002/poi3.184.
4. Gabriella Coleman, "Hacker Politics and Publics," *Public Culture* 23, no. 3(65) (September 21, 2011): 511–516.
5. Fred Turner, *From Counterculture to Cyberculture* (Chicago: University of Chicago Press, 2006).
6. Fred Vogelstein, "Facebook Just Learned the True Cost of Fixing Its Problems," *Wired*, July 25, 2018, www.wired.com/story/facebook-just-learned-the-true-cost-of-fixing-its-problems/.
7. Benjamin Goggin, "More than 2,200 People Lost Their Jobs in a Media Landslide so Far This Year," *Business Insider*, February 1, 2019, www.businessinsider.com/2019-media-layoffs-job-cuts-at-buzzfeed-huffpost-vice-details-2019-2.
8. John Pavlik, "The Impact of Technology on Journalism," *Journalism Studies* 1, no. 2 (January 1, 2000): 229–237, https:doi.org/10.1080/146167000050028226.
9. Nathalie Maréchal, "Targeted Advertising Is Ruining the Internet and Breaking the World," *Motherboard*, November 16, 2018, https:motherboard.vice.com/en_us/article/xwjden/targeted-advertising-is-ruining-the-internet-and-breaking-the-world.
10. Sydney Jones, "Online Classifieds," Pew Research Center, *Internet & Technology*, May 22, 2009, www.pewinternet.org/2009/05/22/online-classifieds/.
11. Leon Neyfakh, "Do Our Brains Pay a Price for GPS?," *Boston Globe*, August 18, 2013, www.bostonglobe.com/ideas/2013/08/17/our-brains-pay-price-for-gps/d2Tnvo4hiWjuybid5UhQVO/story.html.
12. Nick Monaco and Carly Nyst, "State-Sponsored Trolling: How Governments Are Deploying Fake News as Part of Broader Harassment Campaigns," Institute for the Future, February 2018, www.iftf.org/fileadmin/user_upload/images/DigIntel/IFTF_State_sponsored_trolling_report.pdf; Samuel Woolley and Philip Howard, *Computational Propaganda: Political Parties, Politicians, and Political Manipulation on Social Media* (New York: Oxford University Press, 2018).
13. 次の書籍を参照。Yochai Benkler, *The Wealth of Networks: How Social Production Transforms Markets and Freedom* (New Haven, CT: Yale University Press, 2006); ウェブを生み出した人々の輝かしい歴史については、次の書籍を参照。 Turner, *From Counterculture to Cyberculture*.

to Information: The Rise of Informal Media as the Freedom of Press' s Lifeline in Northern Mexico," in *A War That Can' t Be Won: Binational Perspectives on the War on Drugs*, ed. Tony Payan et al. (Tucson: University of Arizona Press, 2013), 96–118; "Turkey PM Erdogan Defiant over Twitter Ban," *Al Jazeera*, March 23, 2014, www.aljazeera.com/news/middleeast/2014/03/turkey-pm-erdogan-defiant-over-twitter-ban-2014323164138586620.html; Muhammad Nihal Hussain, Serpil Tokdemir, Nitin Agarwal, and Samer Al-Khateeb, "Analyzing Disinformation and Crowd Manipulation Tactics on YouTube," presented at the 2018 IEEE/ACM International Conference on Advances in Social Net-works Analysis and Mining (ASONAM), Barcelona, Spain, August 28, 2018,
https:doi.org/10.1109/ASONAM.2018.8508766, 1092–1095.

20. Ariana Tobin, "Facebook Promises to Bar Advertisers from Targeting Ads by Race or Ethnicity. Again," *ProPublica*, July 25, 2018, www.propublica.org/article/facebook-promises-to-bar-advertisers-from-targeting-ads-by-race-or-ethnicity-again.
21. Daniel Kreiss and Shannon C. McGregor, "Technology Firms Shape Political Communication: The Work of Microsoft, Facebook, Twitter, and Google with Campaigns during the 2016 US Presidential Cycle," *Political Communication* 35, no. 2 (April 3, 2018): 155–177, https:doi.org/10.1080/10584609.2017.1364814.
22. Katerina Eva Matsa and Elisa Shearer, "News Use across Social Media Platforms 2018," Pew Research Center, *Journalism & Media*, September 10, 2018, www.journalism.org/2018/09/10/news-use-across-social-media-platforms-2018/.
23. Organized Crime and Corruption Reporting Project, "About Us," www.occrp.org/en/about-us (accessed February 12, 2019).
24. Jo Ling Kent, "Bots Are Stealing Your Social Media Identity—and Making Money off You," *NBC News*, January 28, 2018, www.nbcnews.com/tech/social-media/twitter-bots-are-stealing-social-media-identities-profit-n841951.
25. Soroush Vosoughi, Deb Roy, and Sinan Aral, "The Spread of True and False News Online," *Science* 359, no. 6380 (March 9, 2018): 1146–1151, https:doi.org/10.1126/science.aap9559.
26. Paul Mozur, "A Genocide Incited on Facebook, with Posts from Myanmar' s Military," *New York Times*, October 18, 2018, www.nytimes.com/2018/10/15/technology/myanmar-facebook-genocide.html.
27. Vindu Goel, Suhasini Raj, and Priyadarshini Ravichandran, "How WhatsApp Leads Mobs to Murder in India," *New York Times*, July 18, 2018, www.nytimes.com/interactive/2018/07/18/technology/whatsapp-india-killings.html.
28. "Twitter Dominated by Far-Right and Political Groups Fuelling Anti-Refugee Sentiment during Key Period of the Refugee Crisis," Dublin City University, December 4, 2018, www.dcu.ie/news/news/2018/Dec/Twitter-dominated-far-right-and-political-groups-fuelling-anti-refugee-sentiment.
29. Jefferson Graham, "'Crisis Actors' YouTube Video Removed after It Tops 'Trending' Videos," *USA Today*, February 21, 2018, www.usatoday.com/story/tech/talkingtech/2018/02/21/crisis-actors-youtube-david-hogg-video-removed-after-tops-trending-video/360107002/.
30. Google News Initiative, "Building a Stronger Future for Journalism,"

www.nationalreview.com/corner/its-good-thing-martha-coakley-there-are-no-catholics-massachusetts-kathryn-jean-lopez/.
6. この論争に関するより詳しい研究については、次を参照。Leah Ceccarelli, “Manufactured Scientific Controversy: Science, Rhetoric, and Public Debate,” *Rhetoric and Public Affairs* 14, no. 2 (2011): 195–228.
7. Malcolm Gladwell, “Small Change: Why the Revolution Won’ t Be Tweeted,” *New Yorker*, September 27, 2010.
8. Evgeny Morozov, “The Brave New World of Slacktivism,” *Foreign Policy* 19, no. 5 (2009).
9. W. Lance Bennett and Alexandra Segerberg, *The Logic of Connective Action: Digital Media and the Personalization of Contentious Politics* (New York: Cambridge University Press, 2013).
10. Philip N. Howard, *The Digital Origins of Dictatorship and Democracy: Information Technology and Political Islam* (New York: Oxford University Press, 2010).
11. Samuel Woolley and Philip N. Howard, “Social Media, Revolution, and the Rise of the Political Bot,” in *Routledge Handbook of Media, Conflict, and Security* (London: Taylor and Francis, 2016).
12. Samuel Woolley, “Bots Aren’ t Just Service Tools—They’ re a Whole New Form of Media,” *Quartz*, April 10, 2017, https:qz.com/954255/bots-are-the-newest-form-of-new-media/.
13. Samuel Woolley, Samantha Shorey, and Philip Howard, “The Bot Proxy: Designing Automated Self Expression,” in *A Networked Self and Platforms, Stories, Connections* (New York: Taylor and Francis, 2018).
14. Nour Al Ali and Selina Wang, “Russian-Linked Bots Used US Startups to Meddle in Elections,” *Bloomberg*, October 19, 2018, www.bloomberg.com/news/articles/2018-10-19/russia-linked-bots-used-u-s-startups-to-meddle-in-election.
15. Washington Post staff, “Full Transcript: Sally Yates and James Clapper Testify on Russian Election Interference,” *Washington Post*, May 8, 2017, www.washingtonpost.com/news/post-politics/wp/2017/05/08/full-transcript-sally-yates-and-james-clapper-testify-on-russian-election
-interference/.
16. Tony Romm, “Trump Met with Twitter CEO Jack Dorsey—and Complained about His Follower Count,” *Washington Post*, April 24, 2019, www.washingtonpost.com/technology/2019/04/23/trump-meets-with-twitter-ceo-jack-dorsey-white-house/?utm_term=.f0e95cd37947.
17. Norah Abokhodair, Daisy Yoo, and David W. McDonald, “Dissecting a Social Botnet: Growth, Content, and Influence in Twitter,” presented at the Eighteenth ACM Conference on Computer Supported Cooperative Work and Social Computing, Vancouver, BC, March 14–18, 2015, https:doi.
org/10.1145/2675133.2675208, 839–851.
18. FBI, “Syrian Cyber Hackers Charged: Two from ‘Syrian Electronic Army’ Added to Cyber’ s Most Wanted,” Federal Bureau of Investigation, March 22, 2016, www.fbi.gov/news/stories/two-from-syrian-electronic-army-added-to-cybers-most-wanted.
19. Jose Nava and Guadalupe Correa-Cabrera, “Drug Wars, Social Networks, and the Right

10. Alex Stamos, "An Update on Information Operations on Facebook," *Facebook Newsroom*, September 6, 2017, https:newsroom.fb.com/news/2017/09/information-operations-update/; "The Rise and Rise of Fake News," BBC News, November 6, 2016, www.bbc.com/news/blogs-trending-37846860.
11. Garth S. Jowett and Victoria J. O' Donnell, *Propaganda and Persuasion*, 5th ed. (Thousand Oaks, CA: Sage Publications, 2011).
12. Jan N. Bremmer, "Myth as Propaganda: Athens and Sparta," *Zeitschrift für Papyrologie und Epigraphik* 117 (1997): 9–17.
13. Philip N. Howard, "Social Media and the New Cold War," Reuters, August 1, 2012, http:blogs.reuters.com/great-debate/2012/08/01/social-media-and-the-new-cold-war/.
14. Jowett and O' Donnell, *Propaganda and Persuasion*.
15. Kate Starbird, Jim Maddock, Mania Orand, Peg Achterman, and Robert M. Mason, "Rumors, False Flags, and Digital Vigilantes: Misinformation on Twitter after the 2013 Boston Marathon Bombing," *iConference 2014 Proceedings* (March 1, 2014): 654–662, doi:10.9776/14308.
16. Anas Qtiesh, "Spam Bots Flooding Twitter to Drown Info about #Syria Protests," Global Voices Advocacy, April 18, 2011, http:advocacy.globalvoicesonline.org/2011/04/18/spam-bots-flooding-twitter-to-drown-info-about-syria-protests/; Jack Stubbs, Katie Paul, and Tuqa Khalid, "Fake News Network vs. Bots: The Online War around Khashoggi Killing," Reuters, November 1, 2018, www.reuters.com/article/us-saudi-khashoggi-disinformation-idUSKCN1N63QF.

2 真実の破壊——過去・現在・未来

1. この出来事に関する詳細な地図については、次の記事を参照。 Jon Ostrower, Alexander Kolyandr, Margaret Coker, and Paul Sonne, "Map of a Tragedy: How Malaysia Airlines Flight 17 Came Apart over Ukraine," *Wall Street Journal*, n.d., http:graphics.wsj.com/mh17-crash-map.
2. Matt Viser, "Conservative Group Used Tweet Strategy against Coakley," *Boston Globe*, May 4, 2010, http:archive.boston.com/news/nation/articles/2010/05/04/conservative_group_used_tweet_strategy_against_coakley/.
3. Panagiotis Takis Metaxas, Eni Mustafaraj, and Daniel Gayo-Avello, "How (Not) to Predict Elections," in 2011 IEEE Third International Conference on Privacy, Security, Risk, and Trust (PASSAT) and 2011 IEEE Third International Conference on Social Computing (SocialCom),
October 9–11, 2011, 165–171, http:ieeexplore.ieee.org/xpls/abs_all.jsp?arnumber=6113109.
4. Edgar B. Herwick III, "How Roman Catholics Conquered Massachusetts: The Inside Story," *WGBH News*, April 10, 2015, www.wgbh.org/news/post/how-roman-catholics-conquered-massachusetts-inside-story.
5. Joan Frawley Desmond, "Mass. Catholics Bank on Scott Brown," *National Catholic Register*, January 20, 2010, www.ncregister.com/daily-news/massachusetts_catholics_bank_on_scott_brown; Kathryn Jean Lopez, "It' s a Good Thing for Martha Coakley That There Are No Catholics in Massachusetts," *National Review*, January 14, 2010,

参考文献

はじめに

1. United Nations, "Global Issues: Human Rights," August 30, 2016, www.un.org/en/sections/issues-depth/human-rights/.

1 曖昧な真実

1. Pia Ranada, "Duterte Says Online Defenders, Trolls Hired Only during Campaign," *Rappler*, July 25, 2017, www.rappler.comnation/176615-duterte-online-defenders-trolls-hired-campaign.
2. Samantha Bradshaw and Philip N. Howard, "Troops, Trolls, and Troublemakers: A Global Inventory of Organized Social Media Manipulation," Computational Propaganda Project Working Paper 2017.12, University of Oxford, July 17, 2017, https:comprop.oii.ox.ac.uk/research/troops-trolls-and-trouble-makers-a-global-inventory-of-organized-social-media-manipulation/.
3. Maria A. Ressa, "Propaganda War: Weaponizing the Internet," *Rappler*, October 3, 2016, www.rappler.comnation/148007-propaganda-war-weaponizing-internet.
4. Pia Ranada, "Duterte Says Online Defenders, Trolls Hired Only during Campaign" (video), *Rappler*, July 24, 2017, www.youtube.com/watch?time_continue=56&v=9WnRwiuMc68.
5. US Department of Labor, Bureau of Labor Statistics, "CPI Inflation Calculator," www.bls.gov/data/inflation_calculator.htm (accessed April 26, 2019).
6. Ng Yik-tung, Sing Man, and Xi Wang, "China' s Ruling Party Trials Virtual Reality Tests of Members' Loyalty," *Radio Free Asia*, May 8, 2018, www.rfa.org/english/news/china/tests-05082018111042.html.
7. P. W. Singer and Emerson T. Brooking, *LikeWar: The Weaponization of Social Media* (Boston: Houghton Mifflin Harcourt/Eamon Dolan, 2018)〔『「いいね！」戦争——兵器化するソーシャルメディア』(NHK出版)〕.
8. John Haltiwanger, "Jamal Khashoggi Was Barred from Writing in Saudi Arabia after He Criticized Trump, Then Left His Native Country," *Business Insider*, November 20, 2018, www.businessinsider.com/why-jamal-khashoggi-left-saudi-arabia-writing-ban-2018-10.
9. Katie Benner, Mark Mazzetti, Mark Hubbard, and Ben Isaac, "Saudis' Image Makers: A Troll Army and a Twitter Insider," *New York Times*, November 1, 2018, www.nytimes.com/2018/10/20/us/politics/saudi-image-campaign-twitter.html.

わ行

ま行

や行

ら行

な行

は行

さ行

た行

か行

索引

あ行

サミュエル・ウーリー（Samuel Woolley）
AI や政治、ソーシャルメディアを専門とする研究者兼著述家。テキサス大学オースティン校のジャーナリズム・スクール助教およびメディア・エンゲージメント・センターのプログラムディレクターを務める。シリコンバレーの中心地を拠点とするシンクタンク、未来研究所でデジタル・インテリジェンス・ラボを立ち上げ、ディレクターを務めたほか、オックスフォード大学オックスフォード・インターネット研究所ではコンピューター・プロパガンダ・プロジェクトを共同で主宰した。政治的操作のテクノロジーについて、ワイアード誌、ガーディアン紙、スレート誌などさまざまなメディアに寄稿している。著者の研究成果は、ニューヨークタイムズ紙、ワシントンポスト紙、ウォールストリートジャーナル紙などでも取り上げられている。

小林啓倫（こばやし・あきひと）
1973 年東京都生まれ。筑波大学大学院修士課程修了。システムエンジニアとしてキャリアを積んだ後、米バブソン大学にて MBA 取得。外資系コンサルティングファーム、国内ベンチャー企業などで活動。著書に『FinTech が変える！金融×テクノロジーが生み出す新たなビジネス』『IoT ビジネスモデル革命』（いずれも朝日新聞出版）など、訳書に『ドライバーレスの衝撃』『テトリス・エフェクト』（いずれも白揚社）、『アマゾン化する未来』『ULTRA LEARNING 超・自習法』（いずれもダイヤモンド社）、『ピボット・ストラテジー』（東洋経済新報社）などがある。

ISBN 978-4-8269-0222-9

操作（そうさ）される現実（げんじつ）

二〇二〇年十一月十二日　第一版第一刷発行

著　者　サミュエル・ウーリー

訳　者　小林啓倫（こばやしあきひと）

発行者　中村幸慈

発行所　株式会社　白揚社　©2020 in Japan by Hakuyosha
〒101-0062　東京都千代田区神田駿河台1-7
電話03-5281-9772　振替00130-1-25400

装　幀　岩崎寿文

印刷・製本　中央精版印刷株式会社

サミュエル・I・シュウォルツ 著　小林啓倫 訳

ドライバーレスの衝撃

自動運転車が社会を支配する

自動運転車が普及すると、格差は拡大し、街から人が消え、コミュニティは崩壊するかもしれない。自動運転車普及がもたらす予想外の影響を、元ニューヨーク市運輸局局長の交通専門家が包括的に分析する。　四六判　366ページ　本体価格2500円

リチャード・ハリス著　寺町朋子訳

生命科学クライシス

新薬開発の危ない現場

効果を再現できない医薬研究、約9割――命を救うはずの研究が無用な臨床試験、誤った情報、虚しい希望を生み出し続けている。ずさんな研究はなぜ横行するのか？　医薬研究の衝撃の実態を暴く問題作。　四六判　302ページ　本体価格2700円

ターリ・シャーロット著　上原直子訳

事実はなぜ人の意見を変えられないのか

説得力と影響力の科学

人はいかにして他者に影響を与え、影響を受けるのか？　客観的事実や数字は他人の考えを変えないという認知神経科学の驚くべき研究結果を示し、他人を説得するとき陥りがちな落とし穴を避ける方法を紹介。　四六判　288ページ　本体価格2500円

デイヴィッド・デステノ著　住友進訳

なぜ「やる気」は長続きしないのか

心理学が教える感情と成功の意外な関係

「成功者＝意志が強い人」は大ウソ！？　個人や組織の目標達成、子育て、教育…自制心よりも感情を活用した方がうまくいく。最新の実験研究をもとに、気鋭の心理学者が「成功のルールブック」を刷新する。　四六判　288ページ　本体価格2400円

デイヴィッド・デステノ著　寺町朋子訳

信頼はなぜ裏切られるのか

無意識の科学が明かす事実

〈信頼〉に関する私たちの常識は間違いだらけ。どうすれば裏切られないようになるのか？　信頼できるか否かを予測できるようになるのか？　誰もが頭を悩ますこれらの疑問に、信頼研究の第一人者が答える。　四六判　302ページ　本体価格2400円

経済情勢により、価格に多少の変更があることもありますのでご了承ください。
表示の価格に別途消費税がかかります。